THE ADYAR LIBRARY GENERAL SERIES
VOLUME FOUR

GENERAL EDITOR
K. KUNJUNNI RAJA
Hon. Director

HAṬHAYOGAPRADĪPIKĀ

Text, Commentary, Translation

THE HAṬHAYOGAPRADĪPIKĀ

OF

SVĀTMĀRĀMA

With the Commentary *JYOTSNĀ* of

BRAHMĀNANDA

and English Translation

THE ADYAR LIBRARY AND RESEARCH CENTRE
The Theosophical Society, Adyar, Chennai 600 020, India

First Edition 1972
Reprint 2000

ISBN: 81-85141-37-1

Distributors

Americas and Japan :

The Theosophical Publishing House,
P.O. Box 270, Wheaton,
Illinois 60189-0270, U.S.A.

India and Other Countries :

The Theosophical Publishing House,
The Theosophical Society,
Adyar, Chennai 600 020, India.

PRINTED IN INDIA

At the Vasanta Press, The Theosophical Society,
Adyar, Chennai 600 020.

PREFACE

THE *Haṭhayogapradīpikā* of Svātmārāma was first published in 1893 with the commentary *Jyotsnā* of Brahmānanda and the English translation of Srinivasa Iyangar by Tookaram Tatya on behalf of the Bombay Theosophical Publishing Fund. This was one of the fruits of the many efforts made by members of the Theosophical Society in the last century to bring eastern literature and knowledge to the attention of the public in general and of the western world in particular.

A second edition was published in 1933 in the Oriental Series (No. 15) of the Theosophical Publishing House, Adyar, Madras, India. Although a number of corrections had been carried out in preparing the Sanskrit text and commentary for the second edition, there were still various lacunae in the presentation.

In preparing the present edition, the errors have been corrected as far as possible, by Prof. A. A. Ramanathan and Pandit S. V. Subrahmanya Sastri, after consulting the manuscripts in the Adyar Library and Research Centre, especially the manuscript of the *Jyotsnā* commentary (No. PM 1431). They have also seen the text through the press.

The original English translation of Srinivasa Iyangar has been thoroughly revised by myself and Prof. A. A. Ramanathan, so as to conform more closely to the text and yet be readable.

RADHA BURNIER
Director

INTRODUCTION

The *Haṭhayogapradīpikā* is a well-known authoritative treatise on Yoga which has been taken for a guide by different classes of Yogin-s in India. Of all the existing works on occultism, the *Haṭhayogapradīpikā* is perhaps the one which stands unrivalled in its attempt to grapple with the task of reconciling the Rāja-yoga and Haṭha-yoga systems. Concealing a truth in every sentence, the treatise offers, in one respect, a wealth of occult lore to the earnest student of Yogavidyā, and, in another, holds behind the apparent charms of a bright curtain a venomous serpent ready to pounce upon the first straggler from the right hand path who has not thoroughly shaken off earthly impurities before launching himself upon the forbidden path of Yoga. The pure and unselfish alone will have the keenness and power to extract the pure drop of immortality from the compound mixture in which the mystic author of the treatise has so beautifully combined the two systems of Yoga.

The word *yoga* means union between Jīvātman and Paramātman. The science that teaches the way of acquiring this occult knowledge is called Yoga-śāstra. As this knowledge leads directly to the fusion of the Jīvātman and the Paramātman, it is considered very sacred and sublime, and, as such, is not indiscriminately imparted to all men by its custodians; only those who have passed through the most terrible ordeals being considered as fit to receive it. The strict rules of discipleship and the method of their observance are given in the *Śivasaṃhitā*.

The sage Patañjali, the founder of the Yoga philosophy, has laid down in his Yoga aphorisms, I. 23, that an untiring devotion to Īśvara (or Guru) is one of the most essential conditions required of a student of Yoga. Another no less essential condition as described in aphorism 20 of the same section, is faith, without which no knowledge is possible to the student; half or wavering faith in this science or the Guru is a positive disqualification.

According to the Śāstra-s, no knowledge stands higher in importance than the Yoga-śāstra, and the Veda-s call it the *vidyā*. God Śiva describes it in the *Śivasaṃhitā*:

आलोक्य सर्वशास्त्राणि विचार्य च पुनः पुनः ।
इदमेकं सुनिष्पन्नं योगशास्त्रं परं मतम् ॥ I. 17.

On studying all the Śāstra-s and constantly meditating on them, I have come to the conclusion that no Śāstra is so worthy of study as the Yoga-śāstra.

Pythagoras, Plato and other ancient philosophers of Greece have extolled the study of this science, and the motto at the entrance of their lecture-hall was 'Know thyself'.

Among the leaders of modern thought, Descartes, Spinoza, Kant, Schopenhauer, Emerson and others have not been less enthusiastic in their praises of the nobility of this science, whose object they have declared to be the unravelling of the mystery of the being of man and surrounding nature.

The acquisition of a knowledge of this science is fraught with abnormal difficulties, and perfectly qualified teachers are rare, and not communicative except to well-tried students. Obscurities in the treatment of the subject in a written work call for verbal explanation by a Guru. No substantial gift will ever purchase the knowledge desired, or alter the iron rules prescribed in the Śāstra-s. The grace of the Guru bestowed in exchange for the hard earned merit acquired by the disciple, even at the peril of his life, is alone the passport to the sanctuary of knowledge. In the *Bhāgavata* and other Purāṇa-s, the student who has not been able to secure a Guru, is advised to pray and worship Īśvara (as Viṣṇu or Śiva) and strive for perfect renunciation of every worldly desire, such renunciation being the only way of securing a Guru to direct the student in his further progress.

The systems of Yoga have different denominations according to their methods, and known as Aṣṭāṅga, Laya, Dhyāna, Mantra, Bhakti, Tāraka, Karma, etc. All these, however, can be classed into two broad divisions: Haṭha-yoga and Rāja-yoga. These are interdependent, either of them being impracticable without the other.

The venerable sage Patañjali, in his Yoga aphorisms defines Yoga as the suspension of the modification of the thinking principle,[1] an object attainable through different methods, none of which is practicable without controlling the *prāṇa* or breath, which is intimately connected with the mind. This connection is proved by our daily experience of life; when we are absorbed in deep thought, the process of breathing becomes slow. The suspension of the mental activity increases in proportion to the slowness of the breath; and in cases of asphyxia, mental activity ceases altogether until respiration is revived, and complete disappearance of mental activity takes place with the death of the body. These considerations prove that mind and *prāṇa*, another term for the vital breath, are interdependent, each unable to act independently of the other.

It has been said in the *Śivagītā* that the vehicle of mind is *prāṇa*, and therefore mind is present where *prāṇa* is. In other words mind has been described as the rider and *prāṇa* as the horse. In the *Yogavāsiṣṭha*

[1] When initiating Rāmacandra, his Guru Vasiṣṭha said:

चित्तं कारणमर्थानां तस्मिन् सति जगत्त्रयम् ।
तस्मिन् क्षीणे जगत् क्षीणं तच्चिकित्स्यं प्रयत्नत: ॥
एक एव मनो देवो ज्ञेय: सर्वार्थसिद्धिद: ।
अन्यत्र विफल: क्लेश: सर्वेषां तज्जयं विना ॥

The happiness and misery experienced in this world are caused by the working of the mind. Three worlds are created by the mind. Suspension of the mental activity will cause the three worlds with their misery to disappear. By controlling the mind all occult powers are acquired. If the mind is not controlled, all else becomes useless and painful.

the relation between the mind and the *prāṇa* has been described thus:

शरीरशकटानां हि कर्षणे परमात्मना ।
मनःप्राणोदयौ ब्रह्मन् कृतौ कर्मकृतौ दृढौ ॥
प्राणेनेदं देहगेहं परिस्फुरति यन्त्रवत् ।
प्राणहीनं परिस्पन्दं त्यक्त्वा तिष्ठति मूकवत् ॥
मनसः स्पन्दनं प्राणः प्राणस्य स्पन्दनं मनः ।
एतौ विहरतौ नित्यमन्योन्यं रथसारथी ॥
यः प्राणपवनस्पन्दश्चित्तस्पन्दः स एव हि ।
प्राणस्पन्दजये यत्नः कर्तव्यो धीमतोच्चकैः ॥
राज्यादिमोक्षपर्यन्ताः समस्ता एव संपदः ।
देहानिलविधेयत्वात् साध्याः सर्षस्य राघव ॥
बहुनात्र किमुक्तेन सर्वमेव शरीरके ।
करोति भगवान् वायुर्यन्त्रेहामिव यान्त्रिकः ॥

Oh Rāma! For the motion of the chariot which is the body, Īśvara has created the mind and *prāṇa*, without which the body cannot function. When the *prāṇa* departs, the mechanism of the body stops; when the mind works, *prāṇa* moves. The relation between these is like that between the driver and the chariot. These exert motion, one upon the other. Therefore the wise should study the regulation of *prāṇa* if they desire to suspend the activity of the mind or concentrate will upon the achievement of Yoga. The regulation of *prāṇa* brings all happiness, worldly and spiritual, from the acquisition of kingdoms to *mokṣa* or supreme bliss. Wherefore, O Rāma! study the science of breath or *prāṇa*.

Prāṇa is the chief principle of motion in the Sthūla (gross), Sūkṣma (subtle) and Kāraṇa (causal) bodies.

We shall now attempt an examination of the Haṭha and the Rāja-yoga somewhat more minutely and see the difference that exists between the two.

Haṭha is considered to be a compound word formed of two syllables: *ha*, means the moon, and *ṭha*, means the sun. These correspond to the breath which flows through the left and right nostrils. The regulation of breath for the purpose of checking the modification of the thinking principle is called Haṭha-yoga, under which the Aṣṭāṅga-yoga, Mantra-yoga, etc. as above enumerated, naturally fall. Rāja-yoga begins where Haṭha-yoga, properly followed, ends. It would therefore be unwise to consider the Haṭha-yoga as nothing more than a dangerous gymnastic feat, for a moderate exercise of it has been found by experience to be both conducive to health and longevity. It brings in its train the power to prevent or remove diseases, bodily or mental, for its practice regulates the action of the heart, the lungs and the circulation of the blood. It even bestows the gift of putting off death indefinitely, although this privilege is seldom exercised by the true Yogin who knows the consequences of interfering with the laws of nature.

As the Rāja- and the Hatha-yoga-s are the necessary counterparts of each other, the limbs as it were of the same body, either of them cannot be successfully followed to the exclusion of the other, nor their benefits secured without the directions of a competent Guru, and no one can be a perfect Yogin without a knowledge of the practices of both.

The born Rāja-yogin has the natural power of concentrating the mind without effort. This concentration which is the chief characteristic of Rāja-yoga, is the natural result of the force of will acting powerfully to check the erratic mind and bring it into a union with the Jīvātman and Paramātman by a natural or unconscious suspension of the breath.

We have already said that the Rāja-yoga begins where the Haṭha-yoga ends. Every Yoga, the Laya, Tāraka, Dhyāna, etc. has its beginning in Haṭha-yoga, consciously or unconsciously, and ends in the Rāja-yoga. The practice of Rāja-yoga is not easy for everyone who commences it for the first time in the present life if he had not accustomed himself to it in his past incarnations. And as knowledge stored in the previous lives comes to fruition in the present, the disciple will easily attain to Rāja-yoga through the inevitable initial steps of Haṭha-yoga in which a beginning in every incarnation is made. It should therefore be safe to begin with Haṭha-yoga, as this irresistibly tends to the purification of man's body and moral nature.

Students of the Yoga-vidyā have been classed under three categories: the Uttama Adhikārin-s, the highest; the Madhyama Adhikārin-s, the intermediate; and the Kaniṣṭha Adhikārin-s, the lowest. Students of different degrees of merit acquired in past lives come under the first two categories. We shall now speak of the Kaniṣṭha Adhikārin-s who have to begin their Yoga in the present life. For these no course of Yoga is possible save the Haṭha-yoga, which they should patiently follow, guided by a competent Guru. For, says Śrī Śaṃkarācārya in his treatise on Rāja-yoga, called *Aparokṣānubhūti*: 'The practice of Haṭha-yoga is intended for those whose nature requires to be purged of all impurities.' Now, since the majority of men are not free from the infirmities of their lower nature, it follows that the majority of students are in need of a first training which would fit them for the pursuit of the higher system of Rāja-yoga: a training which no system is so well adapted to secure as Haṭha-yoga.

The misconceptions produced in the minds of some who, not having impartially viewed the philosophies of Sāṃkhya and Yoga—terms synonymous with Rāja- and Haṭha-Yoga-s—jump to the conclusion that the two are distinct sciences, each having a distinct bearing upon the knowledge of Self, has been made evident in the *Bhagavadgītā*, (V. 4 and 5), where Śrī Kṛṣṇa says to Arjuna:

सांख्ययोगौ पृथग्बालाः प्रवदन्ति न पण्डिताः ।
एकमप्यास्थितः सम्यगुभयोर्विन्दते फलम् ॥
यत्सांख्यैः प्राप्यते स्थानं तद्योगैरपि गम्यते ।
एकं सांख्यं च योगं च यः पश्यति स पश्यति ॥

meaning that only the ignorant consider Sāṃkhya and Yoga to be different, not the enlightened. By the practice of the one the results of both are obtained. The goal attained by the followers of Sāṃkhya is also reached by the Yogin. He that sees no difference between Sāṃkhya and Yoga possesses the intuitive power of knowledge.

The great sage, Vasiṣṭha, the Guru of Rāmacandra, throws further light on the point in the *Yogavāsiṣṭha*, in which, addressing his worthy disciple, he says:

द्वौ क्रमौ चित्तनाशाय योगो ज्ञानं च राघव ।
योगो वृत्तिनिरोधो हि ज्ञानं सम्यगवेक्षणम् ॥
असाध्यः कस्यचिद्योगो ज्ञानं कस्यचिदेव च ।
प्रकारौ द्वौ ततः साक्षाज्जगाद परमः शिवः ॥

'Oh Rāma! For the destruction (quiescence) of mind only two ways are prescribed: Yoga and *jñāna* (knowledge). Yoga is secured by suppressing the working of the mind, and knowledge by right vision, i.e. tracing the cause from the effect. To some, Yoga is difficult, to others *jñāna* (knowledge) is difficult. For this reason it is that the supreme Śiva has revealed the two ways.'

Similar sentiments are breathed in the *Kūrmapurāṇa* where in the chapters of the *Īśvaragītā* we read that 'the only certain means of acquiring this knowledge is by an adherence to the Sāṃkhya and Yoga doctrines, for they are the same; but he who sedulously devotes himself to them will undoubtedly become acquainted with the real nature of the deity.'

The *Bhagavadgītā* is written in eighteen chapters, each describing a system of Yoga; and in the eighth chapter Śrī Kṛṣṇa advises Arjuna to become a Yogin that he may avoid falling into errors in virtue of the superior knowledge of Self which Yoga offers to its votaries.

We hope we have clearly demonstrated by the accumulated experience of authorities and the Śāstra-s that the Haṭha- and Rāja-yoga-s far from being antagonistic to each other, are, on the contrary, interdependent, and that the pursuit of the Rāja-yoga cannot be successfully accomplished without the cooperation of the sister Haṭha-yoga. It has also been shown that it is safer to begin with the Haṭha-yoga.

The founders of the Haṭha- and the Rāja-yoga-s are respectively the Gods Śiva and Viṣṇu. To demonstrate to the world the fundamental unity of those two systems which have only an apparently different outward garb, the founders worshipped each as his Guru unceasingly with the object of securing emancipation as expressed in the following maxim:

शिवस्य हृदयं विष्णुर्विष्णोश्च हृदयं शिवः ॥

'The heart of Śiva is Viṣṇu, and the heart of Viṣṇu, Śiva.'

In order to illustrate more forcibly the unity of these two systems (identical in their founders, the Gods Śiva and Viṣṇu), Īśvara addressed the sages exhorting them in the last chapter of the *Īśvaragītā*: 'I have now fully explained the different subjects respecting which your minds were perplexed with doubt; but know further, that this Nārāyaṇa and myself are one and the same, and that there is no difference between us. He, like me, is incorporeal, imperishable, the supreme and universal soul. Those, however, who behold diversity in this universe, consider us to be distinct deities, naming him Viṣṇu, and me Maheśvara; but those who know that we are in essence one and the same shall be free from the pains of rebirth.'

As a further illustration of the excellence of the Haṭha-yoga, which we have attempted to establish by the above few quotations drawn out of an overwhelming number of ancient authorities, we would invite the reader's attention to the familiar, but nevertheless undeniable, analogy introduced in a work of very ancient repute, known as *Śaivāgama*, in which Ādinātha (the God Śiva) urges even the most perfect Yogin not to give up his practice of Āsana, Prāṇāyāma, Kumbhaka, etc. for the purpose of keeping his body in perfect good health even as all human beings are required to keep their dwelling houses in perfect sanitary condition.

In view of the combined advantage of the two systems, and for the enlightenment of men thirsting for knowledge, the great Yogin Svātmārāma compiled the *Haṭhayogapradīpikā*, of which we have in these pages attempted to give, with the original text and its commentary, an English translation for the benefit of students unacquainted with Sanskrit. We shall be best rewarded if the fruits of the labours of the great author be appreciated at their true worth, and the reader, imperfectly acquainted with the subject, be enabled to remove the confusion and error which at present seem to prevail in respect of the science of Yoga.

TOOKARAM TATYA

श्रीः

हठयोगप्रदीपिका

ज्योत्स्नायुता

प्रथमोपदेशः

श्रीआदिनाथाय नमोऽस्तु तस्मै येनोपदिष्टा हठयोगविद्या।
विभ्राजते प्रोन्नतराजयोगमारोढुमिच्छोरधिरोहिणीव ॥ १ ॥

श्रीगणेशाय नमः ॥

गुरुं नत्वा शिवं साक्षाद्ब्रह्मानन्देन तन्यते।
हठप्रदीपिकाज्योत्स्ना योगमार्गप्रकाशिका ॥
इदानींतनानां सुबोधार्थमस्याः सुविज्ञाय गोरक्षसिद्धान्तहार्दम्।
मया मेरुशास्त्रिप्रमुख्याभियोगात् स्फुटं कथ्यतेऽत्यन्तगूढोऽपि भावः॥

मुमुक्षुजनहितार्थं राजयोगद्वारा कैवल्यफलां हठप्रदीपिकां विधित्सुः परमकारुणिकः स्वात्मारामयोगीन्द्रस्तत्प्रत्यूहनिवृत्तये हठयोगप्रवर्तकश्रीमदादिनाथ-नमस्कारलक्षणं मङ्गलं तावदाचरति—श्रीआदिनाथायेत्यादिना। तस्मै श्रीआदि-नाथाय नमोऽस्त्वित्यन्वयः। आदिश्चासौ नाथश्च आदिनाथः सर्वेश्वरः। शिव इत्यर्थः। श्रीमानादिनाथः तस्मै श्रीआदिनाथाय। श्रीशब्द आदिर्यस्य सः

श्रीआदिः, श्रीआदिश्चासौ नाथश्च श्रीआदिनाथः, तस्मै श्रीआदिनाथाय। श्रीनाथाय विष्णव इति वार्थः। श्रीआदिनाथायेत्यत्र यणभावस्तु, 'अपि माषं मषं कुर्याच्छन्दोभङ्गं त्यजेद्गिराम्' इति छन्दोविदां संप्रदायादुच्चारणसौष्ठवाच्चेति बोध्यम्। वस्तुतस्तु असंहितपाठस्वीकारापेक्षया श्रीआदिनाथायेति पाठस्वीकारेऽप्रवृत्तनित्यविध्युद्देश्यतावच्छेदकानाक्रान्तत्वेन परिनिष्ठितत्वसंभवात् संप्रत्युदाहृतदृष्टान्तद्वयस्यापीदृग्विषयवैषम्यात्, नित्यसाहित्यभङ्गजनितदोषस्य शाब्दिकाननुमतत्वाच्चासंमृष्टविधेयांशतारूपदोषस्य साहित्यकारैरुक्तत्वेऽपि क्वचित् तैरप्यस्वीकृतत्वेन शाब्दिकाचार्यैरेकाजित्यादौ कर्मधारयस्वीकारेण सर्वथानादृतत्वाच्च लाघवातिशय इति सुधियो विभावयन्तु। नमः प्रह्वीभावोऽस्तु। प्रार्थनायां लोट्। तस्मै; कस्मै इत्यपेक्षायामाह—येनेति। येन आदिनाथेन उपदिष्टा गिरिजायै हठयोगविद्या हश्च ठश्च हठौ सूर्यचन्द्रौ तयोर्योगो हठयोगः, एतेन हठशब्दवाच्ययोः सूर्यचन्द्राख्ययोः प्राणापानयोरैक्यलक्षणः प्राणायामो हठयोग इति हठयोगस्य लक्षणं सिद्धम्। तथा चोक्तं गोरक्षनाथेन सिद्धसिद्धान्तपद्धतौ—

'हकारः कीर्तितः सूर्यष्ठकारश्चन्द्र उच्यते।
सूर्याचन्द्रमसोर्योगाद्धठयोगो निगद्यते॥'

इति। तत्प्रतिपादिका विद्या हठयोगविद्या, हठयोगशास्त्रमिति यावत्। गिरिजायै आदिनाथकृतो हठविद्योपदेशो महाकालयोगशास्त्रादौ प्रसिद्धः। प्रकर्षेण उन्नतः प्रोन्नतः। मन्त्रयोगहठयोगादीनामधरभूमीनामुत्तरभूमित्वाद्राजयोगस्य प्रोन्नतत्वम्। राजयोगश्च सर्ववृत्तिनिरोधलक्षणोऽसंप्रज्ञातयोगः। तमिच्छोर्मुमुक्षोरधिरोहिणीव, अधिरुह्यतेऽनयेत्यधिरोहिणी निःश्रेणीव विभ्राजते विशेषेण भ्राजते शोभते। यथा प्रोन्नतसौधमारोढुमिच्छोरधिरोहिण्यनायासेन सौधप्रापिका भवति, एवं हठदीपिकापि प्रोन्नतराजयोगमारोढुमिच्छोरनायासेन राजयोगप्रापिका भवतीति। उपमालंकारः। इन्द्रवज्राख्यं वृत्तम्॥ १॥

प्रणम्य श्रीगुरुं नाथं स्वात्मारामेण योगिना ।
केवलं राजयोगाय हठविद्योपदिश्यते ॥ २ ॥

एवं परमगुरुनमस्कारलक्षणं मङ्गलं कृत्वा विघ्नबाहुल्ये मङ्गलबाहुल्यस्याप्यपेक्षितत्वात् स्वगुरुनमस्कारात्मकं मङ्गलमाचरन्नस्य ग्रन्थस्य विषयप्रयोजनादीन् प्रदर्शयति—प्रणम्येति । श्रीमन्तं गुरुं श्रीगुरुं नाथं श्रीगुरुनाथं, स्वगुरुमिति यावत् । प्रणम्य प्रकर्षेण भक्तिपूर्वकं नत्वा स्वात्मारामेण योगिना योगोऽस्यास्तीति तेन । केवलं राजयोगाय केवलं राजयोगार्थं हठविद्योपदिश्यत इत्यन्वयः । हठविद्याया राजयोग एव मुख्यं फलं न सिद्धय इति केवलपदस्याभिप्रायः । सिद्धयस्त्वानुषङ्गिक्यः । एतेन राजयोगफलसहितो हठयोगोऽस्य ग्रन्थस्य विषयः । राजयोगद्वारा कैवल्यं चास्य फलम् । तत्कामश्चाधिकारी । ग्रन्थविषययोः प्रतिपाद्यप्रतिपादकभावः संबन्धः । ग्रन्थस्य कैवल्यस्य च प्रयोज्यप्रयोजकभावः संबन्धः । ग्रन्थाभिधेयस्य सफलयोगस्य कैवल्यस्य च साध्यसाधनभावः संबन्ध इत्युक्तम् ॥ २ ॥

भ्रान्त्या बहुमतध्वान्ते राजयोगमजानताम् ।
हठप्रदीपिकां धत्ते स्वात्मारामः कृपाकरः ॥ ३ ॥

ननु मन्त्रयोगसगुणध्याननिर्गुणध्यानमुद्रादिभिरेव राजयोगसिद्धौ किं हठविद्योपदेशेनेत्याशङ्क्य व्युत्थितचित्तानां मन्त्रयोगादिभिः राजयोगासिद्धेर्हठयोगादेव राजयोगसिद्धिं वदन् ग्रन्थं प्रतिजानीते—भ्रान्त्येति । मन्त्रयोगादिबहुमतरूपे ध्वान्ते गाढान्धकारे या भ्रान्तिर्भ्रमस्तया । तैस्तैरुपायै राजयोगार्थं प्रवृत्तस्य तत्र तत्र तदलाभात् । वक्ष्यति च—'हठं विना राजयोगः' (II. 76) इत्यादिना । तथा राजयोगमजानतां न जानन्तीत्यजानन्तः तेषामजानतां पुंसां, राजयोगज्ञानायेति शेषः । करोतीति करः कृपायाः करः कृपाकरः, कृपाया

आकर इति वा तादृशः। अनेन हठप्रदीपिकाकरणे अज्ञानुकम्पैव हेतुरित्युक्तम्। स्वात्मन्यारमते इति स्वात्मारामः। हठस्य हठयोगस्य प्रदीपिकेव प्रकाशकत्वात् हठप्रदीपिका ताम्। अथवा हठ एव प्रदीपिका राजयोगप्रकाशकत्वात्, तां धत्ते विधत्ते, करोतीति यावत्। स्वात्माराम इत्यनेन ज्ञानस्य सप्तमभूमिकां प्राप्तो ब्रह्मविद्वरिष्ठ इत्युक्तम्। तथा च श्रुतिः—'आत्मक्रीड आत्मरतिः क्रियावानेष ब्रह्मविदां वरिष्ठः' इति (*Muṇḍ. Up.*, III. 1. 4)। सप्त भूमयश्चोक्ता योगवासिष्ठे—

'ज्ञानभूमिः शुभेच्छाख्या प्रथमा समुदाहृता।
विचारणा द्वितीया स्यात् तृतीया तनुमानसा॥
सत्त्वापत्तिश्चतुर्थी स्यात् ततोऽसंसक्तिनामिका।
परार्थाभाविनी षष्ठी सप्तमी तुर्यगा स्मृता॥'

अस्यार्थः। शुभेच्छा इत्याख्या यस्याः सा शुभेच्छाख्या। विवेकवैराग्ययुता शमादिपूर्विका तीव्रमुमुक्षा प्रथमा ज्ञानस्य भूमिः भूमिका उदाहृता कथिता, योगिभिरिति शेषः।१। विचारणा श्रवणमननात्मिका द्वितीया ज्ञानभूमिः स्यात्।२। अनेकार्थग्राहकं मनो यदानेकार्थान् परित्यज्य सदेकार्थवृत्तिप्रवाहवद्भवति तदा तनु मानसं यस्यां सा तनुमानसा निदिध्यासनरूपा तृतीया ज्ञानभूमिः स्यादिति शेषः।३। इमास्तिस्रः साधनभूमिकाः। आसु भूमिषु साधक इत्युच्यते। तिसृभिर्भूमिकाभिः शुद्धसत्त्वेऽन्तःकरणेऽहं ब्रह्मास्मीत्याकारिकापरोक्षवृत्तिरूपा सत्त्वापत्तिनामिका चतुर्थी ज्ञानभूमिः स्यात्। चतुर्थीयं फलभूमिः। अस्यां योगी ब्रह्मविदित्युच्यते। इयं संप्रज्ञातयोगभूमिका।४। वक्ष्यमाणास्तिस्रोऽसंप्रज्ञातयोगभूमयः। सत्त्वापत्तेरनन्तरा सत्त्वापत्तिसंज्ञिकायां भूमावुपस्थितासु सिद्धिषु असंसक्तस्यासंसक्तिनामिका पञ्चमी ज्ञानभूमिः स्यात्। अस्यां योगी स्वयमेव व्युत्तिष्ठते। एतां भूमिं प्राप्तो ब्रह्मविद्वर इत्युच्यते।५।

परब्रह्मातिरिक्तमर्थं न भावयति यस्यां सा परार्थभाविनी षष्ठी ज्ञानभूमिः स्यात्। अस्यां योगी परप्रबोधित एव व्युत्थितो भवति। एतां प्राप्तो ब्रह्मविद्वरीयानित्युच्यते । ६ । तुर्यगा नाम सप्तमी भूमिः स्मृता। अस्यां योगी स्वतः परतो वा न व्युत्थानं प्राप्नोति। एतां प्राप्तो ब्रह्मविद्वरिष्ठ इत्युच्यते । ७ । तत्र प्रमाणभूता श्रुतिरत्रैवोक्ता पूर्वम्। अयमेव जीवन्मुक्त इत्युच्यते, स एवात्र स्वात्मारामपदेनोक्त इत्यलं बहूक्तेन ॥ ३ ॥

हठविद्यां हि मत्स्येन्द्रगोरक्षाद्या विजानते।
स्वात्मारामोऽथवा योगी जानीते तत्प्रसादतः ॥ ४ ॥

महत्सेवितत्वाद्धठविद्यां प्रशंसन् स्वस्यापि महत्सकाशाद्धठविद्यालाभाद्गौरवं द्योतयति—हठविद्यां हीति। हीति प्रसिद्धम्। मत्स्येन्द्रश्च गोरक्षश्च तौ आद्यौ येषां ते मत्स्येन्द्रगोरक्षाद्याः। आद्यशब्देन जालंधरनाथभर्तृहरिगोपीचन्दप्रभृतयो ग्राह्याः। ते हठविद्यां हठयोगविद्यां विजानते विशेषेण साधनलक्षणभेदफलैर्जानन्तीत्यर्थः। स्वात्मारामः स्वात्मारामनामा। अथवाशब्दः समुच्चये। योगी योगवान् तत्प्रसादतः गोरक्षप्रसादाज्जानीत इत्यन्वयः। परममहता ब्रह्मणापीयं विद्या सेवितेत्यत्र योगियाज्ञवल्क्यस्मृतिः। 'हिरण्यगर्भो योगस्य वक्ता नान्यः पुरातनः'। वक्तृत्वं च मानसव्यापारपूर्वकं भवतीति मानसो व्यापारोऽर्थादागतः। तथाच श्रुतिः—'यन्मनसा ध्यायति तद्वाचा वदति' इति। भगवतेयं विद्या भागवतानुद्धवादीन् प्रत्युक्ता। शिवस्तु योगी प्रसिद्ध एव। एवं च सर्वोत्तमैर्ब्रह्मविष्णुशिवैः सेवितेयं विद्या। न च ब्रह्मसूत्रकृता व्यासेन योगो निराकृत इति शङ्कनीयम्। प्रकृतिस्वातन्त्र्यचिद्भेदांशमात्रस्य निराकरणात्। न तु भावनाविशेषरूपयोगस्य। भावनायाश्च सर्वसंमतत्वात् तां विना सुखस्याप्यसंभवात्। तथोक्तं भगवद्गीतासु—

'नास्ति बुद्धिरयुक्तस्य न चायुक्तस्य भावना ।
न चाभावयतः शान्तिरशान्तस्य कुतः सुखम् ॥' इति । (II. 66)

नारायणतीर्थैरप्युक्तम् ।

'स्वातन्त्र्यसत्यत्वमुखं प्रधाने सत्यं च चिद्भेदगतं च वाक्यैः ।
व्यासो निराचष्ट न भावनाख्यं योगं स्वयंनिर्मितब्रह्मसूत्रैः ॥'
'अपि चात्मप्रदं योगं व्याकरोन्मतिमान् स्वयम् ।
भाषादिषु ततस्तत्र आचार्यप्रमुखैर्मतः ॥
मतो योगो भगवता गीतायामधिकोऽन्यतः ।
कृतः शुकादिभिस्तस्मादत्र सन्तोऽतिसादराः ॥' इति ।
'वेदेषु यज्ञेषु तपःसु चैव दानेषु यत्पुण्यफलं प्रदिष्टम् ।
अत्येति तत्सर्वमिदं विदित्वा योगी परं स्थानमुपैति चाद्यम् ॥'

इति भगवदुक्तेः (*B. G.*, VIII. 28) । किं बहुना । 'जिज्ञासुरपि योगस्य शब्दब्रह्मातिवर्तते' इति वदता भगवता (*B. G.*, VI. 44) योगजिज्ञासोरप्यौत्कृष्ट्यं वर्णितं किमुत योगिनः । नारदादिभक्तश्रेष्ठैर्याज्ञवल्क्यादिज्ञानिमुख्यैश्चास्याः सेवनाद् भक्तज्ञानिनामप्यविरुद्धेत्युपरम्यते ॥ ४ ॥

श्रीआदिनाथमत्स्येन्द्रशाबरानन्दभैरवाः ।
चौरङ्गीमीनगोरक्षविरूपाक्षबिलेशयाः ॥ ५ ॥

हठयोगे प्रवृत्तिं जनयितुं हठविद्यया प्राप्तैश्वर्यान् सिद्धानाह— श्रीआदिनाथेत्यादिना । आदिनाथः शिवः सर्वेषां नाथानां प्रथमो नाथः । ततो नाथसंप्रदायः प्रवृत्त इति नाथसंप्रदायिनो वदन्ति । मत्स्येन्द्राख्यश्च आदिनाथशिष्यः । अत्रैवं किंवदन्ती—कदाचिदादिनाथः कस्मिंश्चिद् द्वीपे स्थितः तत्र विजनमिति मत्वा गिरिजायै योगमुपदिष्टवान् । तीरसमीपनीरस्थः कश्चन मत्स्यः तं योगोपदेशं

श्रुत्वा एकाग्रचित्तो निश्चलकायोऽवतस्थे। तं तादृशं दृष्ट्वानेन योगः श्रुत इति तं मत्वा कृपालुरादिनाथो जलेन प्रोक्षितवान्। स च प्रोक्षणमात्राद्दिव्यकायो मत्स्येन्द्रः सिद्धोऽभूत्। तमेव मत्स्येन्द्रनाथ इति वदन्ति। शाबरनामा कश्चित् सिद्धः। आनन्दभैरवनामान्यः। एतेषामितरेतरद्वन्द्वः। छिन्नहस्तपादं पुरुषं हिन्दुस्थान-भाषायां चौरङ्गीति वदन्ति। कदाचिदादिनाथाल्लब्धयोगस्य भुवं पर्यटतो मत्स्येन्द्र-नाथस्य कृपावलोकनमात्रात् कुत्रचिदरण्येस्थितश्चौरङ्गयङ्कुरितहस्तपादो बभूव। स च तत्कृपया संजातहस्तपादोऽहमिति मत्वा तत्पादयोः प्रणिपत्य ममानुग्रहं कुर्विति प्रार्थितवान्। मत्स्येन्द्रोऽपि तमनुगृहीतवान्। तस्यानुग्रहाच्चौरङ्गीति प्रसिद्धः सिद्धः सोऽभूत्। मीनो मीननाथः, गोरक्षो गोरक्षनाथः, विरूपाक्षनामा बिलेशयनामा च। चौरङ्गीप्रभृतीनां द्वन्द्वसमासः ॥ ५ ॥

मन्थानो भैरवो योगी सिद्धिर्बुद्धश्च कन्थडिः।
कोरण्टकः सुरानन्दः सिद्धपादश्च चर्पटिः ॥ ६ ॥

मन्थानः, भैरवः। योगीति मन्थानप्रभृतीनां सर्वेषां विशेषणम् ॥ ६ ॥

कानेरी पूज्यपादश्च नित्यनाथो निरञ्जनः।
कपाली विन्दुनाथश्च काकचण्डीश्वराह्वयः ॥ ७ ॥

काकचण्डीश्वर इत्याह्वयो नाम यस्य स तथा। अन्ये स्पष्टाः ॥ ७ ॥

अल्लामः प्रभुदेवश्च घोडाचोली च टिण्टिणिः।
भानुकी नारदेवश्च खण्डः कापालिकस्तथा ॥ ८ ॥

तथाशब्दः समुच्चये ॥ ८ ॥

इत्यादयो महासिद्धा हठयोगप्रभावतः।
खण्डयित्वा कालदण्डं ब्रह्माण्डे विचरन्ति ते ॥ ९ ॥

इति पूर्वोक्ता आदयो येषां ते तथा। आदिशब्देन तारानाथादयो ग्राह्याः। महान्तश्च ते सिद्धाश्च अप्रतिहतैश्वर्या इत्यर्थः। हठयोगस्य प्रभावात् सामर्थ्यादिति हठयोगप्रभावतः। पञ्चम्यास्तसिल्। कालो मृत्युः तस्य दण्डनं दण्डः देहप्राणवियोगानुकूलो व्यापारः तं खण्डयित्वा छित्वा मृत्युं जित्वेत्यर्थः। ब्रह्माण्डमध्ये विचरन्ति विशेषेणाव्याहतगत्या चरन्तीत्यर्थः। तदुक्तं भागवते। 'योगेश्वराणां गतिमाहुरन्तर्बहिस्त्रिलोक्याः पवनान्तरात्मनाम्' इति ॥ ९ ॥

अशेषतापतप्तानां समाश्रयमठो हठः।
अशेषयोगयुक्तानामाधारकमठो हठः ॥ १० ॥

हठस्याशेषतापनाशकत्वमशेषयोगसाधकत्वं च मठकमठरूपकेणाह— अशेषेति। अशेषाः आध्यात्मिकाधिभौतिकाधिदैविकभेदेन त्रिविधाः। तत्राध्यात्मिकं द्विविधम्। शारीरं मानसं च। तत्र शारीरं दुःखं व्याधिजं, मानसं दुःखं कामादिजम्। आधिभौतिकं व्याघ्रसर्पादिजनितम्। आधिदैविकं ग्रहादिजनितम्। ते च ते तापाश्च तैस्तप्तानां संतप्तानां पुंसां हठो हठयोगः। सम्यगाश्रयत इति समाश्रयः, आश्रयः आश्रयभूतो मठः मठ इव। तथा हठः अशेषयोगयुक्तानाम्, अशेषयोगयुक्ताः मन्त्रयोगकर्मयोगादियुक्तास्तेषामाधारभूतः कमठः कमठ इव। यथा तरणिकिरणतापतप्तानां पुंसामाश्रयो मठः। एवं त्रिविधतापतप्तानां पुंसामाश्रयो हठः। यथा च विश्वाधारः कमठः एवं निखिलयोगिनामाधारो हठ इत्यर्थः ॥ १० ॥

हठविद्या परं गोप्या योगिना सिद्धिमिच्छता।
भवेद् वीर्यवती गुप्ता निर्वीर्या तु प्रकाशिता ॥ ११ ॥

अथाखिलविद्यापेक्षया हठविद्याया अतिगोप्यत्वमाह—हठविद्येति। सिद्धिमणिमाद्यैश्वर्यमिच्छता यद्वा सिद्धिं कैवल्यसिद्धिमिच्छता वाञ्छता योगिना

हठयोगविद्या परमत्यन्तं गोप्या गोपनीया गोपनार्हास्तीति। तत्र हेतुमाह। यतो गुप्ता हठविद्या वीर्यवत्यप्रतिहतैश्वर्यजननसमर्था स्यात्। कैवल्यजननसमर्था कैवल्यसिद्धिजननसमर्था वा स्यात्। प्रकाशिता प्रसिद्धिं गमिता तु निर्वीर्या। दीर्घकालसेवितापि अप्रतिहतैश्वर्यजननासमर्था कैवल्यसिद्धिजननासमर्था वा स्यात्। अथ योगाधिकारी।

'जिताक्षाय शान्ताय सक्ताय मुक्तौ विहीनाय दोषैरसक्ताय भुक्तौ।
अहीनाय दोषेतरैरुक्तकर्त्रे प्रदेयो न देयो हठश्चेतरस्मै॥'

याज्ञवल्क्यः।

'विध्युक्तकर्मसंयुक्तः कामसंकल्पवर्जितः।
यमैश्च नियमैर्युक्तः सर्वसङ्गविवर्जितः॥'
'कृतविद्यो जितक्रोधः सत्यधर्मपरायणः।
गुरुशुश्रूषणरतः पितृमातृपरायणः।
स्वाश्रमस्थः सदाचारो विद्वद्भिश्च सुशिक्षितः॥'

इति। 'शिश्नोदररतायैव न देयं वेषधारिणे' इति कुत्रचित्। अत्र योगचिन्तामणिकाराः—यद्यपि

'ब्राह्मणक्षत्रियविशां स्त्रीशूद्राणां च पावनम्।
शान्तये कर्मणामन्यद्योगान्नास्ति विमुक्तये॥'

इत्यादि पुराणवाक्येषु प्राणिमात्रस्य योगेऽधिकार उपलभ्यते, तथापि मोक्षरूपफलवति योगे विरक्तस्यैव अधिकार उचितः। तथा च वायुसंहितायाम्—

'दृष्टे तथानुश्रविके विरक्तं विषये मनः।
यस्य तस्याधिकारोऽस्मिन् योगे नान्यस्य कस्यचित्॥'

सुरेश्वराचार्याः—

'इहामुत्र विरक्तस्य संसारं प्रजिहासतः ।
जिज्ञासोरेव कस्यापि योगेऽस्मिन्नधिकारिता ॥' इत्याहुः ।

वृद्धैरप्युक्तम्—

'नैतद्देयं दुर्विनीताय जातु ज्ञानं गुप्तं तद्धि सम्यक्फलाय ।
अस्थाने हि स्थाप्यमानैव वाचां देवी कोपान्निर्दहेन्नोऽचिराय' इति ॥ ११ ॥

सुराज्ये धार्मिके देशे सुभिक्षे निरुपद्रवे ।
धनुःप्रमाणपर्यन्तं शिलाग्निजलवर्जिते ।
एकान्ते मठिकामध्ये स्थातव्यं हठयोगिना ॥ १२ ॥

अथ हठाभ्यासयोग्यं देशमाह सार्धेन—सुराज्य इति । राज्ञः कर्म भावो वा राज्यं तच्छोभनं यस्मिन् स सुराज्यः, तस्मिन् सुराज्ये । 'यथा राजा तथा प्रजाः' इति महदुक्तेः, राज्ञः शोभनत्वात् प्रजानामपि शोभनत्वं सूचितम् । धार्मिके धर्मवति । अनेन हठाभ्यासिनोऽनुकूलाहारादिलाभः सूचितः । सुभिक्ष इत्यनेनानायासेन तल्लाभः सूचितः । निरुपद्रवे चौरव्याघ्राद्युपद्रवरहिते । एतेन देशस्य दीर्घकालवासयोग्यता सूचिता । धनुषः प्रमाणं धनुःप्रमाणं चतुर्हस्तमात्रं, तत्पर्यन्तम् । शिलाग्निजलवर्जिते शिला प्रस्तरः अग्निर्वह्निः जलं तोयं तैर्वर्जिते रहिते । यत्रासनं ततश्चतुर्हस्तमात्रे शिलाग्निजलानि न स्युरित्यर्थः । तेन शीतोष्णादिविकाराभावः सूचितः । एकान्ते विजने । अनेन जनसमागमाभावात् कलहाद्यभावः सूचितः । जनसंमर्दे तु कलहादिकं स्यादेव । तदुक्तं भागवते—'वासे बहूनां कलहो भवेद्वार्ता द्वयोरपि' इति । तादृशे मठिकामध्ये । अल्पो मठो मठिका । अल्पीयसि कन् । तस्याः मध्ये हठयोगिना हठाभ्यासी योगी हठयोगी तेन । शाकपार्थि-

वादिवत् समासः । स्थातव्यं स्थातुं योग्यम् । मठिकामध्य इत्यनेन शीतातपादिजनितक्लेशाभावः सूचितः । अत्र 'युक्ताहारविहारेण हठयोगस्य सिद्धये' इत्यर्धं केनचित्क्षिप्तत्वान्न व्याख्यातम् । मूलश्लोकानामेव व्याख्यानम् । एवमग्रेऽपि ये मया न व्याख्याता श्लोका हठप्रदीपिकायामुपलभ्येरन् ते सर्वे क्षिप्ता इति बोद्धव्यम् ॥ १२ ॥

अल्पद्वारमरन्ध्रगर्तविवरं नात्युच्चनीचायतं
सम्यग्गोमयसान्द्रलिप्तममलं निःशेषजन्तूज्झितम् ।
बाह्ये मण्डपवेदिकूपरुचिरं प्राकारसंवेष्टितं
प्रोक्तं योगमठस्य लक्षणमिदं सिद्धैर्हठाभ्यासिभिः ॥ १३ ॥

अथ मठलक्षणमाह—अल्पद्वारमिति । अल्पं द्वारं यस्मिन् तत्तादृशम् । रन्ध्रो गवाक्षादिः, गर्तो निम्नप्रदेशः, विवरो मूषकाहिबिलं ते न सन्ति यस्मिन् तत्तादृशम् । अत्युच्चं च तन्नीचं चात्युच्चनीचं, तच्च तदायतं चात्युच्चनीचायतम् । 'विशेषणं विशेष्येण बहुलम्' (*Pāṇ.*, II. 1. 57) इत्यत्र बहुलग्रहणाद्विशेषणानां कर्मधारयः । ननूच्चनीचायतशब्दानां भिन्नार्थकानां कथं कर्मधारयः । 'तत्पुरुषः समानाधिकरणः कर्मधारयः' (*Pāṇ.*, I. 2. 42) इति तल्लक्षणादिति चेन्न । मठे तेषां सामानाधिकरण्यसंभवात् । न अत्युच्चनीचायतं नात्युच्चनीचायतं, नशब्देन समासान्नलोपाभावः, नेति पृथक्पदं वा । अत्युच्चे आरोहणे श्रमः स्यादतिनीचेऽवरोहणे श्रमो भवेत् । अत्यायते दूरं दृष्टिर्गच्छेत् तन्निराकरणार्थमुक्तं नात्युच्चनीचायतमिति । सम्यक् समीचीनतया गोमयेन गोपुरीषेण सान्द्रं यथा भवति तथा लिप्तम् । अमलं निर्मलम् । निःशेषा निखिला ये जन्तवो मशकमत्कुणाद्यास्तैरुज्झितं त्यक्तं रहितम् । बाह्ये मठाद्बहिःप्रदेशे । मण्डपः शालाविशेषः, वेदिः परिष्कृता भूमिः, कूपो जलाशयविशेषः, तै रुचिरं रमणीयम् ।

प्राकारेण वरणेन सम्यग्वेष्टितं परितोभित्तियुक्तमित्यर्थः। हठाभ्यासिभिः हठयोगाभ्यसनशीलैः सिद्धैः। इदं पूर्वोक्तमल्पद्वारादिकं योगमठस्य लक्षणं स्वरूपं प्रोक्तं कथितम्। नन्दिकेश्वरपुराणे त्वेवं मठलक्षणमुक्तम्—

'मन्दिरं रम्यविन्यासं मनोज्ञं गन्धवासितम्।
धूपामोदादिसुरभि कुसुमोत्करमण्डितम्॥
मुनितीर्थनदीवृक्षपद्मिनीशैलशोभितम्।
चित्रकर्मनिबद्धं च चित्रभेदविचित्रितम्॥
कुर्याद् योगगृहं धीमान् सुरम्यं शुभवर्त्मना।
दृष्ट्वा चित्रगतांश्छान्तान् मुनीन् याति मनः शमम्॥
सिद्धान् दृष्ट्वा चित्रगतान् मतिरभ्युद्यमे भवेत्।
मध्ये योगगृहस्याथ लिखेत् संसारमण्डलम्॥
श्मशानं च महाघोरं नरकांश्च लिखेत् क्वचित्।
तान् दृष्ट्वा भीषणाकारान् संसारे सारवर्जिते॥
अनवसादो भवति योगी सिद्ध्यभिलाषुकः।
पश्यंश्च व्याधितान् जन्तून् नतान् मत्तांश्चलद्व्रणान्॥' १३॥

एवंविधे मठे स्थित्वा सर्वचिन्ताविवर्जितः।
गुरूपदिष्टमार्गेण योगमेव सदाभ्यसेत्॥ १४॥

मठलक्षणमुक्त्वा मठे यत्कर्तव्यं तदाह—एवंविध इति। एवं पूर्वोक्ता विधा प्रकारो यस्य स तथा पूर्वोक्तलक्षण इत्यर्थः। तस्मिन् स्थित्वा स्थितिं कृत्वा सर्वा याश्चिन्तास्ताभिर्विशेषेण वर्जितो रहितोऽशेषचिन्तारहितः। गुरुणोपदिष्टो यो मार्गः हठाभ्यासप्रकाररूपस्तेन सदा नित्यं योगमेवाभ्यसेत्। एवशब्देनाभ्यासान्तरस्य योगे विघ्नकरत्वं सूचितम्। तदुक्तं योगबीजे—

'मरुज्जयो यस्य सिद्धस्तं सेवेत गुरुं सदा ।
गुरुवक्त्रप्रसादेन कुर्यात् प्राणजयं बुधः ॥'

राजयोगे—

'वेदान्ततर्कोक्तिभिरागमैश्च नानाविधैः शास्त्रकदम्बकैश्च ।
ध्यानादिभिः सत्करणैर्न गम्यश्चिन्तामणिर्ह्येकगुरुं विहाय ॥'

स्कन्दपुराणे—

'आचार्याद्योगसर्वस्वमवाप्य स्थिरधीः स्वयम् ।
यथोक्तं लभते तेन प्राप्नोत्यपि च निर्वृतिम् ॥'

सुरेश्वराचार्यः—

'गुरुप्रसादाल्लभते योगमष्टाङ्गसंयुतम् ।
शिवप्रसादाल्लभते योगसिद्धिं च शाश्वतीम् ॥'

श्रुतिश्च—

'यस्य देवे परा भक्तिर्यथा देवे तथा गुरौ ।
तस्यैते कथिता ह्यर्थाः प्रकाशन्ते महात्मनः' इति। (*Śv. Up.*, VI. 23)
'आचार्यवान् पुरुषो वेद' इति च (*Ch. Up.*, VI. 14. 2) ॥ १४ ॥

अत्याहारः प्रयासश्च प्रजल्पो नियमग्रहः ।
जनसङ्गश्च लौल्यं च षड्भिर्योगो विनश्यति ॥ १५ ॥

अथ योगाभ्यासप्रतिबन्धकानाह—अत्याहार इति । अतिशयित आहारोऽत्याहारः, क्षुधापेक्षयाधिकभोजनम् । प्रयासः श्रमजननानुकूलो व्यापारः । प्रकृष्टो जल्पः प्रजल्पो बहुभाषणम् । शीतोदकेन प्रातःस्नाननक्तभोजनफलाहारादि-रूपनियमस्य ग्रहणं नियमग्रहः । जनानां सङ्गो जनसङ्गः । कामादिजनकत्वात् ।

लोलस्य भावः लौल्यं चाञ्चल्यम् । षड्भिरित्याहारादिभिरभ्यासप्रतिबन्धाद् योगो विनश्यति विशेषेण नश्यति ॥ १५ ॥

उत्साहात् साहसाद् धैर्यात् तत्त्वज्ञानाच्च निश्चयात् ।
जनसङ्गपरित्यागात् षड्भिर्योगः प्रसिद्ध्यति ॥ १६ ॥

अथ योगसिद्धिकरानाह—उत्साहादिति । विषयप्रवणं चित्तं निरोत्स्याम्येवेत्युद्यम उत्साहः । साध्यत्वासाध्यत्वे अपरिभाव्य सहसा प्रवृत्तिः साहसम् । यावज्जीवनं सेत्स्यत्येवेत्यखेदो धैर्यम् । विषया मृगतृष्णाजलवदसन्तः ब्रह्मैव सत्यमिति वास्तविकं ज्ञानं तत्त्वज्ञानं, योगानां वास्तविकं ज्ञानं वा । शास्त्रगुरुवाक्येषु विश्वासो निश्चयः, श्रद्धेति यावत् । जनानां योगाभ्यासप्रतिकूलानां यः सङ्गस्तस्य परित्यागात् । षड्भिरेभिर्योगः प्रकर्षेणाविलम्बेन सिध्यतीत्यर्थः ॥ १६ ॥

अथ यमनियमाः—

[अहिंसा सत्यमस्तेयं ब्रह्मचर्यं क्षमा धृतिः ।
दयार्जवं मिताहारः शौचं चैव यमा दश ॥
तपः संतोष आस्तिक्यं दानमीश्वरपूजनम् ।
सिद्धान्तवाक्यश्रवणं ह्रीमती च जपो हुतम् ॥
नियमा दश संप्रोक्ता योगशास्त्रविशारदैः ।]
हठस्य प्रथमाङ्गत्वादासनं पूर्वमुच्यते ।
कुर्यात् तदासनं स्थैर्यमारोग्यं चाङ्गलाघवम् ॥ १७ ॥

आदावासनकथने संगतिं सामान्यतस्तत्फलं चाह—हठस्येति । हठस्य "आसनं कुम्भकं चित्रं मुद्राख्यं करण तथा । अथ नादानुसंधानम्' इति वक्ष्यमाणानि (I. 56) चत्वार्यङ्गानि । प्रत्याहारादिसमाध्यन्तानां नादानु-

संधानेऽन्तर्भावः । तन्मध्ये आसनस्य प्रथमाङ्गत्वात् पूर्वमासनमुच्यत इति संबन्धः । तदासनं स्थैर्यं देहस्य मनसश्चाञ्चल्यरूपरजोधर्मनाशकत्वेन स्थिरतां कुर्यात् । 'आसनेन रजो हन्ति' इति वाक्यात् । आरोग्यं चित्तविक्षेपकरोगाभावः । रोगस्य चित्तविक्षेपकत्वमुक्तं पातञ्जलसूत्रे—'व्याधिस्त्यानसंशयप्रमादालस्याविरतिभ्रान्तिदर्शनालब्धभूमिकत्वानवस्थितत्वानि चित्तविक्षेपास्तेऽन्तरायाः' इति (I. 30) । अङ्गानां लाघवं लघुत्वम् । गौरवरूपतमोधर्मनाशकत्वमप्येतेनोक्तम् । चकारात् क्षुद्वृद्ध्यादिकमपि बोध्यम् ॥ १७ ॥

वसिष्ठाद्यैश्च मुनिभिर्मत्स्येन्द्राद्यैश्च योगिभिः ।
अङ्गीकृतान्यासनानि कथ्यन्ते कानिचिन्मया ॥ १८ ॥

वसिष्ठादिसंमतासनमध्ये श्रेष्ठानि मयोच्यन्त इत्याह—वसिष्ठाद्यैरिति । वसिष्ठ आद्यो येषां याज्ञवल्क्यादीनां तैर्मुनिभिर्मननशीलैः । चकारान्मन्त्रादिपरैः । मत्स्येन्द्र आद्यो येषां जालन्धरनाथादीनां तैः । योगिभिः हठाभ्यासिभिः । चकारान्मुद्रादिपरैः । अङ्गीकृतानि चतुरशीत्यासनानि तन्मध्ये कानिचित् श्रेष्ठानि मया कथ्यन्ते । यद्यप्युभयोरपि मननहठाभ्यासौ स्तस्तथापि वसिष्ठादीनां मननं मुख्यं मत्स्येन्द्रादीनां हठाभ्यासो मुख्य इति पृथग्ग्रहणम् ॥ १८ ॥

जानूर्वोरन्तरे सम्यक् कृत्वा पादतले उभे ।
ऋजुकायः समासीनः स्वस्तिकं तत् प्रचक्षते ॥ १९ ॥

तत्र सुकरत्वात् प्रथम स्वस्तिकासनमाह—जानूर्वोरिति । जानु च ऊरुश्च । अत्र जानुशब्देन जानुसंनिहितो जङ्घाप्रदेशो ग्राह्यः । जङ्घोर्वोरिति पाठस्तु साधीयान् । तयोरन्तरे मध्ये उभे पादयोस्तले तलप्रदेशौ कृत्वा ऋजुकायः समकायः यत्र समासीनो भवेत् तदासनं स्वस्तिकं स्वस्तिकाख्यं प्रचक्षते वदन्ति, योगिन इति शेषः । श्रीधरेणोक्तम्—

'ऊरूजङ्घान्तराधाय प्रपदे जानुमध्यगे ।
योगिनो यदवस्थानं स्वस्तिकं तद्विदुर्बुधाः ॥' १९ ॥

सव्ये दक्षिणगुल्फं तु पृष्ठपार्श्वे नियोजयेत् ।
दक्षिणेऽपि तथा सव्यं गोमुखं गोमुखाकृति ॥ २० ॥

गोमुखासनमाह—सव्य इति । सव्ये वामे पृष्ठस्य पार्श्वे संप्रदायात् कटेरधोभागे दक्षिणं गुल्फं नितरां योजयेत् । गोमुखस्याकृतिर्यस्य तत्तादृशं गोमुखसंज्ञकमासनं भवेत् ॥ २० ॥

एकं पादं तथैकस्मिन् विन्यसेदूरुणि स्थिरम् ।
इतरस्मिंस्तथा चोरुं वीरासनमितीरितम् ॥ २१ ॥

वीरासनमाह—एकमिति । एकं दक्षिणं पादम् । तथा पादपूरणे । एकस्मिन् वामोरुणि स्थिरं विन्यसेत् । इतरस्मिन् वामे पादे ऊरुं दक्षिणं विन्यसेत् । तद्वीरासनमितीरितं कथितम् ॥ २१ ॥

गुदं निरुध्य गुल्फाभ्यां व्युत्क्रमेण समाहितः ।
कूर्मासनं भवेदेतदिति योगविदो विदुः ॥ २२ ॥

कूर्मासनमाह—गुदमिति । गुल्फाभ्यां गुदं निरुध्य नियम्य व्युत्क्रमेण यत्र सम्यगाहितः स्थितो भवेत्, एतत् कूर्मासनं भवेत्, इति योगविदो विदुरित्यन्वयः ॥ २२ ॥

पद्मासनं तु संस्थाप्य जानूर्वोरन्तरे करौ ।
निवेश्य भूमौ संस्थाप्य व्योमस्थं कुक्कुटासनम् ॥ २३ ॥

कुक्कुटासनमाह—पद्मासनं त्विति । पद्मासनं तु ऊर्वोरुपरि उत्तानचरणस्थापनरूपं सम्यक् स्थापयित्वा । जानुपदेन जानुसंनिहितो जङ्घाप्रदेशः ।

तच्च ऊरुश्च जानूरू, तयोरन्तरे मध्ये करौ निवेश्य भूमौ संस्थाप्य । करावित्यत्रापि संबध्यते । व्योमस्थं खस्थं पद्मासनसदृशं यत्तत् कुक्कुटासनम् ॥ २३ ॥

कुक्कुटासनबन्धस्थो दोर्भ्यां संबध्य कन्धराम् ।
भवेत् कूर्मवदुत्तान एतदुत्तानकूर्मकम् ॥ २४ ॥

उत्तानकूर्मासनमाह—कुक्कुटासनेति । कुक्कुटासनस्य यो बन्धः पूर्वश्लोकोक्तस्तस्मिन् स्थितः दोर्भ्यां बाहुभ्यां कन्धरां ग्रीवां संबध्य कूर्मवदुत्तानो यस्मिन् भवेदेतदासनमुत्तानकूर्मकं नाम ॥ २४ ॥

पादाङ्गुष्ठौ तु पाणिभ्यां गृहीत्वा श्रवणावधि ।
धनुराकर्षणं कुर्याद् धनुरासनमुच्यते ॥ २५ ॥

धनुरासनमाह—पादाङ्गुष्ठौ त्विति । पाणिभ्यां पादयोरङ्गुष्ठौ गृहीत्वा श्रवणावधि कर्णपर्यन्तं धनुष आकर्षणं यथा भवति तथा कुर्यात् । गृहीताङ्गुष्ठमेकं पाणिं प्रसारितं कृत्वा गृहीताङ्गुष्ठमितरं पाणिं कर्णपर्यन्तमाकुञ्चितं कुर्यादित्यर्थः । एतद् धनुरासनमुच्यते ॥ २५ ॥

वामोरुमूलार्पितदक्षपादं जानोर्बहिर्वेष्टितवामपादम् ।
प्रगृह्य तिष्ठेत् परिवर्तिताङ्गः श्रीमत्स्यनाथोदितमासनं स्यात् ॥

मत्स्येन्द्रासनमाह—वामोरुमूलेऽर्पितः स्थापितो यो दक्षपादः तं संप्रदायात् पृष्ठतोगतवामपाणिना गुल्फस्योपरिभागे परिगृह्य । जानोर्दक्षिणपादजानोर्बहिःप्रदेशे वेष्टितो यो वामपादस्तं वामपादजानोर्बहिर्वेष्टितदक्षिणपाणिनाङ्गुष्ठे प्रगृह्य । परिवर्तिताङ्गः वामभागेन पृष्ठतो मुखं यथा स्यादेवं परिवर्तितं परावर्तितमङ्गं येन स तथा तादृशो यत्र तिष्ठेत् स्थितिं कुर्यात् तदासनं मत्स्येन्द्रनाथेनोदितं कथितं स्यात् । तदुदितत्वात् तन्नामकमेव वदन्ति । एवं दक्षोरुमूला-

र्पितवामपादं पृष्ठतोगतदक्षिणपाणिना प्रगृह्य वामजानोर्बहिर्वेष्टितदक्षपादं दक्षिण-पादजानोर्बहिर्वेष्टितवामपाणिना प्रगृह्य, दक्षभागेन पृष्ठतो मुखं यथा स्यादेवं परिवर्तिताङ्गश्चाभ्यसेत् ॥ २६ ॥

मत्स्येन्द्रपीठं जठरप्रदीप्तिं प्रचण्डरुग्मण्डलखण्डनास्त्रम् ।
अभ्यासतः कुण्डलिनीप्रबोधं चन्द्रस्थिरत्वं च ददाति पुंसाम् ॥

मत्स्येन्द्रासनस्य फलमाह—मत्स्येन्द्रेति । प्रचण्डं दुःसहं रुजां रोगाणां मण्डलं समूहः तस्य खण्डने छेदनेऽस्त्रमस्त्रमिव तादृशं मत्स्येन्द्रपीठं मत्स्येन्द्रा-सनम् । अभ्यासतः प्रत्यहमावर्तनरूपादभ्यासात् पुंसां जठरस्य जठराग्नेः प्रकृष्टां दीप्तिं वृद्धिं ददाति । तथा कुण्डलिन्या आधारशक्तेः प्रबोधं निद्राभावं तथा चन्द्रस्य तालुन उपरिभागे स्थितस्य नित्यं क्षरतः स्थिरत्वं क्षरणाभावं च ददातीत्यर्थः ॥ २७ ॥

प्रसार्य पादौ भुवि दण्डरूपौ दोर्भ्यां पदाग्रद्वितयं गृहीत्वा ।
जानूपरि न्यस्तललाटदेशो वसेदिदं पश्चिमतानमाहुः ॥ २८ ॥

पश्चिमतानासनमाह—प्रसार्येति । भुवि भूमौ दण्डस्य रूपमिव रूपं ययोस्तौ दण्डाकारौ श्लिष्टगुल्फौ प्रसार्य प्रसारितौ कृत्वा । दोर्भ्यामाकुञ्चित-तर्जनीभ्यां भुजाभ्यां पदोः पदयोश्चाग्रेऽग्रभागौ तयोर्द्वितयं द्वयमङ्गुष्ठप्रदेशयुग्मं बलादाकर्षणपूर्वकं यथा जान्वधोभागस्य भूमेरुत्थानं न स्यात् तथा गृहीत्वा । जानोरुपरि न्यस्तो ललाटदेशो येन तादृशो यत्र वसेत् । इदं पश्चिमताननामक-मासनमाहुः ॥ २८ ॥

इति पश्चिमतानमासनाग्र्यं पवनं पश्चिमवाहिनं करोति ।
उदयं जठरानलस्य कुर्यादुदरे कार्श्यमरोगतां च पुंसाम् ॥२९॥

अथ तत्फलम्—इतीति। इति पूर्वोक्तमासनेष्वग्र्यं मुख्यं पश्चिमतानं पवनं प्राणं पश्चिमवाहिनं पश्चिमेन पश्चिममार्गेण सुषुम्नामार्गेण वहतीति पश्चिमवाही तं तादृशं करोति। जठरानलस्य जठरे योऽनलोऽग्निस्तस्योदयं वृद्धिं कुर्यात्। उदरे मध्यप्रदेशे कार्श्यं कृशत्वं कुर्यात्। अरोगतामारोग्यं चकारान्नाडीवलनादि-साम्यं कुर्यात् ॥ २९ ॥

धरामवष्टभ्य करद्वयेन तत्कूर्परस्थापितनाभिपार्श्वः।
उच्चासनो दण्डवदुत्थितः खे मायूरमेतत् प्रवदन्ति पीठम् ॥३०॥

अथ मयूरासनमाह—धरामिति। करद्वयेन करयोर्द्वयं युग्मं तेन धरां भूमिं अवष्टभ्यावलम्ब्य प्रसारिताङ्गुली भूमिसंलग्नतलौ संनिहितौ करौ कृत्वेत्यर्थः। तस्य करद्वयस्य कूर्परयोर्भुजमध्यसंधिभागयोः स्थापिते धृते नाभेः पार्श्वे पार्श्व-भागौ येन स उच्चासन उच्चमुन्नतमासनं यस्यैतादृशः खे शून्ये दण्डवद् दण्डेन तुल्यमुत्थित ऊर्ध्वं स्थितो यत्र भवति, तन्मायूरं मयूरस्येदं तत्संबन्धित्वात् तन्नामकं प्रवदन्ति योगिन इति शेषः ॥ ३० ॥

हरति सकलरोगानाशु गुल्मोदरादी-
नभिभवति च दोषानासनं श्रीमयूरम्।
बहु कदशनभुक्तं भस्म कुर्यादशेषं
जनयति जठराग्निं जारयेत् कालकूटम् ॥ ३१ ॥

मयूरासनगुणानाह—हरतीति। गुल्मो रोगविशेषः उदरं जलोदरं ते आदी येषां प्लीहादीनां ते तथा तान् सकलरोगान् सकला ये रोगास्तानाशु झटिति हरति नाशयति। श्रीमयूरमासनमिति सर्वत्र संबध्यते। दोषान् वातपित्तकफा-नालस्यदांश्चाभिभवति तिरस्करोति। बह्वतिशयितं कदशनं कदन्नं यद्भुक्तं तदशेषं

समस्तं भस्म कुर्यात् पाचयेदित्यर्थः। जठराग्निं जठरानलं जनयति प्रादुर्भावयति। कालकूटं विषं कालकूटवदपकारकान्नं समस्तं जारयेज्जीर्णं कुर्यात् पाचयेदित्यर्थः ॥ ३१ ॥

उत्तानं शववद् भूमौ शयनं तच्छवासनम्।
शवासनं श्रान्तिहरं चित्तविश्रान्तिकारकम् ॥ ३२ ॥

शवासनमाहार्धेन—उत्तानमिति। शवेन मृतशरीरेण तुल्यं शववदुत्तानं भूमिसंलग्नं पृष्ठं यथा स्यात् तथा शयनं निद्रायामिव संनिवेशो यत् तच्छवासनं शवाख्यमासनम्। शवासनप्रयोजनमाह उत्तरार्धेन। शवासनं श्रान्तिहरं श्रान्तिं हठाभ्यासश्रमं हरतीति श्रान्तिहरं चित्तस्य विश्रान्तिर्विश्रामस्तस्याः कारकम् ॥ ३२ ॥

चतुरशीत्यासनानि शिवेन कथितानि च।
तेभ्यश्चतुष्कमादाय सारभूतं ब्रवीम्यहम् ॥ ३३ ॥

वक्ष्यमाणासनचतुष्टयस्य श्रेष्ठत्वं वदन्नाह—चतुरशीतीति। शिवेनेश्वरेण चतुरधिकाशीतिसंख्याकान्यासनानि कथितानि, चकाराच्चतुरशीतिलक्षाणि च। तदुक्तं गोरक्षनाथेन—

'आसनानि च तावन्ति यावन्त्यो जीवजातयः।
एतेषामखिलान् भेदान् विजानाति महेश्वरः ॥
चतुरशीतिलक्षाणि एकैकं समुदाहृतम्।
ततः शिवेन पीठानां षोडशोनं शतं कृतम् ॥' इति।

तेभ्यः शिवोक्तचतुरशीतिलक्षासनानां मध्ये प्रशस्तानि यानि चतुरशीत्यासनानि तेभ्य आदाय गृहीत्वा, सारभूतं श्रेष्ठभूतं चतुष्कमहं ब्रवीमीत्यन्वयः ॥ ३३ ॥

सिद्धं पद्मं तथा सिंहं भद्रं चेति चतुष्टयम् ।
श्रेष्ठं तत्रापि च सुखे तिष्ठेत् सिद्धासने सदा ॥ ३४ ॥

तदेव चतुष्कं नाम्ना निर्दिशति—सिद्धमिति । सिद्धं सिद्धासनम् । पद्मं पद्मासनम् । सिंहं सिंहासनम् । भद्रं भद्रासनम् । इति चतुष्टयं श्रेष्ठमतिशयेन प्रशस्यम्, तत्रापि चतुष्टये सुखे सुखकरे सिद्धासने सदा तिष्ठेत् । एतेन सिद्धासनं चतुष्टयेऽप्युत्कृष्टमिति सूचितम् ॥ ३४ ॥

तत्र सिद्धासनम्—

योनिस्थानकमङ्घ्रिमूलघटितं कृत्वा दृढं विन्यसे-
न्मेण्ढ्रे पादमथैकमेव हृदये कृत्वा हनुं सुस्थिरम् ।
स्थाणुः संयमितेन्द्रियोऽचलदृशा पश्येद् भ्रुवोरन्तरं
ह्येतन्मोक्षकपाटभेदजनकं सिद्धासनं प्रोच्यते ॥ ३५ ॥

आसनचतुष्टयेऽप्युत्कृष्टत्वात् प्रथमं सिद्धासनमाह—योनिस्थानकमिति । योनिस्थानमेव योनिस्थानकम् । स्वार्थे कप्रत्ययः । गुदोपस्थयोर्मध्यमप्रदेशः योनिस्थानं तत् । अङ्घ्रिर्वामश्चरणस्तस्य मूलेन पार्ष्णिभागेन घटितं संलग्नं कृत्वा । स्थानान्तरम् एकं पादं दक्षिणं पादं मेण्ढ्रेन्द्रियस्योपरिभागे दृढं यथा स्यात् तथा विन्यसेत् । हृदये हृदयसमीपे हनुं चिबुकं सुस्थिरं सम्यक् स्थिरं कृत्वा हनुहृदययोश्चतुरङ्गुलमन्तरं यथा भवति तथा कृत्वेति रहस्यम् । संयमितानि विषयेभ्यः परावृत्तानीन्द्रियाणि येन स तथा । अचला या दृक् दृष्टिस्तया भ्रुवोरन्तरं मध्यं पश्येत् । हि प्रसिद्धं मोक्षस्य यत्कपाटं प्रतिबन्धकं तस्य भेदं नाशं जनयतीति तादृशम् । सिद्धानां योगिनाम् । आस्तेऽत्र, आस्यतेऽनेनेति वा आसनं सिद्धासननामकमिदं भवेदित्यर्थः ॥ ३५ ॥

मतान्तरे तु—

मेण्ढ्रादुपरि विन्यस्य सव्यं गुल्फं तथोपरि।
गुल्फान्तरं च निक्षिप्य सिद्धासनमिदं भवेत् ॥ ३६ ॥

मत्स्येन्द्रसंमतं सिद्धासनमुक्त्वान्यसंमतं वक्तुमाह—मतान्तरे त्विति। तदेव दर्शयति—मेण्ढ्रादिति। मेण्ढ्रादुपस्थादुपर्यूर्ध्वभागे सव्यं वामगुल्फं विन्यस्य तथा सव्यवदुपरि मुख्यपादस्योपरि न तु सव्यगुल्फस्य। गुल्फान्तरं दक्षिणगुल्फं च निक्षिप्य वसेदिति शेषः। इदं सिद्धासनं मतान्तराभिमतं भवेदित्यर्थः ॥ ३६ ॥

एतत् सिद्धासनं प्राहुरन्ये वज्रासनं विदुः।
मुक्तासनं वदन्त्येके प्राहुर्गुप्तासनं परे ॥ ३७ ॥

तत्र प्रथमं महासिद्धसंमतमिति स्पष्टीकर्तुमस्यैव मतभेदान्नामभेदानाह—एतदिति। एतत् पूर्वोक्तं सिद्धासनं सिद्धासननामकं प्राहुः। केचिदित्यध्याहारः। अन्ये वज्रासनं वज्रासनसंज्ञकं विदुः जानन्ति। एके मुक्तासनं मुक्तासनाभिधं वदन्ति। परे गुप्तासनं गुप्तासनाख्यं प्राहुः। अत्रासनाभिज्ञाः। यत्र वामपादपार्ष्णिं योनिस्थाने नियोज्य दक्षिणपादपार्ष्णिर्मेण्ढ्रादुपरि स्थाप्यते तत् सिद्धासनम्। यत्र दक्षिणपादपार्ष्णिं योनिस्थाने नियोज्य वामपादपार्ष्णिर्मेण्ढ्रादुपरि स्थाप्यते तद्वज्रासनम्। यत्र तु दक्षिणसव्यपादपार्ष्णिद्वयमुपर्यधोभागेन संयोज्य योनिस्थानेन संयोज्यते तन्मुक्तासनम्। यत्र च पूर्ववत् संयुक्तं पार्ष्णिद्वयं मेण्ढ्रादुपरि निधीयते तद्गुप्तासनमिति ॥ ३७ ॥

यमेष्विव मिताहारमहिंसां नियमेष्विव।
मुख्यं सर्वासनेष्वेकं सिद्धाः सिद्धासनं विदुः ॥ ३८ ॥

अथ सप्तभिः श्लोकैः सिद्धासनं प्रशंसन्ति—यमेष्वित्यादिभिः । यमेषु मिताहारमिव । मिताहारो वक्ष्यमाणः, 'सुस्निग्धमधुराहारः' (श्लो. ५८) इत्यादिना । नियमेषु अहिंसामिव । सर्वाणि यान्यासनानि तेषु सिद्धाः एकं सिद्धासनं मुख्यं विदुरिति संबन्धः ॥ ३८ ॥

चतुरशीतिपीठेषु सिद्धमेव सदाभ्यसेत् ।
द्वासप्ततिसहस्राणां नाडीनां मलशोधनम् ॥ ३९ ॥

चतुरशीतीति । चतुरधिकाशीतिसंख्याकानि यानि पीठानि तेषु सिद्धमेव सिद्धासनमेव सदा सर्वदाभ्यसेत् । सिद्धासनस्य सदाभ्यासे हेतुगर्भं विशेषणं द्वासप्ततिसहस्राणां नाडीनां मलशोधनं शोधकम् ॥ ३९ ॥

आत्मध्यायी मिताहारी यावद्द्वादशवत्सरम् ।
सदा सिद्धासनाभ्यासाद् योगी निष्पत्तिमाप्नुयात् ॥ ४० ॥

आत्मध्यायीति । आत्मानं ध्यायतीत्यात्मध्यायी । मिताहारोऽस्यास्तीति मिताहारी । यावन्तो द्वादश वत्सराः यावद्द्वादशवत्सरम् । 'यावदवधारणे' इत्यव्ययीभावः समासः (*Pāṇ.*, II. 1. 8) । द्वादशवत्सरपर्यन्तमित्यर्थः । सदा सर्वदा सिद्धासनस्याभ्यासाद् योगी योगाभ्यासी निष्पत्तिं योगसिद्धिमाप्नुयात् प्राप्नुयात् । योगान्तराभ्यासमन्तरेण सिद्धासनाभ्यासमात्रेण सिद्धिं प्राप्नुयादित्यर्थः ॥ ४० ॥

किमन्यैर्बहुभिः पीठैः सिद्धे सिद्धासने सति ।
प्राणानिले सावधाने बद्धे केवलकुम्भके ।
उत्पद्यते निरायासात् स्वयमेवोन्मनी कला ॥ ४१ ॥

किमन्यैरिति । सिद्धासने सिद्धे सत्यन्यैर्बहुभिः पीठैरासनैः किम्? न किमपीत्यर्थः । सावधाने प्राणानिले प्राणवायौ केवलकुम्भके बद्धे सति उन्मनी

उन्मन्यवस्था । सा कलेवाह्लादकत्वाच्चन्द्रलेखेव निरायासादनायासात् स्वयमेवोत्पद्यत उदेति ॥ ४१ ॥

तथैकस्मिन्नेव दृढे बद्धे सिद्धासने सति ।
बन्धत्रयमनायासात् स्वयमेवोपजायते ॥ ४२ ॥

तथेति । तथोक्तप्रकारेणैकस्मिन्नेव सिद्धासने दृढे बद्धे सति बन्धत्रयं मूलबन्धोड्डीयानबन्धजालंधरबन्धरूपमनायासात् 'पार्ष्णिभागेन संपीड्य योनिमाकुञ्चयेद् गुदम्' (III. 61) इत्यादिवक्ष्यमाणमूलबन्धादिष्वायासस्तं विनैव स्वयमेवोपजायते स्वत एवोत्पद्यत इत्यर्थः ॥ ४२ ॥

नासनं सिद्धसदृशं न कुम्भः केवलोपमः ।
न खेचरीसमा मुद्रा न नादसदृशो लयः ॥ ४३ ॥

नासनमिति । सिद्धेन सिद्धासनेन सदृशमासनं नास्तीति शेषः । केवलेन केवलकुम्भकेनोपमीयत इति केवलोपमः कुम्भः कुम्भको नास्ति । खेचरीमुद्रासमा मुद्रा नास्ति । नादसदृशो लयो लयहेतुर्नास्ति ॥ ४३ ॥

अथ पद्मासनम्—

वामोरूपरि दक्षिणं च चरणं संस्थाप्य वामं तथा
दक्षोरूपरि पश्चिमेन विधिना धृत्वा कराभ्यां दृढम् ।
अङ्गुष्ठौ हृदये निधाय चिबुकं नासाग्रमालोकये-
देतद् व्याधिविनाशकारि यमिनां पद्मासनं प्रोच्यते ॥ ४४ ॥

अथासनं वक्तुमुपक्रमते—अथेति । पद्मासनमाह—वामोरूपरीति । वामो य ऊरुस्तस्योपरि दक्षिणम् । चकारः पादपूरणे । संस्थाप्य सम्यगुत्तानं स्थापयित्वा वामं सव्यं चरणं तथा दक्षिणचरणवद् दक्षो दक्षिणो य ऊरुस्तस्योपरि

संस्थाप्य पश्चिमेन भागेन पृष्ठभागेनेति। विधिर्विधानं करयोरित्यर्थात्। तेन कराभ्यां हस्ताभ्यां दृढं यथा स्यात् तथा पादाङ्गुष्ठौ धृत्वा गृहीत्वा। दक्षिणं करं पृष्ठतः कृत्वा वामोरुस्थितदक्षिणचरणाङ्गुष्ठं गृहीत्वा। वामकरं पृष्ठतः कृत्वा दक्षिणोरुस्थितवामचरणाङ्गुष्ठं गृहीत्वेत्यर्थः। हृदये हृदयसमीपे। सामीपिकाधारे सप्तमी। चिबुकं हनुं निधायोरसश्चतुरङ्गुलान्तरे चिबुकं निधायेति रहस्यम्। नासाग्रं नासिकाग्रमालोकयेत् पश्येद्। यत्रैतद् यमिनां योगिनां व्याधेर्विनाशं करोतीति व्याधिविनाशकारि पद्मासनमेतन्नामकं प्रोच्यते, सिद्धैरिति शेषः ॥ ४४ ॥

मतान्तरे—

उत्तानौ चरणौ कृत्वा ऊरुसंस्थौ प्रयत्नतः।
ऊरुमध्ये तथोत्तानौ पाणी कृत्वा ततो दृशौ ॥ ४५ ॥

मत्स्येन्द्रनाथाभिमतं पद्मासनमाह—उत्तानाविति। उत्तानौ ऊरुसंलग्न-पृष्ठभागौ चरणौ पादौ प्रयत्नतः प्रकृष्टाद् यत्नादूरुसंस्थावूर्वोः सम्यक् तिष्ठत इत्यूरुसंस्थौ तादृशौ कृत्वा। ऊर्वोर्मध्ये ऊरुमध्ये। तथा चार्थे। पाणी करावुत्तानौ कृत्वा। ऊरुसंस्थोत्तानपादोभयपार्ष्णिसंलग्नपृष्ठं सव्यं पाणिमुत्तानं कृत्वा तदुपरि दक्षिणं पाणिं चोत्तानं कृत्वेत्यर्थः। ततस्तदनन्तरं दृशौ दृष्टी— ॥ ४५ ॥

नासाग्रे विन्यसेद् राजदन्तमूले तु जिह्वया।
उत्तम्भ्य चिबुकं वक्षस्युत्थाप्य पवनं शनैः ॥ ४६ ॥

नासाग्रे नासिकाग्रे विन्यसेद् विशेषेण निश्चलतया न्यसेदित्यर्थः। राज-दन्तानां दंष्ट्राणां सव्यदक्षिणभागे स्थितानां मूले उभे मूलस्थाने जिह्वया उत्तम्भ्य ऊर्ध्वं स्तम्भयित्वा। गुरुमुखादवगन्तव्योऽयं जिह्वाबन्धः। चिबुकं वक्षसि निधा-येति शेषः। शनैर्मन्दमन्दं पवनं वायुमुत्थाप्य। अनेन मूलबन्धः प्रोक्तः।

मूलबन्धोऽपि गुरुमुखादेवावगन्तव्यः। वस्तुतस्तु जिह्वाबन्धेनैवायं चरितार्थ इति हठरहस्यविदः ॥ ४६ ॥

इदं पद्मासनं प्रोक्तं सर्वव्याधिविनाशनम्।
दुर्लभं येन केनापि धीमता लभ्यते भुवि ॥ ४७ ॥

एवं यत्रास्यते तदिदं पद्मासनं पद्मासनाभिधानं प्रोक्तम्। आसनज्ञैरिति शेषः। कीदृशम्? सर्वेषां व्याधीनां विशेषेण नाशनं येनकेनापि भाग्यहीनेन दुर्लभम्। धीमता भुवि भूमौ लभ्यते प्राप्यते ॥ ४७ ॥

कृत्वा संपुटितौ करौ दृढतरं बद्ध्वा तु पद्मासनं
गाढं वक्षसि संनिधाय चिबुकं ध्यायंश्च तच्चेतसि।
वारं वारमपानमूर्ध्वमनिलं प्रोत्सारयन् पूरितं
न्यञ्चन् प्राणमुपैति बोधमतुलं शक्तिप्रभावान्नरः ॥ ४८ ॥

एतच्च महायोगिसंमतमिति स्पष्टयितुमन्यदपि पद्मासने कृत्यविशेषमाह—कृत्वेति। संपुटितौ संपुटीकृतौ करावुत्सङ्गस्थाविति शेषः। दृढतरमतिशयेन दृढं सुस्थिरं पद्मासनं बद्ध्वा कृत्वेत्यर्थः। चिबुकं हनुं गाढं दृढं यथा स्यात् तथा वक्षसि वक्षःसमीपे संनिधाय संनिहितं कृत्वा चतुरङ्गुलान्तरेणेति योगिसंप्रदायाज्ज्ञेयम्। जालंधरबन्धं कृत्वेत्यर्थः। तत् स्वस्वेष्टदेवतारूपं ब्रह्म वा। 'ॐ तत्सदिति निर्देशो ब्रह्मणस्त्रिविधः स्मृतः' (*B. G.*, XVII. 23) इति भगवदुक्तेः, चेतसि चित्ते ध्यायन् चिन्तयन्। अपानमनिलम् अपानवायुम् ऊर्ध्वं प्रोत्सारयन् मूलबन्धं कृत्वा सुषुम्नामार्गेण प्राणमूर्ध्वं नयन् पूरितं पूरकेण अन्तर्धारितं प्राणं न्यञ्चन् नीचैरधोऽञ्चन् गमयन्। अन्तर्भावितण्यर्थोऽञ्चतिः। प्राणापानयोरैक्यं कृत्वेत्यर्थः। नरः पुमानतुलं बोधं निरुपमज्ञानं शक्तिप्रभावाच्छक्तिराधारशक्तिः कुण्डलिनी

तस्याः प्रभावात् सामर्थ्यादुपैति प्राप्नोति। प्राणापानयोरैक्ये कुण्डलिनीबोधो भवति। कुण्डलिनीबोधे सुषुम्नामार्गेण प्राणो ब्रह्मरन्ध्रं गच्छति। तत्र गते चित्तस्थैर्यं भवति। चित्तस्थैर्ये संयमादात्मसाक्षात्कारो भवतीत्यर्थः ॥ ४८ ॥

पद्मासने स्थितो योगी नाडीद्वारेण पूरितम्।
मारुतं धारयेद् यस्तु स मुक्तो नात्र संशयः ॥ ४९ ॥

पद्मासन इति। पद्मासने स्थितो यो योगी योगाभ्यासी पूरितं पूरकेणान्तर्नीतं मारुतं वायुं सुषुम्नामार्गेण मूर्धानं नीत्वेति शेषः, धारयेत् स्थिरीकुर्यात स मुक्तः। अत्र संशयो नास्तीत्यन्वयः ॥ ४९ ॥

अथ सिंहासनम्—

गुल्फौ च वृषणस्याधः सीवन्याः पार्श्वयोः क्षिपेत्।
दक्षिणे सव्यगुल्फं तु दक्षगुल्फं तु सव्यके ॥ ५० ॥

सिंहासनमाह—गुल्फौ चेति। वृषणस्याधः अधोभागे सीवन्याः पार्श्वयोः सीवन्या उभयभागयोः क्षिपेत् प्रेरयेत् स्थापयेदिति यावत्। गुल्फस्थापनप्रकार-मेवाह—दक्षिण इति। सीवन्या दक्षिणे भागे सव्यगुल्फं स्थापयेत्। सव्यके सीवन्याः सव्यभागे दक्षिणगुल्फं स्थापयेत् ॥ ५० ॥

हस्तौ तु जान्वोः संस्थाप्य स्वाङ्गुलीः संप्रसार्य च।
व्यात्तवक्त्रो निरीक्षेत नासाग्रं सुसमाहितः ॥ ५१ ॥

हस्ताविति। जान्वोरुपरि हस्तौ तु संस्थाप्य सम्यग् जानुसंलग्नतलौ यथा स्यातां तथा स्थापयित्वा। स्वाङ्गुलीः हस्ताङ्गुलीः संप्रसार्य सम्यक् प्रसार्य। व्यात्तवक्त्रः संप्रसारितललज्जिह्वमुखः सुसमाहितः एकाग्रचित्तः नासाग्रं नासिकाग्रं यस्मिन् निरीक्षेत ॥ ५१ ॥

सिंहासनं भवेदेतत् पूजितं योगिपुंगवैः ।
बन्धत्रितयसंधानं कुरुते चासनोत्तमम् ॥ ५२ ॥

एतत् सिंहासनं भवेत् । कीदृशम् ? योगिपुंगवैः योगिश्रेष्ठैः पूजितं प्रस्तुत-मासनेषूत्तमं सिंहासनं बन्धानां मूलबन्धादीनां त्रितयं तस्य संधानं संनिधानं कुरुते ॥ ५२ ॥

अथ भद्रासनम्—

गुल्फौ च वृषणस्याधः सीवन्याः पार्श्वयोः क्षिपेत् ।
सव्यगुल्फं तथा सव्ये दक्षगुल्फं तु दक्षिणे ॥ ५३ ॥

भद्रासनमाह—गुल्फाविति । वृषणस्याधः सीवन्याः पार्श्वयोः सीवन्या उभयतः । गुल्फौ पादग्रन्थी क्षिपेत् । क्षेपणप्रकारमेवाह—सव्यगुल्फमिति । सव्ये सीवन्याः पार्श्वे सव्यगुल्फं क्षिपेत् । तथा पादपूरणे । दक्षगुल्फं तु दक्षिणे सीवन्याः पार्श्वे क्षिपेत् ॥ ५३ ॥

पार्श्वपादौ च पाणिभ्यां दृढं बद्ध्वा सुनिश्चलम् ।
भद्रासनं भवेदेतत् सर्वव्याधिविनाशनम् ।
गोरक्षासनमित्याहुरिदं वै सिद्धयोगिनः ॥ ५४ ॥

पार्श्वपादौ च पार्श्वसमीपगतौ पादौ पाणिभ्यां भुजाभ्यां दृढं बद्ध्वा परस्परसंलग्नाङ्गुलिभ्यामुदरसंलग्नतलाभ्यां पाणिभ्यां बद्ध्वेत्यर्थः । एतद् भद्रासनं भवेत् । कीदृशम् ? सर्वेषां व्याधीनां विशेषेण नाशनम् । गोरक्षेति । सिद्धाश्च ते योगिनश्च सिद्धयोगिनः, इदं भद्रासनं गोरक्षासनमित्याहुः । गोरक्षेण प्रायशोऽभ्यस्तत्वाद् गोरक्षासनमिति वदन्ति ॥ ५४ ॥

एवमासनबन्धेषु योगीन्द्रो विगतश्रमः ।
अभ्यसेन्नाडिकाशुद्धिं मुद्रादिपवनक्रियाम् ॥ ५५ ॥

आसनान्युक्तानि। तेषु यत् कर्तव्यं तदाह—एवमिति। एवमुक्तेष्वासनबन्धेषु बन्धनप्रकारेषु विगतः श्रमो यस्य स विगतश्रमः, आसनानां बन्धेषु श्रमरहितः। योगिनामिन्द्रो योगीन्द्रः। नाडिकानां नाडीनां शुद्धिम्। 'प्राणं चेदिडया पिबेन्नियमितम्' (II. 10) इति वक्ष्यमाणरूपा मुद्रा आदिर्यस्याः सूर्यभेदादेस्तादृशीम्। पवनस्य प्राणवायोः क्रियां प्राणायामरूपां चाभ्यसेत्॥ ५५॥

आसनं कुम्भकं चित्रं मुद्राख्यं करणं तथा।
अथ नादानुसंधानमभ्यासानुक्रमो हठे॥ ५६॥

अथ हठाभ्यसनक्रममाह—आसनमिति। आसनमुक्तलक्षणं चित्रं नानाविधं कुम्भकं 'सूर्यभेदनमुज्जायी' (II. 44) इत्यादिवक्ष्यमाणम्। मुद्रा इत्याख्या यस्य तन्मुद्राख्यम्। महामुद्रादिरूपकरणं हठसिद्धौ प्रकृष्टोपकारकम्। तथा चार्थे। अथैतत्त्रयानुष्ठानानन्तरं नादस्यानाहतध्वनेरनुसंधानमनुचिन्तनं हठे हठयोगेऽभ्यासोऽभ्यसनं तस्यानुक्रमः पौर्वापर्यक्रमः॥ ५६॥

ब्रह्मचारी मिताहारी त्यागी योगपरायणः।
अब्दादूर्ध्वं भवेत् सिद्धो नात्र कार्या विचारणा॥ ५७॥

हठसिद्धेरवधिमाह—ब्रह्मचारीति। ब्रह्मचर्यवान् मिताहारो वक्ष्यमाणः सोऽस्यास्तीति मिताहारी त्यागी दानशीलो विषयपरित्यागी वा योगपरायणः योगाभ्यसनपरः। अब्दाद् वर्षादूर्ध्वं सिद्धः सिद्धहठो भवेत्। अत्रोक्तेऽर्थे विचारणा स्यान्न वेति संशयप्रयुक्ता न कार्या। एतन्निश्चितमेवेत्यर्थः॥ ५७॥

सुस्निग्धमधुराहारश्चतुर्थांशविवर्जितः।
भुज्यते शिवसंप्रीत्यै मिताहारः स उच्यते॥ ५८॥

पूर्वश्लोके मिताहारीत्युक्तं, तत्र योगिनां कीदृशो मिताहार इत्यपेक्षायामाह—सुस्निग्धेति । सुस्निग्धोऽतिस्निग्धः स चासौ मधुरश्च तादृश आहारश्चतुर्थांशविवर्जितश्चतुर्थभागरहितः । तदुक्तमभियुक्तैः—

'द्वौ भागौ पूरयेदन्नैस्तोयेनैकं प्रपूरयेत् ।
वायोः संचरणार्थाय चतुर्थमवशेषयेत् ॥' इति ।

शिवो जीवः ईश्वरो वा । 'भोक्ता देवो महेश्वरः' इति वचनात् । तस्य संप्रीत्यै सम्यक्प्रीत्यर्थं यो भुज्यते स मिताहार इत्युच्यते ॥ ५८ ॥

कट्वम्लतीक्ष्णलवणोष्णहरीतशाक-
सौवीरतैलतिलसर्षपमद्यमत्स्यान् ।
आजादिमांसदधितक्रकुलत्थकोल-
पिण्याकहिङ्गुलशुनाद्यमपथ्यमाहुः ॥ ५९ ॥

अथ योगिनामपथ्यमाह द्वाभ्याम्—कट्विति । कटु कारवेल्ल इत्यादि, अम्लं चिञ्चाफलादि, तीक्ष्णं मरीचादि, लवणं प्रसिद्धम् , उष्णं गुडादि, हरीतशाकं पत्रशाकम् , सौवीरं काञ्जिकम् , तैलं तिलसर्षपादिस्नेहः, तिलाः प्रसिद्धाः, सर्षपाः सिद्धार्थाः, मद्यं सुरा, मत्स्यो झषः । एषामितरेतरद्वन्द्वः । एतानपथ्यानाहुः । अजस्येदमाजं तदादिर्यस्य सौकरादेस्तदाजादि तच्च तन्मांसं चाजादिमांसम् , दधि दुग्धपरिणामविशेषः, तक्रं गृहीतसारं दधि, कुलत्थो द्विदलविशेषः, कोलं कोल्याः फलं बदरम् । 'कर्कन्धूर्बदरी कोलिः' इत्यमरः (II. 4. 36) । पिण्याकं तिलपिण्डम् , हिङ्गु रामठं, लशुनम् । एषामितरेतरद्वन्द्वः । एतान्याद्यानि यस्य तत्तथा । आद्यशब्देन पलाण्डुगृञ्जनमादकद्रव्यमाषान्नादिकं ग्राह्यम् । अपथ्यमहितम् । योगिनामिति शेषः । आहुर्योगिन इत्यध्याहारः ॥ ५९ ॥

भोजनमहितं विद्यात् पुनरस्योष्णीकृतं रूक्षम् ।
अतिलवणमम्लयुक्तं कदशनशाकोत्कटं वर्ज्यम् ॥ ६० ॥

भोजनमिति । पश्चादग्निसंयोगेनोष्णीकृतं यद्भोजनं सूपौदनरोटिकादि रूक्षं घृतादिहीनम्, अतिशयितं लवणं यस्मिंस्तदतिलवणम्, यद्वा लवणमतिक्रान्तमतिलवणं चाकूवा इति लोके प्रसिद्धं शाकं, यवक्षारादिकं च । लवणस्य सर्वथा वर्जनीयत्वादुत्तरपक्षः साधुः । तथा च दत्तात्रेयः—

'अथ वर्ज्यानि वक्ष्यामि योगविघ्नकराणि च ।
लवणं सर्षपं चाम्लमुग्रं तीक्ष्णं च रूक्षकम् ।
अतीव भोजनं त्याज्यमतिनिद्रातिभाषणम् ॥' इति ।

स्कन्दपुराणेऽपि—'त्यजेत् कट्वम्ललवणं क्षीरभोजी सदा भवेत्' इति । अम्लयुक्तमम्लद्रव्येण युक्तमपि त्याज्यं किमुत साक्षादम्लम् । अत्र तृतीयपादं 'पललं वा तिलपिण्डम्' इति केचित् पठन्ति । तस्यायमर्थः । पललं मांसं तिलपिण्डं पिण्याकं कदशनं कदन्नं यावनालकोद्रवादि शाकं विहितेतरशाकमात्रम् उत्कटं विदाहि मिरचीति लोके प्रसिद्धं, मिरचा इति हिन्दुस्थानभाषायाम् । कदशनादीनां समाहारद्वन्द्वः । अतिलवणादिकं वर्ज्यं वर्जनार्हम् । दुष्टमिति पाठे दुष्टं पूतिपर्युषितादि । अहितमिति योजनीयम् ॥ ६० ॥

वह्निस्त्रीपथिसेवानामादौ वर्जनमाचरेत् ।

तथाहि गोरक्षवचनम्—

वर्जयेद् दुर्जनप्रान्तं वह्निस्त्रीपथिसेवनम् ।
प्रातःस्नानोपवासादि कायक्लेशविधिं तथा ॥ ६१ ॥

एवं योगिनां सदा वर्ज्यान्युक्त्वाभ्यासकाले वर्ज्यान्याहार्धेन—वह्नीति । वह्निश्च स्त्री च पन्थाश्च तेषां सेवा वह्निसेवनस्त्रीसङ्गतीर्थयात्रागमनादि-

रूपास्तासां वर्जनमादावभ्यासकाल आचरेत्। सिद्धेऽभ्यासे तु कदाचित्। शीते वह्निसेवनं गृहस्थस्य ऋतौ स्वभार्यागमनं तीर्थयात्रादौ मार्गगमनं च न निषिद्धमित्यादिपदेन सूच्यते। तत्र प्रमाणं गोरक्षवचनमवतारयति—तथाहीति। तत्पठति—वर्जयेदिति। दुर्जनप्रान्तं दुर्जनसमीपवासम्। 'दुर्जनप्रीतिम्' इति क्वचित् पाठः। वह्निस्त्रीपथिसेवनं व्याख्यातम्। प्रातःस्नानम् उपवासश्चादिर्यस्य फलाहारादेः तच्च तयोः समाहारद्वन्द्वः। प्रथमाभ्यासिनः प्रातःस्नाने शीतविकारोत्पत्तेः। उपवासादिना पित्ताद्युत्पत्तेः। कायक्लेशविधिं कायक्लेशकरं विधिं क्रियां बहुसूर्यनमस्कारादिरूपां बहुभारोद्वहनादिरूपां च। तथा समुच्चये। अत्र प्रतिपदं वर्जयेदिति क्रियासंबन्धः॥ ६१॥

गोधूमशालियवषाष्टिकशोभनान्नं
क्षीराज्यखण्डनवनीतसितामधूनि।
शुण्ठीपटोलकफलादिकपञ्चशाकं
मुद्गादिदिव्यमुदकं च यमीन्द्रपथ्यम्॥ ६२॥

अथ योगिपथ्यमाह—गोधूमेत्यादिना। गोधूमाश्च शालयश्च यवाश्च षाष्टिकाः षष्ट्या दिनैर्ये पच्यन्ते तण्डुलविशेषास्ते शोभनमन्नं पवित्रान्नं श्यामाकनीवारादि तच्चैतेषां समाहारद्वन्द्वः। क्षीरं दुग्धमाज्यं घृतं खण्डः शर्करा नवनीतं मथितदधिसारः सिता तीव्रपदी खण्डशर्करेति लोके प्रसिद्धा मिसरीति हिन्दुस्थानभाषायाम्। मधु क्षौद्रम् एषामितरेतरद्वन्द्वः। शुण्ठी प्रसिद्धा पटोलकफलं परवर इति भाषायां प्रसिद्धं शाकं तदादिर्यस्य कोशातक्यादेस्तत्पटोलकफलादिकं 'शेषाद्विभाषा' (*Pāṇ*., V. 4. 154) इति कप्रत्ययः। पञ्चानां शाकानां समाहारः पञ्चशाकम्। तदुक्तं वैद्यके—

'सर्वशाकमचाक्षुष्यं चाक्षुष्यं शाकपञ्चकम्।
जीवन्तीवास्तुमूल्याक्षीमेघनादपुनर्नवाः॥' इति।

मुद्गा द्विदलविशेषा आदिर्यस्य तन्मुद्गादि । आदिपदेन आढकी ग्राह्या । दिव्यं निर्दोषमुदकं जलम् । यम एषामस्तीति यमिनः तेष्विन्द्रो देवश्रेष्ठो यो योगीन्द्रस्तस्य पथ्यं हितम् ॥ ६२ ॥

पुष्टं सुमधुरं स्निग्धं गव्यं धातुप्रपोषणम् ।
मनोभिलषितं योग्यं योगी भोजनमाचरेत् ॥ ६३ ॥

अथ योगिनो भोजननियममाह—पुष्टमिति । पुष्टं देहपुष्टिकरमोदनादि सुमधुरं शर्करादिसहितं स्निग्धं सघृतं गव्यं गोदुग्धघृतादियुक्तं गव्यालाभे माहिषं दुग्धादि ग्राह्यम्, धातुप्रपोषणं लड्डुकापूपादि । मनोऽभिलषितं पुष्टादिषु यन्मनोरुचिकरं तदेव योगिना भोक्तव्यम् । मनोऽभिलषितमपि किमविहितं भोक्तव्यम्, नेत्याह । योग्यमिति । विहितमेवेत्यर्थः । योगी भोजनं पूर्वोक्त-विशेषणविशिष्टमाचरेत् कुर्यादित्यर्थः । न तु सक्तुभर्जितान्नादिना निर्वाहं कुर्यादिति भावः ॥ ६३ ॥

युवा वृद्धोऽतिवृद्धो वा व्याधितो दुर्बलोऽपि वा ।
अभ्यासात् सिद्धिमाप्नोति सर्वयोगेष्वतन्द्रितः ॥ ६४ ॥

योगाभ्यासिनो वयोविशेषारोग्याद्यपेक्षा नास्तीत्याह—युवेति । युवा तरुणः वृद्धो वृद्धावस्थां प्राप्तः, अतिवृद्धोऽतिवार्द्धकं गतो वा । अभ्यासादा-सनकुम्भकादीनामभ्यसनात् सिद्धिं समाधितत्फलरूपामाप्नोति । अभ्यासप्रकारमेव वदन् विशिनष्टि । सर्वयोगेष्विति । सर्वेषु योगेषु योगाङ्गेष्वतन्द्रितोऽनलसः । योगाङ्गाभ्यासात् सिद्धिमाप्नोतीत्यर्थः । जीवनसाधने कृषिवाणिज्यादौ जीवन-शब्दप्रयोगवत् साक्षात्परंपरया वा योगसाधनेषु योगाङ्गेषु योगशब्दप्रयोगः ॥६४॥

क्रियायुक्तस्य सिद्धिः स्यादक्रियस्य कथं भवेत् ।
न शास्त्रपाठमात्रेण योगसिद्धिः प्रजायते ॥ ६५ ॥

अभ्यासादेव सिद्धिर्भवतीति द्रढयन्नाह द्वाभ्याम्—क्रियायुक्तस्येति। क्रिया योगाङ्गानुष्ठानरूपा तया युक्तस्य सिद्धिर्योगसिद्धिः स्यात्। अक्रियस्य योगाङ्गानुष्ठानरहितस्य कथं भवेन्न कथमपीत्यर्थः। ननु योगशास्त्राध्ययनेन योगसिद्धिः स्यान्नेत्याह—नेति। शास्त्रस्य योगशास्त्रस्य पाठमात्रेण केवलेन पाठेन योगस्य सिद्धिर्न प्रजायते नैव जायत इत्यर्थः॥ ६५॥

न वेषधारणं सिद्धेः कारणं न च तत्कथा।
क्रियैव कारणं सिद्धेः सत्यमेतन्न संशयः॥ ६६॥

नेति—वेषस्य काषायवस्त्रादेः धारणं सिद्धेर्योगसिद्धेः कारणं न। तस्य योगस्य कथा वा कारणं न। किं तर्हि सिद्धेः कारणमित्यत आह—क्रियैवेति॥ ६६॥

पीठानि कुम्भकाश्चित्रा दिव्यानि करणानि च।
सर्वाण्यपि हठाभ्यासे राजयोगफलावधि॥ ६७॥

इति श्रीसहजानन्दसंतानचिन्तामणिस्वात्मारामयोगीन्द्रविरचितायां हठप्रदीपिकायामासनविधिकथनं नाम प्रथमोपदेशः

योगाङ्गानुष्ठानस्यावधिमाह—पीठानीति। पीठान्यासनानि चित्रा अनेकविधाः कुम्भकाः सूर्यभेदादयः दिव्यान्युत्कृष्टानि करणानि महामुद्रादीनि, हठसिद्धौ प्रकृष्टोपकारकत्वं करणत्वम्। हठाभ्यासे सर्वाणि पीठकुम्भककरणानि राजयोगफलावधि राजयोग एव फलं तदवधि तत्पर्यन्तं कर्तव्यानीति शेषः॥६७॥

इति श्रीहठप्रदीपिकायां ज्योत्स्नाभिधायां ब्रह्मानन्दकृतायां प्रथमोपदेशः

———

द्वितीयोपदेशः

अथासने दृढे योगी वशी हितमिताशनः ।
गुरूपदिष्टमार्गेण प्राणायामान् समभ्यसेत् ॥ १ ॥

अथासनोपदेशानन्तरं प्राणायामान् वक्तुमुपक्रमते—अथेति । अथेति मङ्गलार्थः । आसने दृढे सति वशी जिताक्षः हितं पथ्यं च तन्मितं च पूर्वोपदेशोक्तलक्षणं तत्तादृशमशनं यस्य स हितमिताशनः गुरुणोपदिष्टो यो मार्गः प्राणायामाभ्यासप्रकारस्तेन प्राणायामान् वक्ष्यमाणान् सम्यगुत्साहसाहसधैर्यादि-भिरभ्यसेत् । दृढे स्थिरे कुक्कुटादिविवर्जिते सिद्धासनादाविति वा योजना ॥ १ ॥

चले वाते चलं चित्तं निश्चले निश्चलं भवेत् ।
योगी स्थाणुत्वमाप्नोति ततो वायुं निरोधयेत् ॥ २ ॥

'प्रयोजनमनुद्दिश्य न मन्दोऽपि प्रवर्तते' इति महदुक्तेः प्रयोजनाभावे प्रवृत्त्यभावात् प्राणायामप्रयोजनमाह—चले वात इति । वाते चले सति चित्तं चलं भवेत् । निश्चले वाते निश्चलं भवेत्, चित्तमित्यत्रापि संबध्यते । वाते चित्ते च निश्चले योगी स्थाणुत्वं स्थिरदीर्घजीवित्वमिति यावत् । ईशत्वं वाप्नोति । ततस्तस्माद् वायुं प्राणं निरोधयेत् कुम्भयेत् ॥ २ ॥

यावद् वायुः स्थितो देहे तावज्जीवनमुच्यते ।
मरणं तस्य निष्क्रान्तिस्ततो वायुं निरोधयेत् ॥ ३ ॥

यावदिति । देहे शरीरे यावत्कालं वायुः प्राणः स्थितः तावत्कालपर्यन्तं जीवनमुच्यते लोकैः । देहप्राणसंयोगस्यैव जीवनपदार्थत्वात् । तस्य प्राणस्य निष्क्रान्तिर्देहाद् वियोगो मरणमुच्यते । ततस्तस्माद् वायुं निरोधयेत् ॥ ३ ॥

मलाकुलासु नाडीषु मारुतो नैव मध्यगः ।
कथं स्यादुन्मनीभावः कार्यसिद्धिः कथं भवेत् ॥ ४ ॥

मलशुद्धेर्हठसिद्धिजनकत्वं व्यतिरेकेणाह—मलाकुलास्विति । नाडीषु मलैराकुलासु व्याप्तासु सतीषु मारुतः प्राणो मध्यगः सुषुम्नामार्गवाही नैव स्यात् । अपि तु शुद्धमलास्वेव मध्यगो भवतीत्यर्थः । उन्मनीभाव उन्मन्या भावो भवनं कथं स्यान्न कथमपीत्यर्थः । कार्यस्य कैवल्यरूपस्य सिद्धिर्निष्पत्तिः कथं भवेन्न कथंचिदपीत्यर्थः ॥ ४ ॥

शुद्धिमेति यदा सर्वं नाडीचक्रं मलाकुलम् ।
तदैव जायते योगी प्राणसंग्रहणे क्षमः॥ ५ ॥

अन्वयेनापि मलशुद्धेर्हठसिद्धिहेतुत्वमाह—शुद्धिमेतीति । यदा यस्मिन् काले मलैराकुलं व्याप्तं सर्वं समस्तं नाडीनां चक्रं समूहः शुद्धिं मलराहित्यम् एति प्राप्नोति तदैव तस्मिन्नेव काले योगी योगाभ्यासी प्राणस्य संग्रहणे क्षमः समर्थो जायते ॥ ५ ॥

प्राणायामं ततः कुर्यान्नित्यं सात्त्विकया धिया ।
यथा सुषुम्नानाडीस्था मलाः शुद्धिं प्रयान्ति च ॥ ६ ॥

मलशुद्धिः कथं भवतीत्याकाङ्क्षायां तच्छोधकं प्राणायाममाह—प्राणायाममिति । यतो मलशुद्धिं विना प्राणसंग्रहणे क्षमो न भवति ततस्तस्मादी-

श्वरप्रणिधानोत्साहसाहसादिप्रयत्नाभिभूतविक्षेपालस्यादिराजसतामसधर्मया सात्त्विकया प्रकाशप्रसादशीलया धिया बुद्ध्या नित्यं प्राणायामं कुर्यात् । यथा येन प्रकारेण सुषुम्नानाड्यां स्थिता मलाः शुद्धिमपगमं प्रयान्ति नश्यन्तीत्यर्थः ॥ ६ ॥

बद्धपद्मासनो योगी प्राणं चन्द्रेण पूरयेत् ।
धारयित्वा यथाशक्ति भूयः सूर्येण रेचयेत् ॥ ७ ॥

मलशोधकप्राणायामप्रकारमाह द्वाभ्याम्—बद्धपद्मासन इति । बद्धं पद्मासनं येन तादृशो योगी प्राणं प्राणवायुं चन्द्रेण चन्द्रनाड्येडया पूरयेत् । शक्तिमनतिक्रम्य यथाशक्ति धारयित्वा कुम्भयित्वा । भूयः पुनः सूर्येण सूर्यनाड्या पिङ्गलया रेचयेत् । बाह्यवायोः प्रयत्नविशेषादुपादानं पूरकः । जालंधरादिबन्धपूर्वकं प्राणनिरोधः कुम्भकः । कुम्भितस्य वायोः प्रयत्नविशेषाद् वमनं रेचकः । प्राणायामाङ्गरेचकपूरकयोरेवेमे लक्षणे इति । 'भस्त्रावल्लोहकारस्य रेचपूरौ ससंभ्रमौ' (II. 35) इति गौणरेचकपूरकयोर्नातिव्याप्तिः । तयोर्लक्ष्यत्वाभावात् ॥ ७ ॥

प्राणं सूर्येण चाकृष्य पूरयेदुदरं शनैः ।
विधिवत् कुम्भकं कृत्वा पुनश्चन्द्रेण रेचयेत् ॥ ८ ॥

प्राणमिति । सूर्येण सूर्यनाड्या पिङ्गलया प्राणमाकृष्य गृहीत्वा शनैर्मन्दमन्दमुदरं जठरं पूरयेत् । विधिवद् बन्धपूर्वकं कुम्भकं कृत्वा पुनर्भूयश्चन्द्रेणेडया रेचयेत् ॥ ८ ॥

येन त्यजेत् तेन पीत्वा धारयेदतिरोधतः ।
रेचयेच्च ततोऽन्येन शनैरेव न वेगतः ॥ ९ ॥

उक्ते प्रणायामे विशेषमाह—येनेति । येन चन्द्रेण सूर्येण वा त्यजेत् रेचयेत् तेन पीत्वा तेनैव पूरयित्वा । अतिरोधतोऽतिशयितेन रोधेन

स्वेदकम्पादिजननपर्यन्तेन । सार्वविभक्तिकस्तसिल् । येन पूरकस्ततोऽन्येन शनै रेचयेन्न तु वेगतः । वेगाद् रेचने बलहानिः स्यात् । येन पूरकः कृतस्तेन रेचको न कर्तव्यः । येन रेचकः कृतस्तेनैव पूरकः कर्तव्य इति भावः ॥ ९ ॥

प्राणं चेदिडया पिबेन्नियमितं भूयोऽन्यया रेचयेत्
पीत्वा पिङ्गलया समीरणमथो बद्ध्वा त्यजेद् वामया ।
सूर्याचन्द्रमसोरनेन विधिनाभ्यासं सदा तन्वतां
शुद्धा नाडिगणा भवन्ति यमिनां मासत्रयादूर्ध्वतः ॥ १० ॥

बद्धपद्मासन इत्याद्युक्तमर्थं पिण्डीकृत्यानुवदन् प्राणायामस्यावान्तरफलमाह—प्राणमिति । चेदिडया वामनाड्या प्राणं पिबेत् पूरयेत् तर्हि नियमितं कुम्भितं प्राणं भूयः पुनरन्यया पिङ्गलया रेचयेत् । पिङ्गलया दक्षनाड्या समीरणं वायुं पीत्वा पूरणानन्तरं बद्ध्वा कुम्भयित्वा वामयेडया त्यजेद् रेचयेत् । सूर्यश्च चन्द्रमाश्च सूर्याचन्द्रमसौ तयोः । 'देवताद्वन्द्वे च' (*Pāṇ.*, VII. 3. 21) इत्यानङ् । अनेनोक्तेन विधिना प्रकारेण सदा नित्यमभ्यासं चन्द्रेणापूर्य कुम्भयित्वा सूर्येण रेचयेत्, सूर्येणापूर्य कुम्भयित्वा चन्द्रेण रेचयेदित्याकारकं तन्वतां विस्तारयतां यमिनां यमवतां नाडीगणा नाडीसमूहा मासत्रयादूर्ध्वतो मासानां त्रयं तस्मादुपरि शुद्धा मलरहिता भवन्ति ॥ १० ॥

प्रातर्मध्यंदिने सायमर्धरात्रे च कुम्भकान् ।
शनैरशीतिपर्यन्तं चतुर्वारं समभ्यसेत् ॥ ११ ॥

अथ प्राणायामाभ्यासकालं तदवधिं चाह— प्रातरिति । प्रातररुणोदयमारभ्य सूर्योदयाद् घटिकात्रयपर्यन्ते प्रातःकाले मध्यंदिने मध्याह्ने पञ्चधा विभक्तस्य दिनस्य मध्यभागे सायं संध्यात्रिनाडीप्रमितार्कास्तादधस्तादूर्ध्वं चेत्यु-

क्तलक्षणे संध्याकाले रात्रेरर्धमर्धरात्रः तस्मिन्नर्धरात्रे रात्रेर्मध्ये मुहूर्तद्वये च शनैरशीतिपर्यन्तमशीतिसङ्ख्यावधि चतुर्वारं वारचतुष्टयम् । 'कालाध्वनोरत्यन्तसंयोगे' (*Pāṇ.*, II. 3. 5) इति द्वितीया । चतुर्षु कालेष्वेकैकस्मिन् कालेऽशीतिप्राणायामाः कार्याः । अर्धरात्रे कर्तुमशक्तश्चेत् त्रिसंध्यं कर्तव्या इति संप्रदायः । चतुर्वारं कृताश्चेद् दिनेदिने (३२०) विंशत्यधिकशतत्रयपरिमिताः प्राणायामा भवन्ति । वारत्रयं कृताश्चेत् (२४०) चत्वारिंशदधिकशतद्वयपरिमिता भवन्ति ॥ ११ ॥

कनीयसि भवेत् स्वेदः कम्पो भवति मध्यमे ।
उत्तमे स्थानमाप्नोति ततो वायुं निबन्धयेत् ॥ १२ ॥

कनिष्ठमध्यमोत्तमानां प्राणायामानां क्रमेण ज्ञापकंविशेषानाह—कनीयसीति । कनीयसि कनिष्ठे प्राणायामे स्वेदः प्रस्वेदो भवेद् भवति । स्वेदानुमेयः कनिष्ठः । मध्यमे प्राणायामे कम्पो भवति । कम्पानुमेयो मध्यमः । उत्तमे प्राणायामे स्थानं ब्रह्मरन्ध्रमाप्नोति । स्थानप्राप्त्यनुमेय उत्तमः । ततस्तस्माद् वायुं प्राणं निबन्धयेद् नितरां बन्धयेत् । कनिष्ठादीनां लक्षणमुक्तं लिङ्गपुराणे (VIII. 46-50)—

'प्राणायामस्य मानं तु मात्राद्वादशकं स्मृतम् ।
नीचो द्वादशमात्रस्तु सकृदुद्धात ईरितः ॥
मध्यमस्तु द्विरुद्धातश्चतुर्विंशतिमात्रकः ।
मुख्यस्तु यस्त्रिरुद्धातः षट्त्रिंशन्मात्र उच्यते ॥
प्रस्वेदकम्पनोत्थानजनकश्च यथाक्रमम् ।
आनन्दो जायते चात्र निद्रा घूर्णिस्तथैव च ॥
रोमाञ्चो ध्वनिसंवित्तिरङ्गमोटनकम्पनम् ।

भ्रमणस्वेदजल्पाद्यं संविन्मूर्च्छा जयेद् यदा ।

तदोत्तम इति प्रोक्तः प्राणायामः सुशोभनः ॥ ' इति ।

घूर्णिश्चित्तान्दोलनम् । गोरक्षोऽपि—

'अधमे द्वादश प्रोक्ता मध्यमे द्विगुणाः स्मृताः ।

उत्तमे त्रिगुणा मात्राः प्राणायामे द्विजोत्तमैः ॥'

उद्धातलक्षणं तु—

'प्राणेनोत्सार्यमाणेन अपानः पीड्यते यदा ।

गत्वा चोर्ध्वं निवर्तेत एतदुद्धातलक्षणम् ॥'

मात्रामाह याज्ञवल्क्यः—

'अङ्गुष्ठाङ्गुलिमोक्षं त्रिस्त्रिर्जानुपरिमार्जनम् ।

तालत्रयमपि प्राज्ञा मात्रासंज्ञां प्रचक्षते ॥'

स्कन्दपुराणे—'एकश्वासमयी मात्रा प्राणायामो निगद्यते' । एतद्व्याख्यातं योगचिन्तामणौ । 'निद्रावशंगतस्य पुंसो यावता कालेनैकः श्वासो गच्छत्यागच्छति च तावत्कालः प्राणायामस्य मात्रेत्युच्यते' इति । अर्धश्वासाधिकद्वादशश्वासावच्छिन्नः कालः प्राणायामकालः । षड्भिः श्वासैरेकं पलं भवति । एवं च सार्धश्वासपलद्वयात्मकः कालः प्राणायामकालः सिद्धः । सार्धद्वादशमात्रामितः प्राणायामो यः स एवोत्तमः प्राणायाम इत्युच्यते । न च पूर्वोदाहृतलिङ्गपुराणगोरक्षवाक्यविरोधः, तत्र द्वादशमात्रकस्य प्राणायामस्याधमत्वोक्तेरिति शङ्कनीयम् ।

'जानुं प्रदक्षिणीकुर्यान्न द्रुतं न विलम्बितम् ।

प्रदद्याच्छोटिकां यावत् तावन्मात्रेति गीयते ॥'

इति स्कन्दपुराणात् ।

'अङ्गुष्ठाङ्गुलिमोक्षं च जानोश्च परिमार्जनम् ।
प्रदद्याच्छोटिकामेकां मात्रा संख्यायते तदा ॥'

इति दत्तात्रेयवचनाच्च । लिङ्गपुराणगोरक्षादिवाक्येष्वेकच्छोटिकावच्छिन्नस्य कालस्य मात्रात्वेन विवक्षितत्वात् । याज्ञवल्क्यादिवाक्येषु छोटिकात्रयावच्छिन्नस्य कालस्य मात्रात्वेन विवक्षणात् त्रिगुणस्याधमस्योत्तमत्वं तत्राप्युक्तमित्यविरोधः । सर्वेषु योगसाधनेषु प्राणायामो मुख्यः तत्सिद्धौ प्रत्याहारादीनां सिद्धेः । तदसिद्धौ प्रत्याहाराद्यसिद्धेश्च । वस्तुतस्तु प्राणायाम एव प्रत्याहारादिशब्दैर्निगद्यते । तथा चोक्तं योगचिन्तामणौ—'प्राणायाम एवाभ्यासक्रमेण वर्धमानः प्रत्याहार-धारणाध्यानसमाधिशब्दैरुच्यते' इति ।

तदुक्तं स्कन्दपुराणे—

'प्राणायामद्विषट्केन प्रत्याहार उदाहृतः ।
प्रत्याहारद्विषट्केन धारणा परिकीर्तिता ॥
भवेदीश्वरसंगत्यै ध्यानं द्वादशधारणम् ।
ध्यानद्वादशकेनैव समाधिरभिधीयते ॥
यत्समाधौ परं ज्योतिरनन्तं स्वप्रकाशकम् ।
तस्मिन् दृष्टे क्रियाकाण्डयातायातं निवर्तते ॥' इति ।

तथा—

'धारणा पञ्चनाडीभिर्ध्यानं स्यात् षष्टिनाडिकम् ।
दिनद्वादशकेन स्यात् समाधिः प्राणसंयमात् ॥'

इति च । गोरक्षादिभिरप्येवमेवोक्तम् । अत्रैवं व्यवस्था । किंचिदूनद्विचत्वारिंशद्विपलात्मकः कनिष्ठप्राणायामकालः । अयमेवैकच्छोटिकावच्छिन्नस्य कालस्य

मात्रात्वविवक्षया द्वादशमात्रकः कालः । किंचिदूनचतुरशीतिविपलात्मको मध्यम-प्राणायामकालः । अयमेकच्छोटिकावच्छिन्नस्य कालस्य मात्रात्वविवक्षया चतुर्विं-शतिमात्रकः । पञ्चविंशत्युत्तरशतविपलात्मक उत्तमः प्राणायामकालः । अयमेक-च्छोटिकावच्छिन्नस्य कालस्य मात्रात्वविवक्षया षट्त्रिंशन्मात्रकः कालः । छोटि-कात्रयावच्छिन्नस्य कालस्य मात्रात्वविवक्षया तु द्वादशमात्रक एव । बन्धपूर्वकं पञ्चविंशत्युत्तरशतविपलपर्यन्तं यदा प्राणायामस्थैर्यं भवति तदा प्राणो ब्रह्मरन्ध्रं गच्छति । ब्रह्मरन्ध्रं गतः प्राणो यदा पञ्चविंशतिपलपर्यन्तं तिष्ठति तदा प्रत्याहारः । यदा पञ्चघटिकापर्यन्तं तिष्ठति तदा धारणा । यदा षष्टिघटिकापर्यन्तं तिष्ठति तदा ध्यानम् । यदा द्वादशदिनपर्यन्तं तिष्ठति तदा समाधिर्भवतीति सर्वं रमणीयम् ॥ १२ ॥

जलेन श्रमजातेन गात्रमर्दनमाचरेत् ।
दृढता लघुता चैव तेन गात्रस्य जायते ॥ १३ ॥

प्राणायामानभ्यस्यतः स्वेदे जाते विशेषमाह—जलेनेति । श्रमात् प्राणायामाभ्यासश्रमाज्जातं तेन जलेन प्रस्वेदेन गात्रस्य शरीरस्य मर्दनं तैलाभ्यङ्गवदाचरेत् कुर्यात् । तेन मर्दनेन गात्रस्य दृढता दार्ढ्यं लघुता जाड्याभावो जायते प्रादुर्भवति ॥ १३ ॥

अभ्यासकाले प्रथमे शस्तं क्षीराज्यभोजनम् ।
ततोऽभ्यासे दृढीभूते न तादृङ्नियमग्रहः ॥ १४ ॥

अथ प्रथमोत्तराभ्यासयोः क्षीरादिनियमानाह—अभ्यासकाल इति । क्षीरं दुग्धमाज्यं घृतं तद्युक्तं भोजनं क्षीराज्यभोजनम् । शाकपार्थिवादिवत् समासः । केवले कुम्भके सिद्धेऽभ्यासो दृढो भवति । स्पष्टमन्यत् ॥ १४ ॥

यथा सिंहो गजो व्याघ्रो भवेद् वश्यः शनैः शनैः ।
तथैव सेवितो वायुरन्यथा हन्ति साधकम् ॥ १५ ॥

सिंहादिवच्छनैरेव प्राणं वशयेन्न सहसेत्याह—यथेति । यथा येन प्रकारेण सिंहो मृगेन्द्रो गजो वनहस्ती व्याघ्रः शार्दूलः शनैः शनैरेव वश्यः स्वाधीनो भवेन्न सहसा तथैव तेनैव प्रकारेण सेवितोऽभ्यस्तो वायुः प्राणो वश्यो भवेत् । अन्यथा सहसा गृह्यमाणः साधकमभ्यासिनं हन्ति सिंहादिवत् ॥ १५ ॥

प्राणायामेन युक्तेन सर्वरोगक्षयो भवेत् ।
अयुक्ताभ्यासयोगेन सर्वरोगसमुद्भवः ॥ १६ ॥

युक्तायुक्तयोः फलमाह—प्राणायामेनेति । आहारादियुक्तिपूर्वको जालंधरादिबन्धयुक्तिविशिष्टः प्राणायामो युक्त इत्युच्यते । तेन सर्वरोगक्षयः सर्वेषां रोगाणां क्षयो नाशो भवेत् । अयुक्त उक्तयुक्तिरहितो योऽभ्यासस्तद्युक्तेन प्राणायामेन सर्वरोगसमुद्भवः सर्वेषां रोगाणां सम्यगुद्भव उत्पत्तिर्भवेत् ॥ १६ ॥

हिक्का श्वासश्च कासश्च शिरःकर्णाक्षिवेदनाः ।
भवन्ति विविधा रोगाः पवनस्य प्रकोपतः ॥ १७ ॥

अयुक्तेन प्राणायामेन के रोगा भवन्तीत्यपेक्षायामाह—हिक्केति । हिक्काश्वासकासा रोगविशेषाः । शिरश्च कर्णौ चाक्षिणी च शिरःकर्णाक्षि, शिरःकर्णाक्षणि वेदनाः शिरःकर्णाक्षिवेदनाः । विविधा नानाविधा रोगा ज्वरादयः । पवनस्य वायोः प्रकोपतो भवन्ति ॥ १७ ॥

युक्तं युक्तं त्यजेद् वायुं युक्तं युक्तं च पूरयेत् ।
युक्तं युक्तं च बध्नीयादेवं सिद्धिमवाप्नुयात् ॥ १८ ॥

यतः पवनस्य प्रकोपतो विविधा रोगा भवन्त्यतः । युक्तं युक्तमिति । वायुं प्राणं युक्तं युक्तं त्यजेत् । रेचनकाले शनैःशनैरेव रेचयेन्न वेगत इत्यर्थः । युक्तं युक्तं च न चाल्पं नाधिकं च पूरयेत् । युक्तं युक्तं च जालंधरबन्धादियुक्तं बध्नीयात् कुम्भयेत् । एवमभ्यस्येच्चेत् सिद्धिं हठसिद्धिमवाप्नुयात् ॥ १८ ॥

यदा तु नाडीशुद्धिः स्यात् तथा चिह्नानि बाह्यतः ।
कायस्य कृशता कान्तिस्तदा जायेत निश्चितम् ॥ १९ ॥

युक्तं प्राणायाममभ्यस्यतो जायमानाया नाडीशुद्धेर्लक्षणमाह द्वाभ्याम्—यदात्विति । यदा तु यस्मिन् काले तु नाडीनां शुद्धिर्मलराहित्यं स्यात् तदा बाह्यतो बाह्यानि । सार्वविभक्तिकस्तसिः । चिह्नानि लक्षणानि, तथाशब्देनान्तराण्यपि चिह्नानि भवन्तीत्यर्थः । तान्येवाह—कायस्येति । कायस्य देहस्य कृशता कार्श्यं कान्तिः सुरुचिर्निश्चितं जायेत ॥ १९ ॥

यथेष्टं धारणं वायोरनलस्य प्रदीपनम् ।
नादाभिव्यक्तिरारोग्यं जायते नाडिशोधनात् ॥ २० ॥

वायोः प्राणस्य यथेष्टं बहुवारं धारणं कुम्भकेषु । अनलस्य जठराग्नेः प्रदीपनं प्रकृष्टा दीप्तिर्नादस्य ध्वनेरभिव्यक्तिः प्राकट्यमारोग्यमरोगता नाडिशोधनाद् नाडीनां शोधनाद् मलराहित्याज्जायते ॥ २० ॥

मेदश्लेष्माधिकः पूर्वं षट् कर्माणि समाचरेत् ।
अन्यस्तु नाचरेत् तानि दोषाणां समभावतः ॥ २१ ॥

मेदाद्याधिक्ये उपायान्तरमाह—मेदश्लेष्माधिक इति । मेदश्च श्लेष्मा च मेदश्लेष्माणौ तावधिकौ यस्य स तादृशः पुरुषः । पूर्वं प्राणायामाभ्यासात् प्राङ् न तु प्राणायामाभ्यासकाले षट् कर्माणि वक्ष्यमाणानि समाचरेत्

सम्यगाचरेत् । अन्यस्तु मेदश्लेष्माधिक्यरहितस्तु तानि षट् कर्माणि नाचरेत् । तत्र हेतुमाह । दोषाणां वातपित्तकफानां समस्य भावः समभावः समत्वं तस्माद् दोषाणां समत्वादित्यर्थः ॥ २१ ॥

धौतिर्बस्तिस्तथा नेतिस्त्राटकं नौलिकं तथा ।
कपालभातिश्चैतानि षट् कर्माणि प्रचक्षते ॥ २२ ॥

षट्कर्माण्युपदिशति—धौतिरिति । स्पष्टम् ॥ २२ ॥

कर्मषट्कमिदं गोप्यं घटशोधनकारकम् ।
विचित्रगुणसंधायि पूज्यते योगिपुंगवैः ॥ २३ ॥

इदं रहस्यमित्याह—कर्मषट्कमिति । घटस्य शरीरस्य शोधनं मलापनयनं करोतीति घटशोधनकारकमिदमुद्दिष्टं कर्मणां षट्कं धौत्यादिकं गोप्यं गोपनीयम् । यतः । विचित्रगुणसंधायीति । विचित्रं विलक्षणं गुणं षट्कर्मरूपं संधातुं कर्तुं शीलमस्येति विचित्रगुणसंधायि योगिपुंगवैर्योगिश्रेष्ठैः पूज्यते सत्क्रियते । गोपनाभावे तु षट्कर्मकमन्यैरपि विदितं स्यादिति योगिनः पूज्यत्वाभावः प्रसज्येतेति भावः । एतेनेदमेव कर्मषट्कस्य मुख्यं फलमिति सूचितम् । मेदश्लेष्मादिनाशस्य प्राणायामैरपि संभवात् । तदुक्तम्—'षट्कर्मयोगमाप्नोति पवनाभ्यासतत्परः' इति पूर्वोत्तरग्रन्थस्याप्येवमेव स्वारस्याच्च ॥ २३ ॥

तत्र धौतिः—

चतुरङ्गुलविस्तारं हस्तपञ्चदशायतम् ।
गुरूपदिष्टमार्गेण सिक्तं वस्त्रं शनैर्ग्रसेत् ।
पुनः प्रत्याहरेच्चैतदुदितं धौतिकर्म तत् ॥ २४ ॥

धौतिकर्माह—चतुरङ्गुलमिति। चतुर्णामङ्गुलानां समाहारश्चतुरङ्गुलं विस्तारो यस्य तादृशं हस्तानां पञ्चदशैरायतं दीर्घं सिक्तं जलार्द्रं किंचिदुष्णं वस्त्रं पटं तच्च सूक्ष्मं नूतनोष्णीषादेः खण्डं ग्राह्यम्। गुरुणोपादिष्टो यो मार्गो वस्त्रग्रसनप्रकारस्तेन शनैर्मन्दं मन्दं किंचित् किंचिद् ग्रसेत्। द्वितीये दिने हस्तद्वयं तृतीये दिने हस्तत्रयम्। एवं दिनवृद्ध्या हस्तमात्रमधिकं ग्रसेत्। तस्य प्रान्तं राजदन्तमध्ये दृढं संलग्नं कृत्वा नौलिकर्मणा (II. 33) उदरस्थवस्त्रं सम्यक् चालयित्वा। पुनः शनैः प्रत्याहरेच्च तद्वस्त्रमुद्गिरेन्निष्कासयेच्च। तद्धौतिकर्मोदितं कथितं सिद्धैः ॥ २४ ॥

कासश्वासप्लीहकुष्ठं कफरोगाश्च विंशतिः।
धौतिकर्मप्रभावेण प्रयान्त्येव न संशयः ॥ २५ ॥

धौतिकर्मणः फलमाह—कासश्वासेति। कासश्च श्वासश्च प्लीहश्च कुष्ठं च। समाहारद्वन्द्वः। कासादयो रोगविशेषाः विंशतिसंख्याकाः कफरोगाश्च धौतिकर्मणः प्रभावेण गच्छन्त्येव न संशयः, निश्चितमेतदित्यर्थः ॥ २५ ॥

अथ वस्तिः—

नाभिदघ्नजले पायौ न्यस्तनालोत्कटासनः।
आधाराकुञ्चनं कुर्यात् क्षालनं वस्तिकर्म तत् ॥ २६ ॥

अथ वस्तिकर्माह—नाभिदघ्नेति। नाभिपरिमाणं नाभिदघ्नम्, परिमाणे दघ्नच् प्रत्ययः। तस्मिन्नाभिदघ्ने नाभिपरिमाणे जले नद्यादितोये पायुर्गुदं तस्मिन् न्यस्तो नालो वंशनालो येन कनिष्ठिकाप्रवेशयोग्यरन्ध्रयुक्तं षडङ्गुलदीर्घं वंशनालं गृहीत्वा चतुरङ्गुलं पायौ प्रवेशयेत्। अङ्गुलिद्वयमितं बहिः स्थापयेत्। उत्कटमासनं यस्य स उत्कटासनः। पार्ष्णिद्वये स्फिचौ विन्यस्य पादाङ्गुलिभिः स्थितिरुत्कटासनम्। आधारस्याकुञ्चनं यथा जलमन्तः प्रविशेत्

तथा संकोचनं कुर्यात्। अन्तः प्रविष्टं जलं नौलिकर्मणा चालयित्वा त्यजेत्। क्षालनं वस्तिकर्मोच्यते। धौतिवस्तिकर्मद्वयं भोजनात् प्रागेव कर्तव्यम्। तदनन्तरं भोजने विलम्बोऽपि न कार्यः। केचित्तु पूर्वं मूलाधारेण वायोराकर्षणमभ्यस्य जले स्थित्वा पायौ नालप्रवेशनमन्तरेणैव वस्तिकर्माभ्यस्यन्ति। तथा करणे सर्वं जलं बहिर्नायाति। अतो नानारोगधातुक्षयादिसंभवाच्च तथा वस्तिकर्म नैव विधेयम्। किमन्यथा स्वात्मारामः पायौ न्यस्तनाल इति ब्रूयात्॥ २६॥

गुल्मप्लीहोदरं चापि वातपित्तकफोद्भवाः।
वस्तिकर्मप्रभावेण क्षीयन्ते सकलामयाः॥ २७॥

वस्तिकर्मगुणानाह द्वाभ्याम्—गुल्मप्लीहोदरमिति। गुल्मश्च प्लीहश्च रोगविशेषावुदरं जलोदरं च तेषां समाहारद्वन्द्वः। वातश्च पित्तं च कफश्च तेभ्य उद्भवा एकैकस्माद् द्वाभ्यां सर्वेभ्यो वा जाताः सकलाः सर्वे आमया रोगा वस्तिकर्मणः प्रभावः सामर्थ्यं तेन क्षीयन्ते नश्यन्ति॥ २७॥

धात्विन्द्रियान्तःकरणप्रसादं दद्याच्च कान्तिं दहनप्रदीप्तिम्।
अशेषदोषोपचयं निहन्यादभ्यस्यमानं जलवस्तिकर्म॥ २८॥

धात्विति। अभ्यस्यमानमनुष्ठीयमानं जले वस्तिकर्म जलवस्तिकर्म कर्तृ दद्यादनुष्ठातुरिति शेषः। धातवो 'रसासृङ्मांसमेदोऽस्थिमज्जाशुक्राणि धातवः' इत्युक्ताः (Vāgbhaṭa I. 13)। इन्द्रियाणि वाक्पाणिपादपायूपस्थानि पञ्च कर्मेन्द्रियाणि श्रोत्रत्वक्चक्षुर्जिह्वाघ्राणानि पञ्च ज्ञानेन्द्रियाणि च, अन्तःकरणानि मनोबुद्धिचित्ताहंकाररूपाणि, तेषां परितापविक्षेपशोकमोहगौरवावरणदैन्यादिराजसतामसधर्मविनिवर्तनेन सुखप्रकाशलाघवादिसात्त्विकधर्माविर्भावः प्रसादस्तं कान्तिं

द्युतिं दहनस्य जठराग्नेः प्रदीप्तिं प्रकृष्टां दीप्तिं च । तथा । अशेषाः समस्ता ये दोषा वातपित्तकफास्तेषामुपचयम् । एतदपचयस्याप्युपलक्षणम् । उपचयापचयौ निहन्यान्नितरां हन्यात् । दोषसाम्यरूपमारोग्यं कुर्यादित्यर्थः ॥ २८ ॥

अथ नेतिः—

सूत्रं वितस्ति सुस्निग्धं नासानाले प्रवेशयेत् ।
मुखान्निर्गमयेच्चैषा नेतिः सिद्धैर्निगद्यते ॥ २९ ॥

अथ नेतिकर्माह—सूत्रमिति । वितस्ति वितस्तिमितं वितस्तिरित्युपलक्षणमधिकस्यापि । यावता सूत्रेण सम्यग् नेतिकर्म भवेत् तावद् ग्राह्यम् । सुस्निग्धं सुष्ठु स्निग्धं ग्रन्थ्यादिरहितं सूत्रम् । तच्च नवधा दशधा पञ्चदशधा वा गुणितं सुदृढं ग्राह्यम् । नासा नासिका सैव नालः सच्छिद्रत्वात् तस्मिन् प्रवेशयेत् । मुखान्निर्गमयेद् निष्कासयेत् । तत्प्रकारस्त्वेवम् । सूत्रप्रान्तं नासानाले प्रवेश्येतरनासापुटमङ्गुल्या निरुध्य पूरकं कुर्यात् । पुनश्च मुखेन रेचयेत् । पुनः पुनरेवं कुर्वतो मुखे सूत्रप्रान्तमायाति । तत्सूत्रप्रान्तं नासाबहिःस्थसूत्रप्रान्तं च गृहीत्वा शनैश्चालयेदिति । चकारादेकस्मिन् नासानाले प्रवेश्येतरस्मिन्निर्गमयेदित्युक्तम् । तत्प्रकारस्त्वेकस्मिन् नासानाले सूत्रप्रान्तं प्रवेश्येतरनासापुटमङ्गुल्या निरुध्य पूरकं कुर्यात् पश्चादितरनासानालेन रेचयेत् । पुनःपुनरेवं कुर्वत इतरनासानाले सूत्रप्रान्तमायाति तस्य पूर्ववच्चालनं कुर्यादिति । अयं प्रकारस्तु बहुवारं कुर्वतः कदाचिद् भवति । एषोक्ता सिद्धैरणिमादिगुणसंपन्नैः । तदुक्तम्—'अवाप्ताष्टगुणैश्वर्याः सिद्धाः सद्भिर्निरूपिताः' इति । नेतिर्निगद्यते नेतिरिति कथ्यते ॥ २९ ॥

कपालशोधिनी चैव दिव्यदृष्टिप्रदायिनी ।
जत्रूर्ध्वजातरोगौघं नेतिराशु निहन्ति च ॥ ३० ॥

नेतिगुणानाह—कपालशोधनीति। कपालं शोधयति शुद्धं मलरहितं करोतीति कपालशोधनी। चकारान्नासानालादीनामपि। एवशब्दोऽवधारणे। दिव्यां सूक्ष्मपदार्थग्राहिणीं दृष्टिं प्रकर्षेण दातुं शीलमस्या इति दिव्यदृष्टिप्रदायिनी। नेतिः नेतिक्रिया। जत्रुणोः स्कन्धसंध्योरूर्ध्वमुपरिभागे जातो जत्रूर्ध्वजातः स चासौ रोगाणामोघश्च तमाशु झटिति निहन्ति। चकारः पादपूरणे। 'स्कन्धो भुजशिरोऽंसोऽस्त्री संधी तस्यैव जत्रुणी' इत्यमरः (II. 6. 78) ॥ ३० ॥

अथ त्राटकम्—

निरीक्षेन्निश्चलदृशा सूक्ष्मलक्ष्यं समाहितः।
अश्रुसंपातपर्यन्तमाचार्यैस्त्राटकं स्मृतम् ॥ ३१ ॥

त्राटकमाह—निरीक्षेदिति। समाहितः एकाग्रचित्तः निश्चला चासौ दृक् च दृष्टिस्तया सूक्ष्मं च तल्लक्ष्यं च सूक्ष्मलक्ष्यमश्रूणां सम्यक् पातः पतनं तत्पर्यन्तम्। अनेन निरीक्षणस्यावधिरुक्तः। निरीक्षेत् पश्येत्। आचार्यैर्मत्स्येन्द्रादिभिरिदं त्राटकं त्राटककर्म स्मृतं कथितम् ॥ ३१ ॥

मोचनं नेत्ररोगाणां तन्द्रादीनां कपाटकम्।
यत्नतस्त्राटकं गोप्यं यथा हाटकपेटकम् ॥ ३२ ॥

त्राटकगुणानाह—मोचनमिति। नेत्रस्य रोगा नेत्ररोगास्तेषां मोचनं नाशकं, तन्द्रा आदिर्येषामालस्यादीनां तेषां कपाटकं कपाटवदन्तर्धायकमभिभावकमित्यर्थः। तन्द्रा तामसश्चित्तवृत्तिविशेषः। त्राटकं त्राटकाख्यं कर्म यत्नतः प्रयत्नतः प्रयत्नाद् गोप्यं गोपनीयम्। गोपने दृष्टान्तमाह—यथेति। हाटकस्य सुवर्णस्य पेटकं पेटी इति लोके प्रसिद्धं यथा येन प्रकारेण गोप्यते तद्वत् ॥ ३२ ॥

अथ नौलिः—

अमन्दावर्तवेगेन तुन्दं सव्यापसव्यतः ।
नतांसो भ्रामयेदेषा नौलिः सिद्धैः प्रशस्यते ॥ ३३ ॥

नौलिकर्माह—अमन्देति । नतौ नम्रीभूतावंसौ स्कन्धौ यस्य स नतांसः पुमानमन्द्रोऽतिशयितो य आवर्तस्तस्येव जलभ्रमस्येव वेगो जवस्तेन तुन्दमुदरम् । 'पिचण्डकुक्षी जठरोदरं तुन्दं स्तनौ कुचौ' इत्यमरः (II. 6. 77) । सव्यं चापसव्यं च सव्यापसव्ये दक्षिणवामभागौ तयोः सव्यापसव्यतः । सप्तम्यर्थे तसिः । भ्रामयेद् भ्रमन्तं प्रेरयेत् । सिद्धैरेषा नौलिः प्रशस्यते कथ्यते ॥ ३३ ॥

मन्दाग्निसंदीपनपाचनादिसंधापिकानन्दकरी सदैव ।
अशेषदोषामयशोषणी च हठक्रियामौलिरियं च नौलिः ॥ ३४ ॥

नौलिगुणानाह—मन्दाग्नीति । मन्दश्चासावग्निर्जठराग्निस्तस्य संदीपनं सम्यग् दीपनं च पाचनं च भुक्तान्नपरिपाकश्च मन्दाग्निसंदीपनपाचने ते आदिनी यस्य तन्मन्दाग्निसंदीपनपाचनादि तस्य संधापिका विधात्री। आदिशब्देन मलशुध्यादि। सदैव सर्वदैवानन्दकरी सुखकरी। अशेषाः समस्ताश्च ते दोषाश्च वातादय आमयाश्च रोगास्तेषां शोषणी शोषणकर्त्री हठस्य क्रियाणां धौत्यादीनां मौलिर्मौलिरिवोत्तमा धौतिवस्त्योर्नौलिसापेक्षत्वात् । इयमुक्ता नौलिः ॥ ३४ ॥

अथ कपालभातिः—

भस्त्रावल्लोहकारस्य रेचपूरौ ससंभ्रमौ ।
कपालभातिर्विख्याता कफदोषविशोषणी ॥ ३५ ॥

कपालभातिं तद्गुणं चाह—भस्त्रावदिति । लोहकारस्य भस्त्रा अग्नेर्धमनसाधनीभूतं चर्म तद्वत् संभ्रमेण सहवर्तमानौ ससंभ्रमावमन्दौ यौ रेचपूरौ रेचक-

पूरकौ कपालभातिरिति विख्याता। कीदृशी? कफदोषविशोषणी। कफस्य दोषा विंशतिभेदभिन्नाः। तदुक्तं निदाने—'कफरोगाश्च विंशतिः' इति। तेषां विशोषणी विनाशनी ॥ ३५ ॥

षट्कर्मनिर्गतस्थौल्यकफदोषमलादिकः।
प्राणायामं ततः कुर्यादनायासेन सिद्ध्यति ॥ ३६ ॥

षट्कर्मणां प्राणायामोपकारकत्वमाह—षट्कर्मेति। षट्कर्मभिर्धौतिप्रभृतिभिर्निर्गताः स्थौल्यं स्थूलस्य भावः स्थूलत्वम्। कफदोषा विंशतिसंख्याकाः, मलादयश्च यस्य स तथा। 'शेषाद्विभाषा' (*Pāṇ.*, V. 4. 154) इति कप्रत्ययः। आदिशब्देन पित्तादयः। प्राणायामं कुर्यात्। ततस्तस्मात् षटकर्मपूर्वकात् प्राणायामादनायासेनाश्रमेण सिद्ध्यति योग इति शेषः। षट्कर्माकरणे तु प्राणायामे श्रमाधिक्यं स्यादिति भावः ॥ ३६ ॥

प्राणायामैरेव सर्वे प्रशुष्यन्ति मला इति।
आचार्याणां तु केषांचिदन्यत् कर्म न संमतम् ॥ ३७ ॥

मतभेदेन षट्कर्मणामनुपयोगमाह—प्राणायामैरिति। प्राणायामैरेव। एवशब्दः षट्कर्मव्यवच्छेदार्थः। सर्वे मलाः प्रशुष्यन्ति। मला इत्युपलक्षणं स्थौल्यकफपित्तादीनाम्, इति हेतोः केषांचिदाचार्याणां याज्ञवल्क्यादीनामन्यत् कर्म षट्कर्म न संमतं नाभिमतम्। आचार्यलक्षणमुक्तं वायुपुराणे—

'आचिनोति च शास्त्रार्थमाचारे स्थापयेदपि।
स्वयमाचरते यस्मादाचार्यस्तेन चोच्यते ॥'

इति ॥ ३७ ॥

अथ गजकरणी—

उदरगतपदार्थमुद्वमन्ति पवनमपानमुदीर्य कण्ठनाले ।
क्रमपरिचयवश्यनाडिचक्रा गजकरणीति निगद्यते हठज्ञैः ॥

गजकरणीमाह—उदरगतेति । अपानं पवनमपानवायुं कण्ठनाले कण्ठो नाल इव कण्ठनालस्तस्मिन्नुदीर्योत्क्षिप्योदरे गतः प्राप्तः स चासौ पदार्थश्च भुक्तपीतान्नजलादिस्तं पदार्थं वमन्त्युद्गिरन्ति यया, योगिन इत्यध्याहारः । क्रमेण यः परिचयोऽभ्यासस्तेन वश्यं स्वाधीनं नाडीनां चक्रं यस्यां सा तथा । सा क्रिया हठज्ञैर्हठयोगाद्यभिज्ञैर्गजकरणीति निगद्यते कथ्यते । 'क्रमपरिचयवश्यनाडिमार्गा' इति क्वचित् पाठः । तस्यायमर्थः । क्रमपरिचयेन वश्यो नाड्याः शङ्खिन्या मार्गः कण्ठपर्यन्तो यस्यां सा तथा ॥ ३८ ॥

ब्रह्मादयोऽपि त्रिदशाः पवनाभ्यासतत्पराः ।
अभूवन्नन्तकभयात् तस्मात् पवनमभ्यसेत् ॥ ३९ ॥

प्राणायामोऽवश्यमभ्यसनीयः सर्वोत्तमैरभ्यस्तत्वाद् महाफलत्वाच्चेति सूचयन्नाह चतुर्भिः—ब्रह्मादय इति । ब्रह्मा आदिर्येषां ते ब्रह्मादयस्तेऽपि किमुतान्य इत्यर्थः । त्रिदशा देवाः, अन्तयतीत्यन्तकः कालस्तस्माद् भयमन्तकभयं तस्मात् पवनस्य प्राणवायोरभ्यासो रेचकपूरककुम्भकभेदभिन्नप्राणायामानुष्ठानरूपस्तस्मिन् तत्परा अवहिता अभूवन् आसन् । तस्मात् पवनमभ्यसेत् प्राणमभ्यस्येत् ॥ ३९ ॥

यावद् बद्धो मरुद् देहे यावच्चित्तं निराकुलम् ।
यावद् दृष्टिर्भ्रुवोर्मध्ये तावत् कालभयं कुतः ॥ ४० ॥

यावदिति । यावद् यावत्कालपर्यन्तं मरुत् प्राणानिलो देहे शरीरे बद्धः श्वासोच्छ्वासक्रियाशून्यः । यावच्चित्तमन्तःकरणं निराकुलमविक्षिप्तं समाहितम् ।

यावद् भ्रुवोर्मध्ये दृष्टिरन्तःकरणवृत्तिः । दृशिरत्र ज्ञानसामान्यार्थः । तावत्काल-पर्यन्तं कलयतीति कालोऽन्तकस्तस्माद् भयं कुतः, न कुतोऽपीत्यर्थः । तथा च वक्ष्यति (IV. 108)—

'खाद्यते न च कालेन बाध्यते न च कर्मणा ।
साध्यते न स केनापि योगी युक्तः समाधिना ॥'

इति । स्वाधीनो भवतीत्यर्थः ॥ ४० ॥

विधिवत् प्राणसंयामैर्नाडीचक्रे विशोधिते ।
सुषुम्नावदनं भित्त्वा सुखाद् विशति मारुतः ॥ ४१ ॥

विधिवदिति । विधिवत् प्राणसंयामैरासनजालंधरबन्धादिविधियुक्त-प्राणायामैर्नाडीचक्रे नाडीनां चक्रं समूहस्तस्मिन् विशोधिते निर्मले सति मारुतो वायुः सुषुम्ना इडापिङ्गलयोर्मध्यस्था नाडी तस्या वदनं मुखं भित्त्वा सुखाद-नायासाद् विशति सुषुम्नान्तरिति शेषः ॥ ४१ ॥

मारुते मध्यसंचारे मनःस्थैर्यं प्रजायते ।
यो मनःसुस्थिरीभावः सैवावस्था मनोन्मनी ॥ ४२ ॥

मारुत इति । मध्ये सुषुम्नामध्ये संचारः सम्यक् चरणं गमनं मूर्धपर्यन्तं यस्य स मध्यसंचारस्तस्मिन् सति मनसः स्थैर्यं ध्येयाकारवृत्तिप्रवाहो जायते प्रादुर्भवति । यो मनसः सुस्थिरीभावः सुष्ठुस्थिरीभवनं सैव मनोन्मन्यवस्था । मनोन्मनीशब्द उन्मनीपर्यायः । तथाग्रे वक्ष्यति—'राजयोगः समाधिश्च' (IV. 3) इत्यादिना ॥ ४२ ॥

तत्सिद्धये विधानज्ञाश्चित्रान् कुर्वन्ति कुम्भकान् ।
विचित्रकुम्भकाभ्यासाद् विचित्रां सिद्धिमाप्नुयात् ॥ ४३ ॥

विचित्रेषु कुम्भकेषु प्रवृत्तिं जनयितुं तेषां मुख्यफलमवान्तरफलं चाह—तत्सिद्धय इति। विधानं कुम्भकानुष्ठानप्रकारस्तज्जानन्तीति विधानज्ञास्तत्सिद्धये उन्मन्यवस्थासिद्धये चित्रान् सूर्यभेदनादिभेदेन नानाविधान् कुम्भकान् कुर्वन्ति। विचित्राश्च ते कुम्भकाश्च विचित्रकुम्भकास्तेषामभ्यासादनुष्ठानाद् विचित्रामणिमादिभेदेन नानाविधां विलक्षणां वा जन्मौषधिमन्त्रतपोजातां सिद्धिम्। तदुक्तं भागवते (XI. 16. 34)—

'जन्मौषधितपोमन्त्रैर्यावत्य इह सिद्धयः।
योगेनाप्नोति ताः सर्वा नान्यैर्योगगतिं व्रजेत्॥' इति।

आप्नुयात् प्रत्याहारादिपरंपरयेति भावः॥ ४३॥

अथ कुम्भकभेदाः—

सूर्यभेदनमुज्जायी सीत्कारी शीतली तथा।
भस्त्रिका भ्रामरी मूर्च्छा प्लाविनीत्यष्ट कुम्भकाः॥ ४४॥

अथाष्टकुम्भकान् नामभिर्निर्दिशति—सूर्यभेदनमिति। स्पष्टम्॥ ४४॥

पूरकान्ते तु कर्तव्यो बन्धो जालंधराभिधः।
कुम्भकान्ते रेचकादौ कर्तव्यस्तूड्डियानकः॥ ४५॥

अथ हठसिद्धावनन्यसिद्धां पारमहंसीं सर्वकुम्भकसाधारणयुक्तिमाह त्रिभिः—पूरकान्त इति। जालंधर इत्यभिधा नाम यस्य स जालंधराभिधो बन्धः, बध्नाति प्राणवायुमिति बन्धः। कण्ठाकुञ्चनपूर्वकं चिबुकस्य हृदि स्थापनं जालंधरबन्धः पूरकान्ते पूरकस्यान्ते पूरकानन्तरं झटिति कर्तव्यः। तुशब्दात् कुम्भकादौ। उड्डियानकस्तु कुम्भकान्ते कुम्भकस्यान्ते किंचित् कुम्भकशेषे रेचक-

स्यादौ रेचकादौ रेचकात् पूर्वं कर्तव्यः । प्रयत्नविशेषेण नाभिप्रदेशस्य पृष्ठत आकर्षणमुड्डियानबन्धः ॥ ४५ ॥

अधस्तात् कुञ्चनेनाशु कण्ठसंकोचने कृते ।
मध्ये पश्चिमतानेन स्यात् प्राणो ब्रह्मनाडिगः ॥ ४६ ॥

अधस्तादिति । कण्ठस्य संकोचनं कण्ठसंकोचनं तस्मिन् कृते सति जालंधरबन्धे कृते सतीत्यर्थः । आश्वव्यवहितोत्तरमेवाधस्तादधःप्रदेशादाकुञ्चनेना-धाराकुञ्चनेन मूलबन्धेनेत्यर्थः । मध्ये नाभिप्रदेशे पश्चिमतः पृष्ठतस्तानंताननमा-कर्षणं तेनोड्डियानबन्धेनेत्यर्थः । उक्तरीत्या कृतेन बन्धत्रयेण प्राणो वायुर्ब्रह्म-नाडिं सुषुम्नां गच्छतीति ब्रह्मनाडिगः सुषुम्नानाडिगामी स्यादित्यर्थः । अत्रेदं रहस्यम् । यदि श्रीगुरुमुखाज्जिह्वाबन्धः सम्यक् परिज्ञातस्तर्हि जिह्वाबन्धपूर्वकेन जालंधरबन्धेनैव प्राणायामः सिध्यति । वायुप्रकोपो नैव भवति । 'वपुःकृशत्वं वदने प्रसन्नता' (II. 78) इत्यादीनि सर्वाणि लक्षणानि जायन्त इति मूलबन्धोड्डियानबन्धौ नोपयुक्तौ । तयोर्जिह्वाबन्धपूर्वकेण जालंधरबन्धेनान्यथा सिद्धत्वात् । जिह्वाबन्धो न विदितश्चेद् 'अधस्तात् कुञ्चनेन' इति श्लोकोक्तरीत्या प्राणायामाः कर्तव्याः । त्रयोऽपि बन्धा गुरुमुखाज्ज्ञातव्याः । मूलबन्धस्तु सम्यगज्ञातो नानारोगोत्पादकः । तथा हि, यदि मूलबन्धे कृते धातुक्षयो विष्टम्भोऽग्निमान्द्यं नादमान्द्यं गुटिकासमूहाकारमजस्येव पुरीषं स्यात् तदा मूलबन्धः सम्यग् न ज्ञात इति बोध्यम् । यदि तु धातुपुष्टिः सम्यग् मलशुद्धिरग्निदीप्तिः सम्यग् नादाभिव्यक्तिश्च स्यात् तदा ज्ञेयं मूलबन्धः सम्यग् ज्ञात इति ॥ ४६ ॥

अपानमूर्ध्वमुत्थाप्य प्राणं कण्ठादधो नयेत् ।
योगी जराविमुक्तः सन् षोडशाब्दवया भवेत् ॥ ४७ ॥

अपानमिति । अपानमपानवायुमूर्ध्वमुत्थाप्याधाराकुञ्चनेन प्राणं प्राणवायुं कण्ठादधः अधोभागे नयेत् प्रापयेद् यः स योगी, योगोऽस्यास्ति अभ्यस्यत्वेनेति योगी योगाभ्यासी जरया वार्धकेन विमुक्तो विशेषेण मुक्तः सन् । षोडशानामब्दानां समाहारः षोडशाब्दम्, षोडशाब्दं वयो यस्य स तादृशो भवेत् । यद्यपि 'पूरकान्ते तु कर्तव्यः' (V. 45) इत्यादिना त्रयाणां श्लोकानामेक एवार्थः पर्यवस्यति, तथापि पूरकान्ते तु कर्तव्य इत्यनेन बन्धानां काल उक्तः । अधस्तात् कुञ्चनेनेत्यनेन बन्धानां स्वरूपमुक्तम् । अपानमूर्ध्वमुत्थाप्येत्यनेन बन्धानां फलमुक्तमिति विशेषः । जालंधरबन्धे मूलबन्धे च कृते नाभेरधोभाग आकर्षणाख्यो बन्ध उड्डियानबन्धो भवत्येवेत्यस्मिन् श्लोके नोक्तः । तथाचोक्तं ज्ञानेश्वरेण गीताषष्ठाध्यायव्याख्यायां—'मूलबन्धे जालंधरबन्धे च कृते नाभेरधोभाग आकर्षणाख्यो बन्धः स्वयमेव भवति' इति ॥ ४७ ॥

अथ सूर्यभेदनम्—

आसने सुखदे योगी बद्ध्वा चैवासनं ततः ।
दक्षनाड्या समाकृष्य बहिःस्थं पवनं शनैः ॥ ४८ ॥

'योगाभ्यासक्रमं वक्ष्ये योगिनां योगसिद्धये ।
उषःकाले समुत्थाय प्रातःकालेऽथ वा बुधः ॥ १ ॥
गुरुं संस्मृत्य शिरसि हृदये स्वेष्टदेवताम् ।
शौचं कृत्वा दन्तशुद्धिं विदध्याद् भस्मधारणम् ॥ २ ॥
शुचौ देशे मठे रम्ये प्रतिष्ठाप्यासनं मृदु ।
तत्रोपविश्य संस्मृत्य मनसा गुरुमीश्वरम् ॥ ३ ॥
देशकालौ च संकीर्त्य संकल्प्य विधिपूर्वकम् ।

अद्येत्यादि श्रीपरमेश्वरप्रसादपूर्वकम्। समाधितत्फलसिद्ध्यर्थमासन-पूर्वकान् प्राणायामादीन् करिष्ये।

अनन्तं प्रणमेद् देवं नागेशं पीठसिद्धये ॥ ४ ॥

मणिभ्राजत्फणासहस्रविधृतविश्वंभरामण्डलायानन्ताय नागराजाय नमः।

ततोऽभ्यसेदासनानि श्रमे जाते शवासनम्।
अन्ते समभ्यसेत् तत्तु श्रमाभावे तु नाभ्यसेत् ॥ ५ ॥
करणीं विपरीताख्यां कुम्भकात् पूर्वमभ्यसेत्।
जालंधरप्रसादार्थं कुम्भकात् पूर्वयोगतः ॥ ६ ॥
विधायाचमनं कृत्वा कर्माङ्गं प्राणसंयमम्।
योगीन्द्रादीन् नमस्कृत्य कौर्माच्च शिववाक्यतः ॥ ७ ॥'

कूर्मपुराणे शिववाक्यम्—

'नमस्कृत्याथ योगीन्द्रान् सशिष्यांश्च विनायकम्।
गुरुं चैवाथ मां योगी युञ्जीत सुसमाहितः ॥ ८ ॥
बद्ध्वाभ्यासे सिद्धपीठं कुम्भकाबन्धपूर्वकम्।
प्रथमे दश कर्तव्याः पञ्चवृद्ध्या दिने दिने ॥ ९ ॥
कार्या अशीतिपर्यन्तं कुम्भकाः सुसमाहितैः।
योगीन्द्रः प्रथमं कुर्यादभ्यासं चन्द्रसूर्ययोः ॥ १० ॥
अनुलोमविलोमाख्यमेतं प्राहुर्मनीषिणः।
सूर्यभेदनमभ्यस्य बन्धपूर्वकमेकधीः ॥ ११ ॥
उज्जायिनं ततः कुर्यात् सीत्कारीं शीतलीं ततः।
भस्त्रिकां च समभ्यस्य कुर्यादन्यान्न वा परान् ॥ १२ ॥
मुद्राः समभ्यसेद् बुद्ध्वा गुरुवक्त्राद् यथाक्रमम्।

ततः पद्मासनं बद्ध्वा कुर्यान्नादानुचिन्तनम् ॥ १३ ॥
अभ्यासं सकलं कुर्यादीश्वरार्पणमादृतः ।
अभ्यासादुत्थितः स्नानं कुर्यादुष्णेन वारिणा ॥ १४ ॥
स्नात्वा समापयेन्नित्यं कर्म संक्षेपतः सुधीः ।
मध्याह्नेऽपि तथाभ्यस्य किंचिद् विश्रम्य भोजनम् ॥ १५ ॥
क्रियेत योगिना पथ्यमपथ्यं न कदाचन ।
एलां वापि लवङ्गं वा भोजनान्ते च भक्षयेत् ॥ १६ ॥
केचित् कर्पूरमिच्छन्ति ताम्बूलं शोभनं तथा ।
चूर्णेन रहितं शस्तं पवनाभ्यासयोगिनाम् ॥ १७ ॥
इति चिन्तामणेर्वाक्यं स्वारस्यं भजते न हि ।
केचित्पदेन यस्मात् तु तयोः शीतौष्ण्यहेतुता ॥ १८ ॥
भोजनानन्तरं कुर्यान्मोक्षशास्त्रावलोकनम् ।
पुराणश्रवणं वापि नामसंकीर्तनं विभोः ॥ १९ ॥
सायंसंध्याविधिं कृत्वा योगं पूर्ववदभ्यसेत् ।
यदा त्रिघटिकाशेषो दिवसोऽभ्यासमाचरेत् ॥ २० ॥
अभ्यासानन्तरं कार्या सायंसंध्या सदा बुधैः ।
अर्धरात्रे हठाभ्यासं विदध्यात् पूर्ववद् यमी ॥ २१ ॥
विपरीतां तु करणीं सायंकालार्धरात्रयोः ।
नाभ्यसेद् भोजनादूर्ध्वं यतः सा न प्रशस्यते ॥ २२ ॥'

अथोद्देशानुक्रमेण कुम्भकान् विवक्षुस्तत्र प्रथमोदितं सूर्यभेदनं तद्गुणांश्चाह त्रिभिः—आसन इति । सुखं ददातीति सुखदं तस्मिन् सुखदे ।

'शुचौ देशे प्रतिष्ठाप्य स्थिरमासनमात्मनः ।
नात्युच्छ्रितं नातिनीचं चैलाजिनकुशोत्तरं ॥' (*B. G.*, VI. 11)

इत्युक्तलक्षणे 'विविक्तदेशे च सुखासनस्थः शुचिः समग्रीवशिरःशरीरः' (*Kaival. Up.*, 5) इति श्रुतेश्च चैलाजिनकुशोत्तर आसने। आस्तेऽस्मिन्नित्यासनम्, आस्यतेऽनेनेति वा तस्मिन् योगी योगाभ्यासी। आसनं स्वस्तिकवीरसिद्धपद्माद्यन्यतमं मुख्यत्वात् सिद्धासनमेव वा बद्ध्वैव बन्धनेन संपाद्यैव कृत्वैवेत्यर्थः। तत आसनबन्धानन्तरं दक्षा दक्षिणभागस्था या नाडी पिङ्गला तया बहिःस्थं देहाद् बहिर्वर्तमानं पवनं वायुं शनैर्मन्दमन्दमाकृष्य पिङ्गलया मन्दमन्दं पूरकं कृत्वेत्यर्थः॥ ४८॥

आ केशादा नखाग्राच्च निरोधावधि कुम्भयेत्।
ततः शनैः सव्यनाड्या रेचयेत् पवनं शनैः॥ ४९॥

आ केशादिति। केशान् मर्यादीकृत्य आ केशात्; नखाग्रान् मर्यादीकृत्या नखाग्रात्, निरोधस्य वायोरवरोधस्यावधिर्मर्यादा यस्मिन् कर्मणि तत्तथा कुम्भयेत्। केशपर्यन्तं नखाग्रपर्यन्तं च वायोर्निरोधो यथा भवेत् तथातिप्रयत्नेन कुम्भकं कुर्यादित्यर्थः। ननु—

'हठान्निरुद्धः प्राणोऽयं रोमकूपेषु निःसरेत्।
देहं विदारयत्येष कुष्ठादि जनयत्यपि॥
ततः प्रत्यायितव्योऽसौ क्रमेणारण्यहस्तिवत्।
वन्यो गजो गजारिर्वा क्रमेण मृदुतामियात्॥
करोति शास्तृनिर्देशान्न च तं परिलङ्घयेत्।
तथा प्राणो हृदिस्थोऽयं योगिनां क्रमयोगतः॥
गृहीतः सेव्यमानस्तु विश्रम्भमुपगच्छति।'

इति वाक्यविरुद्धमतिप्रयत्नेन कुम्भकं कुर्यादिति कथमुक्तमिति चेन्न। हठान्निरुद्धः प्राणोऽयमिति वाक्यस्य बलादचिरेण प्राणजयं करिष्यामीति

बुध्यारम्भ एव। बह्वभ्यासासक्तपरत्वात् क्रमेणारण्यहस्तिवदिति दृष्टान्तस्वारस्याच्च। अतएव सूर्याचन्द्रमसोरभ्यासे 'धारयित्वा यथाशक्ति' (III. 21) निधारयेदिति निरोधत इति चोक्तं संगच्छते। तस्मात् कुम्भकस्त्वतिप्रयत्नपूर्वकं कर्तव्यः। यथा यथातियत्नेन कुम्भकः क्रियते तथा तथा तस्मिन् गुणाधिक्यं भवेत्। यथा यथा च शिथिलः कुम्भकः स्यात् तथा तथा गुणाल्पत्वं स्यात्। अत्र योगिनामनुभवोऽपि मानम्। पूरकस्तु शनैः शनैः कार्यः, वेगाद्वा कर्तव्यः। वेगादपि कृते पूरके दोषाभावात्। रेचकस्तु शनैः शनैरेव कर्तव्यः। वेगात्कृते रेचके बलहानिप्रसङ्गात्। ततः शनैःशनैरेव रेचयेन्न तु वेगतः इत्याद्यनेकधा ग्रन्थकारोक्तेश्च। ततो निरोधावधि कुम्भकानन्तरं शनैशनैर्मन्दं मन्दं सव्ये वामभागे स्थिता नाडी सव्यनाडी तया सव्यनाड्या इडया पवनं वायुं रेचयेद् बहिर्निःसारयेत्। पुनः शनैरित्युक्तिस्तु शनैरेव रेचयेदित्यवधारणार्था। तदुक्तम्—

'विस्मये च विषादे च दैन्ये चैवावधारणे।
तथा प्रसादने हर्षे वाक्यमेकं द्विरुच्यते ॥ ४९ ॥' इति।

कपालशोधनं वातदोषघ्नं कृमिदोषहृत्।
पुनः पुनरिदं कार्यं सूर्यभेदनमुत्तमम् ॥ ५० ॥

कपालशोधनमिति। कपालस्य मस्तकस्य शोधनं शुद्धिकरं वातजा दोषा वातदोषा अशीतिप्रकारास्तान् हन्तीति वातदोषघ्नं कृमीणामुदरे जातानां दोषो विकारस्तं हरतीति कृमिदोषहृत्। पुनःपुनर्भूयोभूयः कार्यम्। सूर्येणापूर्य कुम्भयित्वा चन्द्रेण रेचनमिति रीत्येदमुत्तममुत्कृष्टं सूर्यभेदनं सूर्यभेदनाख्यमुक्तं योगिभिरिति शेषः ॥ ५० ॥

अथोज्जायी—

मुखं संयम्य नाडीभ्यामाकृष्य पवनं शनैः।

यथा लगति कण्ठात्तु हृदयावधि सस्वनम् ॥ ५१ ॥
पूर्ववत् कुम्भयेत् प्राणं रेचयेदिडया तथा ।

उज्जायिनमाह सार्धेन—मुखमिति । मुखमास्यं संयतं कृत्वा मुद्रयित्वेत्यर्थः । कण्ठात् तु कण्ठादारभ्य हृदयावधि हृदयमवधिर्यस्मिन् कर्मणि तत्तथा स्वनेन सहितं यथा स्यात् तथा । उभे क्रियाविशेषणे । लगति श्लिष्यति पवन इत्यर्थात् । तथा तेन प्रकारेण नाडीभ्यामिडापिङ्गलाभ्यां पवनं वायुं शनैर्मन्दमाकृष्याकृष्टं कृत्वा पूरयित्वेत्यर्थः । प्राणं पूर्ववत् पूर्वेण सूर्यभेदनेन तुल्यं पूर्ववत् । आकेशादानखाग्राच्च निरोधावधि कुम्भयेदित्युक्तरीत्या कुम्भयेद् रोधयेत् । ततः कुम्भकानन्तरमिडया वामनाड्या रेचयेत् त्यजेत् ॥ ५१ ॥

श्लेष्मदोषहरं कण्ठे देहानलविवर्धनम् ॥ ५२ ॥
नाडीजलोदराधातुगतदोषविनाशनम् ।
गच्छता तिष्ठता कार्यमुज्जाय्याख्यं तु कुम्भकम् ॥ ५३ ॥

उज्जायिगुणानाह सार्धश्लोकेन—श्लेष्मदोषहरमिति । कण्ठे कण्ठप्रदेशे श्लेष्मणो दोषाः श्लेष्मदोषाः कासादयस्तान् हरतीति श्लेष्मदोषहरस्तं देहानलस्य देहमध्यगतानलस्य जाठरस्य विवर्धनं विशेषेण वर्धनं दीपनमित्यर्थः ॥ ५२ ॥ नाडीति । नाडी शिरा जलं पीतमुदकमुदरं तुन्दमासमन्ताद् देहे वर्तमाना धातव आधातवः । एषामितरेतरद्वन्द्वः । तेषु गतः प्राप्तो यो दोषो विकारस्तं विशेषेण नाशयतीति नाडीजलोदराधातुगतदोषविनाशनम् । गच्छता गमनं कुर्वता तिष्ठता स्थितेन वापि पुंसा उज्जाय्याख्यमुज्जायीत्याख्या यस्य तत् । तु इत्यनेनास्य वैशिष्ट्यं द्योतयति । कार्यं कर्तव्यम् । उज्जापीति क्वचित्पाठः । गच्छता तिष्ठता तु बन्धरहितः कर्तव्यः । कुम्भकशब्दस्त्रिलिङ्गः । पुलिङ्गपाठे तु विशेषणेष्वपि पुलिङ्गः पाठः कार्यः ॥ ५३ ॥

अथ सीत्कारी—

सीत्कां कुर्यात् तथा वक्त्रे घ्राणेनैव विजृम्भिकाम् ।
एवमभ्यासयोगेन कामदेवो द्वितीयकः ॥ ५४ ॥

सीत्कारीकुम्भकमाह—सीत्कामिति । वक्त्रे मुखे सीत्कां सीदेव सीत्का सीदिति शब्दः सीत्कारस्तां कुर्यात् । ओष्ठयोरन्तरे संलग्नया जिह्वया सीत्कारपूर्वकं मुखेन पूरकं कुर्यादित्यर्थः । घ्राणेनैव नासिकयैवेत्यनेनोभाभ्यां नासापुटाभ्यां रेचकः कार्य इत्युक्तम् । एवशब्देन वक्त्रस्य व्यवच्छेदः । वक्त्रेण वायोर्निःसारणं त्वभ्यासानन्तरमपि न कार्यम् । बलहानिकरत्वात् । विजृम्भिकां रेचकं कुर्यादित्यत्रापि संबध्यते । कुम्भकस्त्वनुक्तोऽपि सीत्कार्याः कुम्भकत्वादेवावगन्तव्यः । अथ सीत्कार्याः प्रशंसा । एवमुक्तप्रकारेणाभ्यासः पौनःपुन्येनानुष्ठानं स एव योगः योगसाधनत्वात् तेन द्वितीय एव द्वितीयकः कामदेवः कन्दर्पः । रूपलावण्यातिशयेन कामदेवसादृश्यात् ॥ ५४ ॥

योगिनीचक्रसंमान्यः सृष्टिसंहारकारकः ।
न क्षुधा न तृषा निद्रा नैवालस्यं प्रजायते ॥ ५५ ॥

योगिनीनां चक्रं योगिनीचक्रं योगिनीसमूहः । तस्य संमान्यः संसेव्यः । सृष्टिः प्रपञ्चोत्पत्तिः संहारस्तल्लयः तयोः कारकः कर्ता । क्षुधा भोक्तुमिच्छा न । तृषा जलपानेच्छा न । निद्रा सुषुप्तिर्न । आलस्यं कायचित्तगौरवात् प्रवृत्त्यभावः । कायगौरवं कफादिना चित्तगौरवं तमोगुणेन । नैव प्रजायते नैव प्रादुर्भवति । एवमभ्यासयोगेनेति प्रजायत इति च प्रतिवाक्यं संबध्यते ॥ ५५ ॥

भवेत् सत्त्वं च देहस्य सर्वोपद्रववर्जितः ।
अनेन विधिना सत्यं योगीन्द्रो भूमिमण्डले ॥ ५६ ॥

भवेदिति। देहस्य शरीरस्य सत्त्वं बलं च भवेत्। अनेनोक्तेन विधिनाभ्यासविधिना योगीन्द्रो योगिनामिन्द्र इव योगीन्द्रो भूमिमण्डले सर्वैरुपद्रवैर्वर्जितः सर्वोपद्रववर्जितो भवेत् सत्यम्। 'सर्वं वाक्यं सावधारणम्' इति न्यायात्। यदुक्तं फलं तत् सत्यमेवेत्यर्थः ॥ ५६ ॥

अथ शीतली—

जिह्वया वायुमाकृष्य पूर्ववत् कुम्भसाधनम्।
शनकैर्घ्राणरन्ध्राभ्यां रेचयेत् पवनं सुधीः ॥ ५७ ॥

शीतलीकुम्भकमाह—जिह्वयेति। जिह्वया ओष्ठयोर्बहिर्निर्गतया विहङ्गमाधरचञ्चुसदृशया वायुमाकृष्य शनैः पूरकं कृत्वेत्यर्थः। पूर्ववत् सूर्यभेदनवत् कुम्भस्य कुम्भकस्य साधनं विधानं कृत्वेत्यध्याहारः। सुधीः शोभना धीर्यस्य सः। घ्राणस्य रन्ध्रे ताभ्यां नासापुटविवराभ्यां शनकैः शनैरेव। 'अव्ययसर्वनाम्नाम्—' (*Pāṇ.*, V. 3. 71) इत्यकच्। पवनं वायुं रेचयेत् ॥ ५७ ॥

गुल्मप्लीहादिकान् रोगान् ज्वरं पित्तं क्षुधां तृषाम्।
विषाणि शीतली नाम कुम्भिकेयं निहन्ति हि ॥ ५८ ॥

शीतलीगुणानाह—गुल्मश्च प्लीहश्च गुल्मप्लीहौ रोगविशेषावादी येषांते गुल्मप्लीहादिकास्तान्, रोगानामयान्, ज्वरं ज्वराख्यं रोगम्, पित्तं पित्तविकारम्, क्षुधां भोक्तुमिच्छाम्, तृषां जलपानेच्छाम्, विषाणि सर्पादिविषजनितविकारान्। शीतली नामेति प्रसिद्धार्थकमव्ययम्। इयमुक्ता कुम्भिका निहन्ति नितरां हन्ति। कुम्भशब्दः स्त्रीलिङ्गोऽपि। तथाच श्रीहर्षः—'उदस्य कुम्भीरथ शातकुम्भजाः' (*Nai.*, V. 19) इति ॥ ५८ ॥

अथ भस्त्रिका—

ऊर्वोरुपरि संस्थाप्य शुभे पादतले उभे ।
पद्मासनं भवेदेतत् सर्वपापप्रणाशनम् ॥ ५९ ॥

भस्त्राकुम्भकस्य पद्मासनपूर्वकमेवानुष्ठानात् तदादौ पद्मासनमाह—ऊर्वोरिति । उपर्युत्ताने शुभे शुद्धे उभे द्वे पादयोस्तलेऽधःप्रदेशौ ऊर्वोः संस्थाप्य सम्यक् स्थापयित्वा वसेत् । एतत् पद्मासनं भवेत् । कीदृशम् ? सर्वेषां पापानां प्रकर्षेण नाशनम् । अत्रोपरीत्यव्ययमुत्तानवाचकम् । तथा च कारकेषु मनोरमायाम्—'उपर्युपरि बुद्धीनाम्' (p. 563) इत्यत्रोपरिबुद्धीनामित्यस्यो-त्तानबुद्धीनामिति व्याख्यानं कृतम् ॥ ५९ ॥

सम्यक् पद्मासनं बद्ध्वा समग्रीवोदरः सुधीः ।
मुखं संयम्य यत्नेन प्राणं घ्राणेन रेचयेत् ॥ ६० ॥

भस्त्रिकाकुम्भकमाह—सम्यगिति । ग्रीवा च उदरं च ग्रीवोदरम् । प्राण्यङ्गत्वादेकवद्भावः । समं ग्रीवोदरं यस्य स समग्रीवोदरः, सुस्थिता धीर्यस्य स सुधीः, पद्मासनं सम्यक् स्थिरं बद्ध्वा मुखं संयम्य संयतं कृत्वा यत्नेन प्रयत्नेन घ्राणेन घ्राणस्यैकतरेण रन्ध्रेण प्राणं शरीरान्तःस्थितं वायुं रेचयेत् ॥ ६० ॥

यथा लगति हृत्कण्ठे कपालावधि सस्वनम् ।
वेगेन पूरयेच्चापि हृत्पद्मावधि मारुतम् ॥ ६१ ॥

रेचकप्रकारमाह—यथेति । हृच्च कण्ठश्च हृत्कण्ठं तस्मिन् हृत्कण्ठे । समाहारद्वन्द्वः । कपालावधि कपालपर्यन्तं स्वनेन सहितं सस्वनं यथा स्यात् तथा येन प्रकारेण लगति प्राण इति शेषः, तथा रेचयेत् । हृत्पद्ममवधिर्यस्मिन्

कर्मणि तत् हृत्पद्मावधि, वेगेन तरसा, मारुतं वायुं पूरयेत्। चापीति पादपूरणार्थम् ॥ ६१ ॥

पुनर्विरेचयेत् तद्वत् पूरयेच्च पुनः पुनः ।
यथैव लोहकारेण भस्त्रा वेगेन चाल्यते ॥ ६२ ॥

पुनरिति—तद्वत् पूर्ववत पुनर्विरेचयेत्, पुनः पुनः पूरयेत् चेत्यन्वयः। उक्तेऽर्थे दृष्टान्तमाह—यथैवेति। लोहकारेण लोहविकाराणां कर्त्रा भस्त्रा अग्नेर्धमनसाधनीभूतं चर्म यथैव येन प्रकारेण वेगेन चाल्यते ॥ ६२ ॥

तथैव स्वशरीरस्थं चालयेत् पवनं धिया ।
यदा श्रमो भवेद् देहे तदा सूर्येण पूरयेत् ॥ ६३ ॥
यथोदरं भवेत् पूर्णमनिलेन तथा लघु ।
धारयेन्नासिकां मध्यातर्जनीभ्यां विना दृढम् ॥ ६४ ॥

तथैव तेनैव प्रकारेण स्वशरीरस्थं स्वशरीरे स्थितं पवनं प्राणं धिया बुद्ध्या चालयेत्। रेचकपूरकयोर्निरन्तरावर्तनेन चालनस्यावधिमाह—यदा श्रम इति। यदा यस्मिन् काले देहे शरीरे श्रमो रेचकपूरकयोर्निरन्तरावर्तनेनायासो भवेत् तदा तस्मिन् काले। यथा येन प्रकारेण पवनेन वायुना, लघु क्षिप्रमेवोदरं पूर्णं भवेत् तथा तेन प्रकारेण सूर्यनाड्या पूरयेत्। 'लघुक्षिप्रमरं द्रुतम्' इत्यमरः (1. 1. 66) ॥

पूरकानन्तरं यत् कर्तव्यं तदाह—धारयेदिति। मध्यातर्जनीभ्यां मध्यमातर्जनीभ्यां विना अङ्गुष्ठानामिकाकनिष्ठिकाभिर्नासिकां दृढं धारयेत्। अङ्गुष्ठेन दक्षिणनासापुटं निरुध्यानामिकाकनिष्ठिकाभ्यां वामनासापुटं निरुध्य नासिकां दृढं गृह्णीयादित्यर्थः ॥ ६३-६४ ॥

विधिवत् कुम्भकं कृत्वा रेचयेदिडयानिलम् ।
वातपित्तश्लेष्महरं शरीराग्निविवर्धनम् ।। ६५ ।।

विधिवदिति । बन्धपूर्वकं कुम्भकं कृत्वेडया चन्द्रनाड्यानिलं वायुं रेचयेत् । भस्त्राकुम्भकस्येयं परिपाटी । वामनासिकापुटं दक्षिणभुजानामिका-कनिष्ठिकाभ्यां निरुध्य दक्षिणनासिकापुटेन भस्त्रावद्वेगेन रेचकपूरकाः कार्याः । श्रमे जाते तेनैव नासापुटेन पूरकं कृत्वाङ्गुष्ठेन दक्षिणं नासापुटं निरुध्य यथाशक्ति कुम्भकं धारयेत् । पश्चादिडया रेचयेत् । पुनर्दक्षिणनासापुटमङ्गुष्ठेन निरुध्य वामनासिकापुटेन भस्त्रावज्झटिति रेचकपूरकाः कर्तव्याः । श्रमे जाते तेनैव नासिकापुटेन पूरकं कृत्वानामिकाकनिष्ठिकाभ्यां वामनासिकापुटं निरुध्य यथाशक्ति कुम्भकं कृत्वा पिङ्गलया रेचयेदित्येका रीतिः । वामनासिका-पुटमनामिकाकनिष्ठिकाभ्यां निरुध्य दक्षिणनासिकापुटेन पूरकं कृत्वा झटि-त्यङ्गुष्ठेन निरुध्य वामनासापुटेन रेचयेत् । एवं शतधा कृत्वा श्रमे जाते तेनैव पूरयेत् । बन्धपूर्वकं कृत्वेडया रेचयेत् । पुनर्दक्षिणनासापुटमङ्गुष्ठेन निरुध्य वामनासापुटेन पूरकं कृत्वा झटिति वामनासिकापुटमनामिकाकनिष्ठिकाभ्यां निरुध्य पिङ्गलया रेचयेद् भस्त्रावत् । पुनःपुनरेवं कृत्वा रेचकपूरकावृत्तिश्रमे जाते वामनासापुटेन पूरकं कृत्वानामिकाकनिष्ठिकाभ्यां धृत्वा कुम्भकं कृत्वा पिङ्गलया रेचयेदिति द्वितीया रीतिः । भस्त्रिकागुणानाह—वातपित्तेति । वातश्च पित्तं च श्लेष्मा च वातपित्तश्लेष्माणस्तान् हरतीति तादृशं शरीरे देहे योऽग्निर्जठरानलस्तस्य विशेषेण वर्धनं दीपनम् ।। ६५ ।।

कुण्डलीबोधकं क्षिप्रं पवनं सुखदं हितम् ।
ब्रह्मनाडीमुखे संस्थकफाद्यर्गलनाशनम् ।। ६६ ।।

क्षिप्रं शीघ्रं कुण्डल्याः सुप्तायाः बोधकं बोधकर्तृ पुनातीति पवनं पवित्रकारकं सुखं ददातीति सुखदं हितं त्रिदोषहरत्वात् सर्वेषां हितं सर्वदा

च हितम्। सर्वेषां कुम्भकानां सर्वदा हितत्वेऽपि सूर्यभेदनोज्जायिनावुष्णौ प्रायेण शीते हितौ। सीत्कारीशीतल्यौ शीतले प्रायेणोष्णे हिते। भस्त्राकुम्भकः समशीतोष्णः सर्वदा हितः। सर्वेषां कुम्भकानां सर्वरोगहरत्वेऽपि सूर्यभेदनं प्रायेण वातहरम्। उज्जायी प्रायेण श्लेष्महरः। सीत्कारीशीतल्यौ प्रायेण पित्तहरे। भस्त्राख्यः कुम्भकः त्रिदोषहर इति बोध्यम्। ब्रह्मनाडी सुषुम्ना ब्रह्मप्रापकत्वात्। तथा च श्रुतिः—

'शतं चैका च हृदयस्य नाड्यस्तासां मूर्धानमभिनिःसृतैका।
तयोर्ध्वमायन्नमृतत्वमेति विष्वङ्ङन्या उत्क्रमणे भवन्ति॥'

(*Ch. Up.*, VIII. 6. 6.)

तस्या मुखेऽग्रभागे संस्थः सम्यक् स्थितो यः कफादिरूपोऽर्गलः प्राणगतिप्रतिबन्धकस्तस्य नाशनं नाशकर्तृ॥ ६६॥

सम्यग्गात्रसमुद्भूतग्रन्थित्रयविभेदकम्।
विशेषेणैव कर्तव्यं भस्त्राख्यं कुम्भकं त्विदम्॥ ६७॥

सम्यग् दृढीभूतं गात्रे गात्रमध्ये सुषुम्नायामेव सम्यगुद्भूतं समुद्भूतं जातं यद् ग्रन्थीनां त्रयं ग्रन्थित्रयं ब्रह्मग्रन्थिविष्णुग्रन्थिरुद्रग्रन्थिरूपं तस्य विशेषेण भेदजनकम्। अत एव इदम्, भस्त्रा इत्याख्या यस्येति भस्त्राख्यं कुम्भकं तु विशेषेणैव कर्तव्यम्। अवश्यकर्तव्यमित्यर्थः। सूर्यभेदनादयस्तु यथासंभवं कर्तव्याः॥ ६७॥

अथ भ्रामरी—

वेगाद् घोषं पूरकं भृङ्गनादं भृङ्गीनादं रेचकं मन्दमन्दम्।
योगीन्द्राणामेवमभ्यासयोगाच्चित्ते जाता काचिदानन्दलीला॥

भ्रामरीकुम्भकमाह—वेगादिति। वेगात् तरसा घोषं सशब्दं यथा स्यात् तथा भृङ्गस्य भ्रमरस्य नाद इव नादो यस्मिन् कर्मणि तत् तथा पूरकं कृत्वा। भृङ्ग्यो भ्रमर्यस्तासां नाद इव नादो यस्मिन् तत् तथा मन्दं मन्दं रेचकं कुर्यात्। पूरकानन्तरं कुम्भकस्तु भ्राम र्याः कुम्भकत्वादेव सिद्धोऽविशेषाच्च नोक्तः। पूरकरेचकयोस्तु विशेषोऽस्तीति तावेवोक्तौ। एवमुक्तरीत्याभ्यसनमभ्यासस्तस्य योगो युक्तिस्तस्माद् योगीन्द्राणां चित्ते काचिदनिर्वाच्या आनन्दे लीला क्रीडा आनन्दलीला जातोत्पन्ना भवति ॥ ६८ ॥

अथ मूर्च्छा—

पूरकान्ते गाढतरं बद्ध्वा जालंधरं शनैः।
रेचयेन्मूर्छनाख्येयं मनोमूर्च्छा सुखप्रदा ॥ ६९ ॥

मूर्च्छाकुम्भकमाह—पूराकान्त इति। पूरकस्यान्तेऽवसानेऽतिशयेन गाढं गाढतरं दृढतरं जालंधराख्यं बन्धं बद्ध्वा शनैर्मन्दं मन्दं रेचयेत्। इयं कुम्भिका मूर्च्छनाख्या मूर्च्छना इत्याख्या यस्या इति मूर्च्छनाख्या। कीदृशी? मनो मूर्च्छयतीति मनोमूर्च्छा। एतेन मूर्च्छनाया विग्रहदर्शनपूर्वकं फलमुक्तम्। पुनः कीदृशी? सुखप्रदा सुखं प्रददातीति सुखप्रदा ॥ ६९ ॥

अथ प्लाविनी—

अन्तःप्रवर्तितोदारमारुतापूरितोदरः।
पयस्यगाधेऽपि सुखात् प्लवते पद्मपत्रवत् ॥ ७० ॥

प्लाविनीकुम्भकमाह—अन्तरिति। अन्तः शरीरान्तः प्रवर्तितः पूरित उदारोऽतिशयितो यो मारुतः समीरस्तेना समन्तात् पूरितमुदरं येन स पुमानगाधेऽप्यतलस्पर्शेऽपि पयसि जले पद्मपत्रवत् पद्मपत्रेण तुल्यं सुखादनायासात् प्लवते तरति जलोपरि गच्छति ॥ ७० ॥

प्राणायामस्त्रिधा प्रोक्तो रेचपूरककुम्भकैः ।

सहितः केवलश्चेति कुम्भको द्विविधो मतः ॥ ७१ ॥

अथ प्राणायामभेदानाह—प्राणायाम इति । प्राणस्य शरीरान्तःसंचारिवायोरायमनं निरोधनमायामः प्राणायामः । प्राणायामलक्षणमुक्तं गोरक्षनाथेन—'प्राणः स्वदेहजो वायुरायामस्तन्निरोधनम्' (*Gor. Śat.*, 42) इति । रेचकश्च पूरकश्च कुम्भकश्च तैर्भेदैस्त्रिधा त्रिप्रकारकः, रेचकप्राणायामः पूरकप्राणायामः कुम्भकप्राणायामश्चेति । रेचकलक्षणमाह याज्ञवल्क्यः—'बहिर्यद्रेचनं वायोरुदराद्रेचकः स्मृतः' इति । रेचकप्राणायामलक्षणम्—

'निष्क्रम्य नासाविवरादशेषं प्राणं बहिः शून्यमिवानिलेन ।
निरुच्छ्वसंस्तिष्ठति रुद्धवायुः स रेचको नाम महानिरोधः ॥'

पूरकलक्षणम्—'बाह्यादापूरणं वायोरुदरे पूरको हि सः' । पूरकप्राणायामलक्षणम्—

'बाह्ये स्थितं प्राणपुटेन वायुमाकृष्य तेनैव शनैः समन्तात् ।
नाडीश्च सर्वाः परिपूरयेद्यः स पूरको नाम महानिरोधः ॥'

कुम्भकलक्षणम्—'संपूर्य कुम्भवद्वायोर्धारणं कुम्भको भवेत्' । अयं कुम्भकस्तु पूरकप्राणायामादभिन्नः । भिन्नस्तु—

'न रेचको नैव च पूरकोऽत्र नासापुटान्तस्थितमेव वायुम् ।
सुनिश्चलं धारयते क्रमेण कुम्भाख्यमेतत् प्रवदन्ति तज्ज्ञाः ॥'

अथ प्रकारान्तरेण प्राणायामं विभजते—सहित इति । कुम्भको द्विविधः । सहितः केवलश्चेति । मतोऽभिमतो योगिनामिति शेषः । तत्र सहितो द्विविधः । रेचकपूर्वकः पूरकपूर्वकश्च । तदुक्तम्—'आरेच्यापूर्य वा

कुर्यात् स वै सहितकुम्भकः'। तत्र रेचकपूर्वको रेचकप्राणायामादभिन्नः। पूरकपूर्वकः कुम्भकः पूरकप्राणायामादभिन्नः। केवलकुम्भकः कुम्भकप्राणायामादभिन्नः। प्रागुक्ताः सूर्यभेदनादयः पूरकपूर्वकस्य कुम्भकस्य भेदा ज्ञातव्याः ॥ ७१ ॥

यावत् केवलसिद्धिः स्यात् सहितं तावदभ्यसेत्।
रेचकं पूरकं मुक्त्वा सुखं यद् वायुधारणम् ॥ ७२ ॥

सहितकुम्भकाभ्यासस्यावधिमाह—यावदिति। केवलस्य केवलकुम्भकस्य सिद्धिः केवलसिद्धिर्यावत् यावत्पर्यन्तं स्यात् तावत् तावत्पर्यन्तं सहितकुम्भकं सूर्यभेदादिकमभ्यसेदनुतिष्ठेत्। सुषुम्नाभेदानन्तरं यदा सुषुम्नान्तः षट्शब्दा भवन्ति तदा केवलकुम्भकः सिद्ध्यति। तदनन्तरं सहितकुम्भका दश विंशतिर्वा कार्याः। अशीतिसंख्यापूर्तिः केवलकुम्भकैरेव कर्तव्या। सति सामर्थ्ये केवलकुम्भका अशीतेरधिकाः कार्याः। केवलकुम्भकस्य लक्षणमाह—रेचकमिति। रेचकं पूरकं मुक्त्वा त्यक्त्वा सुखमनायासं यथा स्यात् तथा वायोर्धारणं वायुधारणं यत् ॥ ७२ ॥

प्राणायामोऽयमित्युक्तः स वै केवलकुम्भकः।
कुम्भके केवले सिद्धे रेचपूरकवर्जिते ॥ ७३ ॥

प्राणेति। स वै इति। निश्चितं केवलकुम्भकः प्राणायाम इत्ययमुक्तः। केवलं प्रशंसति—केवल इति। रेचो रेचकः, रेचश्च पूरकश्च रेचपूरकौ ताभ्यां वर्जिते रहिते केवले कुम्भके सिद्धे सति ॥ ७३ ॥

न तस्य दुर्लभं किंचित् त्रिषु लोकेषु विद्यते।
शक्तः केवलकुम्भेन यथेष्टं वायुधारणात् ॥ ७४ ॥

नेति । तस्य योगिनस्त्रिषु लोकेषु दुर्लभं दुष्प्रापं किंचित् किमपि न विद्यते, तस्य सर्वं सुलभमित्यर्थः । शक्त इति । केवलकुम्भकेन कुम्भकाभ्यासेन शक्तः समर्थो यथेष्टं यथेच्छं वायोर्धारणं वायुधारणं तस्माद् वायुधारणात् ॥ ७४ ॥

राजयोगपदं चापि लभते नात्र संशयः ।
कुम्भकात् कुण्डलीबोधः कुण्डलीबोधतो भवेत् ।
अनर्गला सुषुम्ना च हठसिद्धिश्च जायते ॥ ७५ ॥

राजयोगपदं राजयोगात्मकं पदं लभते । अत्र संशयो न । निश्चितमेतदित्यर्थः । कुम्भकाभ्यासस्य परंपरया कैवल्यहेतुत्वमाह—कुम्भकादिति । कुम्भकात् कुम्भकाभ्यासात् कुण्डली आधारशक्तिस्तस्या बोधो निद्राभङ्गो भवेत् । कुण्डल्या बोधः कुण्डलीबोधस्तस्मात् कुण्डलीबोधतः सुषुम्ना मध्यनाड्यनर्गला कफाद्यर्गलरहिता भवेत् । हठस्य हठाभ्यासस्य सिद्धिः प्रत्याहारादिपरंपरया कैवल्यरूपा सिद्धिर्जायते ॥ ७५ ॥

हठं विना राजयोगो राजयोगं विना हठः ।
न सिध्यति ततो युग्ममानिष्पत्तेः समभ्यसेत् ॥ ७६ ॥

हठयोगराजयोगसाधनयोः परस्परोपकार्योपकारकत्वमाह—हठं विनेति । हठं हठयोगं विना राजयोगो न सिध्यति, राजयोगं विना हठो न सिध्यति, ततः यतोऽन्यतरस्य सिद्धिर्नास्ति तस्मान्निष्पत्तिं राजयोगसिद्धिमा मर्यादीकृत्य या निष्पत्तिस्तस्या राजयोगसिद्धिपर्यन्तं युग्मं हठयोगराजयोगद्वयमभ्यसेदनुतिष्ठेत् । हठातिरिक्ते साक्षात् परंपरया वा राजयोगसाधनेऽत्र राजयोगशब्दः, जीवनसाधने लाङ्गले जीवनशब्दप्रयोगवत् । राजयोगसाधनं चतुर्थोपदेशे वक्ष्यमाणमुन्मनी-

शाम्भवीमुद्रादिरूपमपरोक्षानुभूतावुक्तं पञ्चदशाङ्गरूपम्। वाक्यसुधायामुक्तं दृश्यानुविधादिरूपं च ॥ ७६ ॥

कुम्भकप्राणरोधान्ते कुर्याच्चित्तं निराश्रयम्।
एवमभ्यासयोगेन राजयोगपदं व्रजेत् ॥ ७७ ॥

हठाभ्यासाद् राजयोगप्राप्तिप्रकारमाह—कुम्भकेति। कुम्भकेन प्राणस्य यो रोधस्तस्यान्ते मध्ये चित्तमन्तःकरणं निराश्रयं कुर्यात्। संप्रज्ञातसमाधौ जातायां ब्रह्माकारवृत्तेः परवैराग्येण विलयं कुर्यादित्यर्थः। एवमुक्तरीत्याभ्यासस्य योगो युक्तिस्तेन। 'योगः संनहनोपायध्यानसंगतियुक्तिषु' (*Ak.*, III. 3. 22) इति कोशः। राजयोगपदं राजयोगात्मक पदं व्रजेत् प्राप्नुयात् ॥ ७७ ॥

वपुःकृशत्वं वदने प्रसन्नता नादस्फुटत्वं नयने सुनिर्मले।
अरोगता बिन्दुजयोऽग्निदीपनं नाडीविशुद्धिर्हठसिद्धिलक्षणम् ॥

इति हठयोगप्रदीपिकायां द्वितीयोपदेशः

हठसिद्धिज्ञापकमाह—वपुःकृशत्वमिति। वपुषो देहस्य कृशत्वं कार्श्यं, वदने मुखे प्रसन्नता प्रसादः, नादस्य ध्वनेः स्फुटत्वं प्राकट्यं, नयने नेत्रे सुष्ठु निर्मले, अरोगस्य भावोऽरोगता आरोग्यं, बिन्दोर्धातोर्जयः क्षयाभावरूपः अग्नेरुदर्यस्य दीपनं दीप्तिः, नाडीनां विशेषेण शुद्धिर्मलापगमः, एतद्धठस्य हठाभ्याससिद्धेर्भाविन्या लक्ष्यतेऽनेनेति लक्षणं ज्ञापकम् ॥ ७८ ॥

इति श्रीहठयोगप्रदीपिकाव्याख्यायां ज्योत्स्नाभिधायां ब्रह्मानन्दकृतायां द्वितीयोपदेशः

तृतीयोपदेशः

सशैलवनधात्रीणां यथाधारोऽहिनायकः ।
सर्वेषां योगतन्त्राणां तथाधारो हि कुण्डली ॥ १ ॥

अथ कुण्डल्याः सर्वयोगाश्रयत्वमाह—सशैलेति । शैलाश्च वनानि च शैलवनानि तैः सह वर्तमानाः सशैलवनास्ताश्च ता धात्र्यश्च भूमयस्तासाम् । धात्र्या एकत्वेऽपि देशभेदाद् भेदमादाय बहुवचनम् । अहीनां सर्पाणां नायको नेताहिनायकः शेषो यथा यद्वदाधार आश्रयस्तथा तद्वत् । सर्वेषां योगस्य तन्त्राणि योगतन्त्राणि योगोपायास्तेषाम् । कुण्डल्याधारशक्तिराश्रयः । कुण्डली-बोधं विना सर्वयोगोपायानां वैयर्थ्यादिति भावः ॥ १ ॥

सुप्ता गुरुप्रसादेन यदा जागर्ति कुण्डली ।
तदा सर्वाणि पद्मानि भिद्यन्ते ग्रन्थयोऽपि च ॥ २ ॥

कुण्डलीबोधस्य फलमाह द्वाभ्याम्—सुप्तेति । सुप्ता कुण्डली गुरोः प्रसादेन यदा जागर्ति बुध्यते तदा सर्वाणि पद्मानि षट्चक्राणि भिद्यन्ते भिन्नानि भवन्ति । ग्रन्थयोऽपि च ब्रह्मग्रन्थिविष्णुग्रन्थिरुद्रग्रन्थयो भिद्यन्ते भेदं प्राप्नुवन्तीत्यन्वयः ॥ २ ॥

प्राणस्य शून्यपदवी तदा राजपथायते ।
तदा चित्तं निरालम्बं तदा कालस्य वञ्चनम् ॥ ३ ॥

प्राणस्येति । तदा शून्यपदवी सुषुम्ना प्राणस्य वायो राज्ञां पन्था राजपथः, राजपथ इवाचरति राजपथायते राजमार्गायते । सुखेन गमनसंभवात् ।

तदा चित्तमालम्बनमाश्रयस्तस्मान्निर्गतं निरालम्बं निर्विषयं भवति । तदा कालस्य मृत्योर्वञ्चनं प्रतारणं भवति ॥ ३ ॥

सुषुम्ना शून्यपदवी ब्रह्मरन्ध्रं महापथः ।
श्मशानं शांभवी मध्यमार्गश्चेत्येकवाचकाः ॥ ४ ॥

सुषुम्नापर्यायानाह—सुषुम्नेति । इत्युक्ताः शब्दा एकस्य एकार्थस्य वाचकाः एकवाचकाः । पर्याया इत्यर्थः । स्पष्टः श्लोकार्थः ॥ ४ ॥

तस्मात् सर्वप्रयत्नेन प्रबोधयितुमीश्वरीम् ।
ब्रह्मद्वारमुखे सुप्तां मुद्राभ्यासं समाचरेत् ॥ ५ ॥

तस्मादिति । यस्मात् कुण्डलीबोधेनैव षट्चक्रभेदादिकं भवति तस्मात् सर्वप्रयत्नेन सर्वेण प्रयत्नेन ब्रह्म सच्चिदानन्दलक्षणं तस्य द्वारं प्राप्त्युपायः सुषुम्ना, तस्य मुखेऽग्रभागे मुखेन सुषुम्नाद्वारं पिधाय सुप्तामीश्वरीं कुण्डलीं प्रबोधयितुं प्रकर्षेण बोधयितुं मुद्राणां महामुद्रादीनामभ्यासमावृत्तिं समाचरेत् सम्यगाचरेत् ॥ ५ ॥

महामुद्रा महाबन्धो महावेधश्च खेचरी ।
उड्यानं मूलबन्धश्च बन्धो जालंधराभिधः ॥ ६ ॥
करणी विपरीताख्या वज्रोली शक्तिचालनम् ।
इदं हि मुद्रादशकं जरामरणनाशनम् ॥ ७ ॥

मुद्रा उद्दिशति—महामुद्रेत्यादिना सार्धेन । सार्धार्थः स्पष्टः ॥ ६ ॥

मुद्राफलमाह सार्धद्वाभ्याम्—इदमिति । इदमुक्तं मुद्राणां दशकं जरा च मरणं च जरामरणे तयोर्नाशनं निवारकम् ॥ ७ ॥

आदिनाथोदितं दिव्यमष्टैश्वर्यप्रदायकम् ।
वल्लभं सर्वसिद्धानां दुर्लभं मरुतामपि ॥ ८ ॥

आदिनाथेन शंभुनोदितं कथितम् । दिवि भवं दिव्यमुत्तमम् । अष्टौ च तान्यैश्वर्याणि चाष्टैश्वर्याणि अणिममहिमगरिमलघिमप्राप्तिप्राकाम्येशितावशिताख्यानि । तत्राणिमा संकल्पमात्रेण प्रकृत्यपगमे परमाणुवद् देहस्य सूक्ष्मता । १ । महिमा प्रकृत्यापूरेणाकाशादिवन्महद्भावः । २ । गरिमा लघुतरस्यापि तूलादेः पर्वतादिवद् गुरुभावः । ३ । लघिमा गुरुतरस्यापि पर्वतादेस्तूलादिवल्लघुभावः । ४ । प्राप्तिः सर्वभावसांनिध्यम् । यथा भूमिस्थ एवाङ्गुल्यग्रेण स्पृशति चन्द्रमसम् । ५ । प्राकाम्यमिच्छानभिघातः । यथा उदक इव भूमौ निमज्जत्युन्मज्जति च । ६ । ईशिता भूतभौतिकानां प्रभवाप्ययसंस्थानविशेषसामर्थ्यम् । ७ । वशित्वं भूतभौतिकानां स्वाधीनकरणम् । ८ । तेषां प्रदायकं प्रकर्षेण ददातीति तथा, सर्वे च ते सिद्धाश्च कपिलादयस्तेषां वल्लभं प्रियं मरुतां देवानामपि दुर्लभं दुष्प्रापं किमुतान्येषामित्यर्थः ॥ ८ ॥

गोपनीयं प्रयत्नेन यथा रत्नकरण्डकम् ।
कस्यचिन्नैव वक्तव्यं कुलस्त्रीसुरतं यथा ॥ ९ ॥

गोपनीयमिति । प्रयत्नेन प्रकृष्टेन यत्नेन गोपनीयं गोपनार्हम् । गोपने दृष्टान्तमाह—यथेति । रत्नानां हीरकादीनां करण्डकं रत्नकरण्डकं यथा येन प्रकारेण गोप्यते तद्वत् । कस्यापि जनमात्रस्य यद्वा कस्यापि ब्रह्मणोऽपि नैव वक्तव्यं नैव वाच्यं किमुतान्यस्य । तत्र दृष्टान्तः—कुलस्त्रियाः सुरतं कुलस्त्रीसुरतं संगमनं यथा यद्वत् ॥ ९ ॥

अथ महामुद्रा—

पादमूलेन वामेन योनिं संपीडय दक्षिणम् ।
प्रसारितं पदं कृत्वा कराभ्यां धारयेद् दृढम् ॥ १० ॥

मुद्रासु प्रथमोद्दिष्टत्वेन महामुद्रां तावदाह—पादमूलेनेति। वामेन सव्येन पादस्य मूलं पादमूलं पार्ष्णिस्तेन पादमूलेन वामपादपार्ष्णिनेत्यर्थः। योनिं योनिस्थानं गुदमेण्ढ्रयोर्मध्यभागं संपीड्याकुञ्चितवामपादपार्ष्णिना योनिस्थानं दृढं संयोज्येत्यर्थः। दक्षिणं सव्येतरं पदं चरणं प्रसारितं भूमिसंलग्नपार्ष्णिकमूर्ध्वाङ्गुलिकं दण्डवत्कृत्वा कराभ्यां संप्रदायादाकुञ्चितकरतर्जनीभ्यां दृढं गाढं धारयेदङ्गुष्ठप्रदेशे गृह्णीयात् ॥ १० ॥

कण्ठे बन्धं समारोप्य धारयेद् वायुमूर्ध्वतः।
यथा दण्डहतः सर्पो दण्डाकारः प्रजायते ॥ ११ ॥

कण्ठ इति। कण्ठे कण्ठदेशे बन्धं बन्धनं सम्यगारोप्य कृत्वा। जालंधरबन्धं कृत्वेत्यर्थः। वायुं पवनमूर्ध्वत उपरि सुषुम्नायां धारयेत्। अनेन मूलबन्धः सूचितः। स तु योनिसंपीडनेन जिह्वाबन्धनेन च चरितार्थ इति सांप्रदायिकाः। यथा दण्डेन हतस्ताडितो दण्डहतः सर्पः कुण्डली दण्डाकारः दण्डस्याकार इवाकारो यस्य स तादृशः। कुण्डलाकारं त्यक्त्वा सरल इत्यर्थः। प्रकर्षेण जायते भवति ॥ ११ ॥

ऋज्वीभूता तथा शक्तिः कुण्डली सहसा भवेत्।
तदा सा मरणावस्था जायते द्विपुटाश्रया ॥ १२ ॥

ऋज्वीति। तथा कुण्डल्याधारशक्तिः सहसा शीघ्रमेव ऋज्वी संपद्यते तथाभूता ऋज्वीभूता सरला भवेत्। तदा सेति। द्वे पुटे इडापिङ्गले आश्रयो यस्याः सा मरणावस्था जायते। कुण्डलीबोधे सति सुषुम्नायां प्रविष्टे प्राणे द्वयोः पुटयोः प्राणवियोगात् ॥ १२ ॥

ततः शनैः शनैरेव रेचयेन्नैव वेगतः।
इयं खलु महामुद्रा महासिद्धैः प्रदर्शिता ॥ १३ ॥

ततस्तदनन्तरं शनैः शनैरेव रेचयेत्। वायुमिति संबध्यते। वेगतस्तु वेगान्न रेचयेत्। वेगतो रेचने बलहानिप्रसङ्गात्। खल्विति वाक्यालंकारे। इयं महामुद्रा महासिद्धैरादिनाथादिभिः प्रदर्शिता प्रकर्षेण दर्शिता ॥ १३ ॥

महाक्लेशादयो दोषाः क्षीयन्ते मरणादयः।
महामुद्रां च तेनैव वदन्ति विबुधोत्तमाः ॥ १४ ॥

महामुद्राया अन्वर्थतामाह—महेति। महान्तश्च ते क्लेशाश्च महाक्लेशा अविद्यास्मितारागद्वेषाभिनिवेशाः पञ्च। त आदयो येषां तत्कार्याणां शोकमोहादीनां ते दोषाः क्षीयन्ते। मरणमादिर्येषां जरादीनां तेऽपि च क्षीयन्ते नश्यन्ति। यतस्तेनैव हेतुना विशिष्टा बुधा विबुधास्तेषूत्तमा विबुधोत्तमा महामुद्रां वदन्ति। महाक्लेशान् मरणादींश्च दोषान् मुद्रयति शमयतीति महामुद्रेति व्युत्पत्तेरित्यर्थः ॥ १४ ॥

चन्द्राङ्गे तु समभ्यस्य सूर्याङ्गे पुनरभ्यसेत्।
यावत्तुल्या भवेत् संख्या ततो मुद्रां विसर्जयेत् ॥ १५ ॥

महामुद्राभ्यासक्रममाह—चन्द्राङ्ग इति। चन्द्रेण चन्द्रनाड्योपलक्षितमङ्गं चन्द्राङ्गं तस्मिन् चन्द्राङ्गे वामाङ्गे। तुशब्दः पादपूरणे। सम्यगभ्यस्य सूर्येण पिङ्गलयोपलक्षितमङ्गं सूर्याङ्गं तस्मिन् सूर्याङ्गे दक्षाङ्गे पुनर्वामाङ्गाभ्यासानन्तरं यावद् यावत्कालपर्यन्तं तुल्या वामाङ्गे कुम्भकाभ्याससंख्यासमा संख्या भवेत् तावदभ्यसेत्। ततः संख्यासाम्यानन्तरं मुद्रां महामुद्रां विसर्जयेत्। अत्रायं क्रमः। आकुञ्चितवामपादपार्ष्णिं योनिस्थाने संयोज्य प्रसारित-दक्षिणपादाङ्गुष्ठमाकुञ्चिततर्जनीभ्यां गृहीत्वाभ्यासो वामाङ्गेऽभ्यासः। अस्मि-न्नभ्यासे पूरितो वायुर्वामाङ्गे तिष्ठति। आकुञ्चितदक्षपादपार्ष्णिं योनिस्थाने

संयोज्य प्रसारितवामपादाङ्गुष्ठमाकुञ्चिततर्जनीभ्यां गृहीत्वाभ्यासो दक्षाङ्गेऽभ्यासः। अस्मिन्नभ्यासे पूरितो वायुर्दक्षाङ्गे तिष्ठति ॥ १५ ॥

न हि पथ्यमपथ्यं वा रसाः सर्वेऽपि नीरसाः।
अपि भुक्तं विषं घोरं पीयूषमिव जीर्यति ॥ १६ ॥

महामुद्रागुणानाह त्रिभिः—न हीति। हि यस्माद् महामुद्राभ्यासिन इत्यध्याहारः। पथ्यमपथ्यं वा न। पथ्यापथ्यविचारो नास्तीत्यर्थः। तस्मात् सर्वेऽपि भुक्ता रसाः कट्वम्लादयो जीर्यन्तीति वचनविपरिणामेनान्वयः। नीरसा निर्गतो रसो येभ्यस्ते यातयामाः पदार्था जीर्यन्ति। घोरमिति दुर्जरं भुक्तमन्नं विषं क्ष्वेडमपि पीयूषमिवामृतमिव जीर्यति जीर्णं भवति। किमुतान्यदिति भावः ॥ १६ ॥

क्षयकुष्ठगुदावर्तगुल्माजीर्णपुरोगमाः।
तस्य दोषाः क्षयं यान्ति महामुद्रां तु योऽभ्यसेत् ॥ १७ ॥

यः पुमान् महामुद्रामभ्यसेत् तस्य क्षयो राजरोगः कुष्ठगुदावर्तगुल्मा रोगविशेषाः। अजीर्णं भुक्तान्नापरिपाकस्तानि पुरोगमान्यग्रेसराणि येषां महोदरज्वरादीनां ते तथा तादृशा दोषा दोषजनिता रोगाः क्षयं नाशं यान्ति प्राप्नुवन्ति ॥ १७ ॥

कथितेयं महामुद्रा महासिद्धिकरी नृणाम्।
गोपनीया प्रयत्नेन न देया यस्य कस्यचित् ॥ १८ ॥

महामुद्रामुपसंहरन् तस्या गोप्यत्वमाह—कथितेति। इयमेषा महामुद्रा कथितोक्ता। मयेति शेषः। कीदृशी? नृणामभ्यस्यतां नराणां महत्यश्च ताः सिद्धयश्चाणिमाद्यास्तासां करी कर्त्रीयम्। प्रकृष्टो यत्नः प्रयत्नस्तेन प्रयत्नेन

गोपनीया गोपनार्हा, यस्य कस्यचिद् यस्य कस्याप्यनधिकारिणः, संबन्ध-सामान्ये षष्ठी । न देया दातुं योग्या न भवतीत्यर्थः ॥ १८ ॥

अथ महाबन्धः—

पार्ष्णिं वामस्य पादस्य योनिस्थाने नियोजयेत् ।
वामोरूपरि संस्थाप्य दक्षिणं चरणं तथा ॥ १९ ॥

महाबन्धमाह—पार्ष्णिमिति । वामस्य सव्यस्य पादस्य चरणस्य पार्ष्णिं गुल्फयोरधोभागम् । 'तद्ग्रन्थी घुटिके गुल्फौ पुमान् पार्ष्णिस्तयोरधः' इत्यमरः (II. 6. 72) । योनिस्थाने गुदमेण्ढ्योरन्तराले नियोजयेन्नितरां योजयेत् । वामः सव्यो य ऊरुस्तस्योपरि दक्षिणं चरणं पादं संस्थाप्य सम्यक् स्थापयित्वा । तथाशब्दः पादपूरणे ॥ १९ ॥

पूरयित्वा ततो वायुं हृदये चुबुकं दृढम् ।
निष्पीड्य योनिमाकुञ्च्य मनो मध्ये नियोजयेत् ॥ २० ॥

पूरयित्वेति । ततस्तदनन्तरं वायुं पूरयित्वा हृदये चुबुकं दृढं निष्पीड्य गाढं संस्थाप्य । एतेन जालंधरबन्धः प्रोक्तः । योनिं गुदमेण्ढ्योरन्तरालमाकुञ्च्य । अनेन मूलबन्धः सूचितः । स तु जिह्वाबन्धेन गतार्थत्वान्न कर्तव्यः । मनः स्वान्तं मध्ये मध्यनाड्यां नियोजयेत् प्रवर्तयेत् ॥ २० ॥

धारयित्वा यथाशक्ति रेचयेदनिलं शनैः ।
सव्याङ्गे तु समभ्यस्य दक्षाङ्गे पुनरभ्यसेत् ॥ २१ ॥

धारयित्वेति । शक्तिमनतिक्रम्य यथाशक्ति, धारयित्वा कुम्भयित्वा, शनैर्मन्दं मन्दमनिलं वायुं रेचयेत् । सव्याङ्गे वामाङ्गे समभ्यस्य सम्यगावर्त्य दक्षाङ्गे दक्षिणाङ्गे पुनर्यावत् तुल्या भवेत् संख्या तावदभ्यस्येत् ॥ २१ ॥

मतमत्र तु केषांचित् कण्ठबन्धं विवर्जयेत् ।
राजदन्तस्थजिह्वायां बन्धः शस्तो भवेदिति ॥ २२ ॥

अथ जालंधरबन्धे कण्ठसंकोचनस्यानुपयोगमाह—मतमिति । केषांचित्त्वाचार्याणामिदं मतम् । किं तदित्याह—अत्र जालंधरबन्धे कण्ठस्य बन्धनं बन्धः संकोचस्तं विवर्जयेद्विशेषेण वर्जयेत् । कुतः? यतो दन्तानां राजानो राजदन्ता राजदन्तेषु तिष्ठतीति राजदन्तस्था, राजदन्तस्था चासौ जिह्वा च तस्यां राजदन्तस्थजिह्वायां बन्धस्तदुपरिभागस्य संबन्धः शस्तः । कण्ठाकुञ्चनापेक्षया प्रशस्तो भवेदिति हेतोः ॥ २२ ॥

अयं तु सर्वनाडीनामूर्ध्वगतिनिरोधकः ।
अयं खलु महाबन्धो महासिद्धिप्रदायकः ॥ २३ ॥

अयं त्विति । अयं तु राजदन्तस्थजिह्वायां बन्धस्तु सर्वाश्च ता नाड्यश्च सर्वनाड्यो द्वासप्ततिसहस्रसंख्याकास्तासां सुषुम्नातिरिक्तानामूर्ध्वमुपरि वायोर्गतिरूर्ध्वगतिस्तस्या निरोधकः प्रतिबन्धकः । एतेन 'बध्नाति हि शिराजालम्' (III. 71) इति जालंधरोक्तं फलमनेनैव सिद्धमिति सूचितम् । महाबन्धस्य फलमाह—अयं खल्विति । अयमुक्तः खलु प्रसिद्धः महाबन्धः, महासिद्धीः प्रकर्षेण ददातीति तथा ॥ २३ ॥

कालपाशमहाबन्धविमोचनविचक्षणः ।
त्रिवेणीसंगमं धत्ते केदारं प्रापयेन्मनः ॥ २४ ॥

कालस्य मृत्योः पाशो वागुरा तेन यो महाबन्धो बन्धनं तस्य विशेषेण मोचने मोक्षणे विचक्षणः प्रवीणः । तिसृणां नदीनां वेणी समुदायः स एव संगमः प्रयागस्तं धत्ते विधत्ते । केदारं भ्रुवोर्मध्ये शिवस्थानं केदारशब्दवाच्यम्

तं मनः स्वान्तं प्रापयेत्। 'गतिबुद्धि—' (*Pāṇ.*, 1. 4. 52) इत्यादिना अणौ कर्तुर्मनसो णौ कर्मत्वम् ॥ २४ ॥

रूपलावण्यसंपन्ना यथा स्त्री पुरुषं विना।
महामुद्रामहाबन्धौ निष्फलौ वेधवर्जितौ ॥ २५ ॥

महावेधं वक्तुमादौ तस्योत्कर्षं तावदाह—रूपेति। रूपं सौंदर्यं चक्षुः-प्रियो गुणः, लावण्यं कान्तिविशेषः। तदुक्तम्—

'मुक्ताफलेषु छायायास्तरलत्वमिवान्तरम्।
प्रतिभाति यदङ्गेषु तल्लावण्यमिहोच्यते ॥' इति।

ताभ्यां संपन्ना विशिष्टा स्त्री युवती पुरुषं भर्तारं विना यथा यादृशी निष्फला तथा महामुद्रा च महाबन्धश्च तौ, वेधेन महावेधेन विनापि। 'प्रत्ययपूर्वोत्तरपदयोर्लोपो वक्तव्यः' इति भाष्यकारोक्तेर्महच्छब्दस्य लोपः। वर्जितौ रहितौ निष्फलौ व्यर्थावित्यर्थः ॥ २५ ॥

अथ महावेधः—

महाबन्धस्थितो योगी कृत्वा पूरकमेकधीः।
वायूनां गतिमावृत्य निभृतं कण्ठमुद्रया ॥ २६ ॥

महावेधमाह—महाबन्धेति। महाबन्धे महाबन्धमुद्रायां स्थितो महाबन्ध-स्थितः। एका एकाग्रा धीर्यस्य स एकाग्रधीर्योगी योगाभ्यासी पूरकं नासापुटाभ्यां वायोर्ग्रहणं कृत्वा, कण्ठे मुद्रा कण्ठमुद्रा तया जालंधरमुद्रया वायूनां प्राणादीनां गतिमूर्ध्वाधोगमनादिरूपां निभृतं निश्चलं यथा भवति तथावृत्य निरुध्य कुम्भकं कृत्वेत्यर्थः ॥ २६ ॥

समहस्तयुगो भूमौ स्फिचौ संताडयेच्छनैः ।
पुटद्वयमतिक्रम्य वायुः स्फुरति मध्यगः ॥ २७ ॥

समहस्तेति । भूमौ भुवि हस्तयोर्युगं हस्तयुगं समं हस्तयुगं यस्य सः समहस्तयुगः भूमिसंलग्नतलौ सरलौ हस्तौ यस्य तादृशः सन्नित्यर्थः । स्फिचौ कटिप्रोथौ । 'स्त्रियां स्फिचौ कटिप्रोथौ' इत्यमरः (II. 6. 75) । भूमिसंलग्नतलयोर्हस्तयोरवलम्बनेन योनिस्थानसंलग्नपार्ष्णिना वामपादेन सह भूमेः किंचिदुत्थापितौ शनैर्मन्दं संताडयेत् सम्यक् ताडयेत्, भूमावेव । पुटयोर्द्वयमिडापिङ्गलयोर्युग्ममतिक्रम्योल्लङ्घ्य मध्ये सुषुम्नामध्ये गच्छतीति मध्यगो वायुः स्फुरति ॥ २७ ॥

सोमसूर्याग्निसंबन्धो जायते चामृताय वै ।
मृतावस्था समुत्पन्ना ततो वायुं विरेचयेत् ॥ २८ ॥

सोमेति । सोमश्च सूर्यश्चाग्निश्च सोमसूर्याग्नयः सोमसूर्याग्निशब्दैस्तदधिष्ठिता नाड्य इडापिङ्गलासुषुम्ना ग्राह्यास्तेषां संबन्धः । तद्वायुसंबन्धात् तेषां संबन्धः, अमृताय मोक्षाय जायते । वै इति निश्चयेऽव्ययम् । मृतस्य प्राणवियुक्तस्यावस्था मृतावस्था समुत्पन्ना भवति । इडापिङ्गलयोः प्राणसंचाराभावात् । ततस्तदनन्तरं वायुं विरेचयेन्नासिकापुटाभ्यां शनैस्त्यजेत् ॥ २८ ॥

महावेधोऽयमभ्यासान्महासिद्धिप्रदायकः ।
वलीपलितवेपघ्नः सेव्यते साधकोत्तमैः ॥ २९ ॥

महावेध इति । अयं महावेधोऽभ्यासात् पुनःपुनरावर्तनाद् महासिद्धयोऽणिमाद्यास्तासां प्रदायकः प्रकर्षेण समर्पकः । वली जरया देहे चर्मसंकोचः, पलितं जरसा केशेषु शौक्ल्यं, वेपः कम्पः तान् हन्तीति वलीपलितवेपघ्नः । अतएव साधकेष्वभ्यासिषूत्तमाः साधकोत्तमास्तैः सेव्यतेऽभ्यस्यत इत्यर्थः ॥ २९ ॥

एतत् त्रयं महागुह्यं जरामृत्युविनाशनम् ।
वह्निवृद्धिकरं चैव ह्यणिमादिगुणप्रदम् ॥ ३० ॥

महामुद्रादीनां तिसृणामतिगोप्यत्वमाह—एतदिति । एतत् त्रयं महामुद्रादित्रयं महागुह्यमतिरहस्यम् । अत्र हेतुगर्भाणि विशेषणानि । हि यस्माज्जरा वार्धकं मृत्युश्चरमः प्राणदेहवियोगः, तयोर्विशेषेण नाशनं वह्नेर्जाठरस्य वृद्धिर्दीप्तिस्तस्याः करं कर्तृ, अणिमा आदिर्येषां तेऽणिमादयस्ते च ते गुणाश्च तान् प्रकर्षेण ददातीत्यणिमादिगुणप्रदम् । चकार आरोग्यबिन्दुजयादिसमुच्चयार्थः । एवशब्दोऽवधारणार्थः ॥ ३० ॥

अष्टधा क्रियते चैव यामे यामे दिने दिने ।
पुण्यसंभारसंधायि पापौघभिदुरं सदा ॥
सम्यक्शिक्षावतामेवं स्वल्पं प्रथमसाधनम् ॥ ३१ ॥

अथैतत्त्रयस्य पृथक् साधनविशेषमाह—अष्टधेति । दिने दिने प्रतिदिनम् । यामे यामे प्रहरे प्रहरे । पौनःपुन्ये द्विर्वचनम् । अष्टभिः प्रकारैरष्टधा क्रियते । चशब्दो विशेषे, एवशब्दोऽवधारणे । एतत्त्रयमित्यत्रापि संबध्यते । कीदृशम्? पुण्यानां संभारः समूहस्तस्य संधायि विधायि । पुनः कीदृशं पापानामोघः पूरः समूह इति यावत् । तस्य भिदुरं कुलिशमिव नाशनं सदा सर्वदा यदाभ्यस्तं तदैव पापनाशनम् । सम्यक् सांप्रदायिकी शिक्षा गुरूपदेशो विद्यते येषां तेषाम् । एवं दिने दिने यामे यामेऽष्टधेत्युक्तरीत्या पूर्वं प्रथमं साधनं स्वल्पस्वल्पमेव कार्यम् ॥ ३१ ॥

अथ खेचरी—

कपालकुहरे जिह्वा प्रविष्टा विपरीतगा ।
भ्रुवोरन्तर्गता दृष्टिर्मुद्रा भवति खेचरी ॥ ३२ ॥

खेचरीं विवक्षुरादौ तत्स्वरूपमाह—कपालेति। कपाले मूर्ध्नि कुहरं सुषिरं तस्मिन् कपालकुहरे विपरीतं प्रतीपं गच्छतीति विपरीतगा पराङ्मुखीभूता जिह्वा रसना स्यात्। भ्रुवोरन्तर्गता भ्रुवोर्मध्ये प्रविष्टा दृष्टिर्दर्शनं स्यात्। सा खेचरीमुद्रा भवति। कपालकुहरे जिह्वाप्रवेशपूर्वकं भ्रुवोरन्तर्दर्शनं खेचरीति लक्षणं सिद्धम्॥ ३२॥

छेदनचालनदोहैः कलां क्रमेणाथ वर्धयेत् तावत्।
सा यावद् भ्रूमध्यं स्पृशति तदा खेचरीसिद्धिः॥ ३३॥

खेचरीसिद्धेर्लक्षणमाह—छेदनेति। छेदनम् अनुपदमेव वक्ष्यमाणम्। चालनं हस्तयोरङ्गुष्ठतर्जनीभ्यां रसनां गृहीत्वा सव्यापसव्यतः परिवर्तनम्। दोहः करयोरङ्गुष्ठतर्जनीभ्यां गोदोहनवत् दोहनम्, तैः कलां जिह्वां तावद्वर्धयेद् दीर्घां कुर्यात्। तावत्, कियत्? यावत्सा कला भ्रूमध्यं बहिर्भ्रुवोर्मध्यं स्पृशति, तदा खेचर्याः सिद्धिः खेचरीसिद्धिर्भवति॥ ३३॥

स्नुहीपत्रनिभं शस्त्रं सुतीक्ष्णं स्निग्धनिर्मलम्।
समादाय ततस्तेन रोममात्रं समुच्छिनेत्॥ ३४॥

तत्साधनमाह—स्नुहीति। स्नुही गुडा तस्याः पत्रं दलं स्नुहीपत्रम्, स्नुहीपत्रेण सदृशं स्नुहीपत्रनिभं, सुतीक्ष्णमतितीक्ष्णं, स्निग्धं च तन्निर्मलं च स्निग्धनिर्मलं शस्त्रं छेदनसाधनं समादाय सम्यगादाय गृहीत्वा, ततः शस्त्रग्रहणानन्तरं तेन शस्त्रेण रोमप्रमाणं रोममात्रं समुच्छिनेत् सम्यगुच्छिनेच्छिन्द्यात्। रसनामूलशिरामिति कर्माध्याहारः। 'मिश्रेयोऽप्यथ सिंहुण्डो वज्रद्रुः स्नुक् स्नुही गुडा' इत्यमरः (II. 4. 105)॥ ३४॥

ततः सैन्धवपथ्याभ्यां चूर्णिताभ्यां प्रघर्षयेत्।
पुनः सप्तदिने प्राप्ते रोममात्रं समुच्छिनेत्॥ ३५॥

ततश्छेदनानन्तरं चूर्णिताभ्यां चूर्णीकृताभ्यां सैन्धवं सिन्धुदेशोद्भवं लवणं पथ्या हरीतकी ताभ्यां प्रघर्षयेत् प्रकर्षेण घर्षयेच्छिन्नं शिराप्रदेशम्। सप्तदिनपर्यन्तं छेदनं सैन्धवपथ्याभ्यां घर्षणं च सायंप्रातर्विधेयम्। योगाभ्यासिनो लवणनिषेधात् खदिरपथ्याचूर्णं गृह्णन्ति। मूले सैन्धवोक्तिस्तु हठाभ्यासात् पूर्वं खेचरीसाधनाभिप्रायेण। सप्तानां दिनानां समाहारः सप्तदिनं तस्मिन् प्राप्ते गते सति अष्टमे दिन इत्यर्थात्। ये प्राप्त्यर्थास्ते गत्यर्थाः। पुनः पूर्वछेदनापेक्षयाधिकं रोममात्रं समुच्छिनेत् ॥ ३५ ॥

एवं क्रमेण षण्मासं नित्यं युक्तः समाचरेत्।
षण्मासाद्रसनामूलशिराबन्धः प्रणश्यति ॥ ३६ ॥

एवमिति। एवं क्रमेण पूर्वं रोममात्रच्छेदनं सप्तदिनपर्यन्तं तावदेव सायंप्रातश्छेदनं घर्षणं च। अष्टमे दिनेऽधिकं छेदनमित्युक्तक्रमेण षण्मासं षण्मासपर्यन्तं नित्यं युक्तः सन् समाचरेत् सम्यगाचरेत्। छेदनघर्षणे इति कर्माध्याहारः। षण्मासादनन्तरं रसना जिह्वा तस्या मूलमधोभागो रसनामूलं तत्र या शिरा कपालकुहररसनासंयोगप्रतिबन्धकीभूता नाडी तया बन्धो बन्धनं प्रणश्यति प्रकर्षेण नश्यति ॥ ३६ ॥

कलां पराङ्मुखीं कृत्वा त्रिपथे परियोजयेत्।
सा भवेत् खेचरी मुद्रा व्योमचक्रं तदुच्यते ॥ ३७ ॥

छेदनादिना जिह्वावृद्धौ यत्कर्तव्यं तदाह—कलामिति। कलां जिह्वां पराङ् मुखमग्रं यस्याः सा तथा तां पराङ्मुखीं प्रत्यङ्मुखीं कृत्वा तिसृणां नाडीनां पन्थाः त्रिपथस्तस्मिन् त्रिपथे कपालकुहरे परियोजयेत् संयोजयेत्। सा त्रिपथे रसनापरियोजनरूपा खेचरी मुद्रा तद्व्योमचक्रमित्युच्यते, व्योमचक्रशब्देनोच्यते ॥ ३७ ॥

रसनामूर्ध्वगां कृत्वा क्षणार्धमपि तिष्ठति ।
विषैर्विमुच्यते योगी व्याधिमृत्युजरादिभिः ॥ ३८ ॥

अथ खेचरीगुणाः—रसनामिति । ऊर्ध्वं ताल्वपरि विवरं गच्छतीति ऊर्ध्वगा तां तादृशीं रसनां जिह्वां कृत्वा क्षणार्धं क्षणस्य मुहूर्तस्य अर्धं क्षणार्धं घटिकामात्रमपि खेचरी मुद्रा तिष्ठति चेत् तर्हि योगी विषैः सर्पवृश्चिकादिविषैर्विमुच्यते विशेषेण मुच्यते । व्याधिर्धातुवैषम्यं मृत्युश्चरमः प्राणदेहवियोगो जरा वृद्धावस्था ता आदयो येषां वल्यादीनां तैश्च विमुच्यते ।

'उत्सवे च प्रकोष्ठे च मुहूर्ते नियमे तथा ।
क्षणशब्दो व्यवस्थायां समयेऽपि निगद्यते ॥'

इति नानार्थः ॥ ३८ ॥

न रोगो मरणं तन्द्रा न निद्रा न क्षुधा तृषा ।
न च मूर्च्छा भवेत् तस्य यो मुद्रां वेत्ति खेचरीम् ॥ ३९ ॥

न रोग इति । यः खेचरीं मुद्रां वेत्ति तस्य रोगो न मरणं न तन्द्रा तामसान्तःकरणवृत्तिविशेषः न निद्रा न क्षुधा न तृषा पिपासा न मूर्च्छा चित्तस्य तमसाभिभूतावस्थाविशेषश्च न भवेत् ॥ ३९ ॥

पीड्यते न स रोगेण लिप्यते न च कर्मणा ।
बाध्यते न स कालेन यो मुद्रां वेत्ति खेचरीम् ॥ ४० ॥

पीड्यत इति । यः खेचरीं मुद्रां वेत्ति स रोगेण ज्वरादिना न पीड्यते प्रमादाज्जातेनाशुभेन कर्मणा, लोकसंग्रहार्थकृतशुभेन च कर्मणा न लिप्यते । कालेन मृत्युना स न बाध्यते न हन्यते ॥ ४० ॥

चित्तं चरति खे यस्माज्जिह्वा चरति खे गता ।
तेनैषा खेचरी नाम मुद्रा सिद्धैर्निरूपिता ॥ ४१ ॥

चित्तमिति । यस्माद्धेतोश्चित्तमन्तःकरणं खे भ्रुवोरन्तरवकाशे चरति जिह्वा खे तत्रैव गता सती चरति । तेन हेतुना एषा कथिता मुद्रा खेचरी नाम खेचरीति प्रसिद्धा । नामेति प्रसिद्धावव्ययम् । सिद्धैः कपिलादिभिर्निरूपिता । खे भ्रुवोरन्तर्व्योम्नि चरति गच्छति चित्तं जिह्वा च यस्यां सा खेचरीत्यवयवशक्त्या व्युत्पादिता । उक्तेषु त्रिषु श्लोकेषु व्याध्यादीनां पुनरुक्तिस्तु तेषां श्लोकानां संगृहीतत्वान्न दोषाय ॥ ४१ ॥

खेचर्या मुद्रितं येन विवरं लम्बिकोर्ध्वतः ।
न तस्य क्षरते बिन्दुः कामिन्याश्लेषितस्य च ॥ ४२ ॥

खेचर्येति । येन योगिना खेचर्या मुद्रया लम्बिकाया ऊर्ध्वमिति लम्बिकोर्ध्वतः । 'सार्वविभक्तिकस्तसिः' । लम्बिका तालु, तस्या ऊर्ध्वत उपरिभागे स्थितं विवरं छिद्रं मुद्रितं पिहितम् । कामिन्या युवत्याश्लेषितस्यालिङ्गितस्यापि । चशब्दोऽप्यर्थे । तस्य बिन्दुर्वीर्यं न क्षरते न स्खलति ॥ ४२ ॥

चलितोऽपि यदा बिन्दुः संप्राप्तो योनिमण्डलम् ।
व्रजत्यूर्ध्वं हृतः शक्त्या निबद्धो योनिमुद्रया ॥ ४३ ॥

चलित इति । चलितोऽपि स्खलितोऽपि बिन्दुर्यदा यस्मिन् काले योनिमण्डलं योनिस्थानं संप्राप्तः संगतस्तदैव योनिमुद्रया मेढ्राकुञ्चनरूपया । एतेन वज्रोली मुद्रा सूचिता । निबद्धो नितरां बद्धः शक्त्याकर्षणशक्त्या हृतः आकृष्ट ऊर्ध्वं व्रजति । सुषुम्नामार्गेण बिन्दुस्थानं गच्छति ॥ ४३ ॥

ऊर्ध्वजिह्वः स्थिरो भूत्वा सोमपानं करोति यः ।
मासार्धेन न संदेहो मृत्युं जयति योगवित् ॥ ४४ ॥

ऊर्ध्वजिह्व इति । ऊर्ध्वा लम्बिकोर्ध्वविवरोन्मुखा जिह्वा यस्य स ऊर्ध्वजिह्वः स्थिरो निश्चलो भूत्वा । सोमस्य लम्बिकोर्ध्वविवरगलितचन्द्रामृतस्य पानं सोमपानं यः पुमान् करोति । योगं वेत्तीति योगवित् स मासस्यार्धं मासार्धं तेन मासार्धेन पक्षेण मृत्युं मरणं जयति अभिभवति । न संदेहः, निश्चितमेतदित्यर्थः ॥ ४४ ॥

नित्यं सोमकलापूर्णं शरीरं यस्य योगिनः ।
तक्षकेणापि दष्टस्य विषं तस्य न सर्पति ॥ ४५ ॥

नित्यमिति । यस्य योगिनः शरीरं नित्यं प्रतिदिनं सोमकलापूर्णं चन्द्रकलामृतपूर्णं तस्य तक्षकेण सर्पविशेषेणापि दष्टस्य दंशितस्य योगिनः शरीरे विषं गरलं तज्जन्यं दुःखं न सर्पति न प्रसरति ॥ ४५ ॥

इन्धनानि यथा वह्निस्तैलवर्तिं च दीपकः ।
तथा सोमकलापूर्णं देही देहं न मुञ्चति ॥ ४६ ॥

यथा वह्निः अग्निः इन्धनानि काष्ठादीनि न मुञ्चति दीपको दीपः तैलवर्तिं च तैलयुक्तां वर्तिं न मुञ्चति । तथा सोमकलापूर्णं चन्द्रकलामृतपूर्णं देहं शरीरं देही जीवो न मुञ्चति न त्यजति ॥ ४६ ॥

गोमांसं भक्षयेन्नित्यं पिबेदमरवारुणीम् ।
कुलीनं तमहं मन्ये इतरे कुलघातकाः ॥ ४७ ॥

गोमांसमिति । गोमांसं पारिभाषिकं वक्ष्यमाणं यो भक्षयेन्नित्यं प्रतिदिनममरवारुणीमपि वक्ष्यमाणां पिबेत् तं योगिनम् । अहमिति ग्रन्थकारोक्तिः । कुले जातः कुलीनः तं सत्कुलोत्पन्नं मन्ये । तदुक्तं ब्रह्मवैवर्ते —

'कृतार्थौ पितरौ तेन धन्यो देशः कुलं च तत् ।
जायते योगवान् यत्र दत्तमक्षय्यतां व्रजेत् ॥
दृष्टः संभाषितः स्पृष्टः पुंप्रकृत्योर्विवेकवान् ।
भवकोटिशतोपात्तं पुनाति वृजिनं नृणाम् ॥' इति ।

ब्रह्माण्डपुराणे—

'गृहस्थानां सहस्रेण वानप्रस्थशतेन च ।
ब्रह्मचारिसहस्रेण योगाभ्यासी विशिष्यते ॥'

राजयोगे वामदेवं प्रति शिववाक्यम्—

'राजयोगस्य माहात्म्यं को विजानाति तत्त्वतः ।
तज्ज्ञानी वसते यत्र स देशः पुण्यभाजनम् ॥
दर्शनादर्चनादस्य त्रिःसप्तकुलसंयुताः ।
अज्ञा मुक्तिपदं यान्ति किंपुनस्तत्परायणाः ॥
अन्तर्योगं बहिर्योगं यो जानाति विशेषतः ।
त्वया मयाप्यसौ वन्द्यः शेषैर्वन्द्यास्तु किं पुनः ॥'

इति । कूर्मपुराणे—

एककालं द्विकालं वा त्रिकालं नित्यमेव वा ।
ये युञ्जते महायोगं विज्ञेयास्ते महेश्वराः ॥' इति ।

इतरे वक्ष्यमाणगोमांसभक्षणामरवारुणीपानरहिता अयोगिनस्ते कुलघातकाः कुलनाशकाः, सत्कुले जातस्य जन्मनो वैयर्थ्यात् ॥ ४७ ॥

**गोशब्देनोदिता जिह्वा तत्प्रवेशो हि तालुनि ।
गोमांसभक्षणं तत्तु महापातकनाशनम् ॥ ४८ ॥**

गोमांसशब्दार्थमाह—गोशब्देनेति । गोशब्देन गोइत्याकारकेण शब्देन गोपदेनेत्यर्थः । जिह्वा रसनोदिता कथिता । तालुनीति सामीपिकाधारे सप्तमी । तालुसमीपोर्ध्वविवरे तस्या जिह्वायाः प्रवेशो गोमांसभक्षणं गोमांसभक्षणशब्दवाच्यं तत्तु तादृशं गोमांसभक्षणं तु महापातकानां स्वर्णस्तेयादीनां नाशनम् ॥ ४८ ॥

जिह्वाप्रवेशसंभूतवह्निनोत्पादितः खलु ।
चन्द्रात् स्रवति यः सारः सा स्यादमरवारुणी ॥ ४९ ॥

अमरवारुणीशब्दार्थमाह—जिह्वेति । जिह्वायाः प्रवेशो लम्बिकोर्ध्वविवरे प्रवेशनं तस्मात् संभूतो जातो यो वह्निरूष्मा तेनोत्पादितो निष्पादितः । अत्र वह्निशब्देनौष्ण्यमुपलक्ष्यते । यः सारः चन्द्राद् भ्रुवोरन्तर्वामभागस्थात् सोमात् स्रवति गलति सा अमरवारुणी स्यादमरवारुणीपदवाच्या भवेत् ॥ ४९ ॥

चुम्बन्ती यदि लम्बिकाग्रमनिशं जिह्वारसस्यन्दिनी
सक्षारा कटुकाम्लदुग्धसदृशी मध्वाज्यतुल्या तथा ।
व्याधीनां हरणं जरान्तकरणं शस्त्रागमोदीरणं
तस्य स्यादमरत्वमष्टगुणितं सिद्धाङ्गनाकर्षणम् ॥ ५० ॥

चुम्बन्तीति । यदि चेल्लम्बिकाग्रं लम्बिकोर्ध्वविवरं चुम्बन्ती स्पृशन्ती । अनिशं निरन्तरम् । अतएव रसस्य सोमकलामृतस्य स्यन्दः स्यन्दनं प्रस्रवणमस्यामस्तीति रसस्यन्दिनी यस्य जिह्वा । क्षारेण लवणरसेन सहिता सक्षारा, कटुकं मरिचादि, आम्लं चिञ्चाफलादि, दुग्धं पयस्तैः सदृशी समाना । मधु क्षौद्रमाज्यं घृतं ताभ्यां तुल्या समा । तथाशब्दः समुच्चये । एतैर्विशेषणै रसस्यानेकरसवत्त्वाद् मधुरत्वात् स्निग्धत्वाच्च जिह्वाया अपि रसस्यन्दने

तथात्वमुक्तम्। तर्हि तस्य व्याधीनां रोगाणां हरणमपगमो जराया वृद्धावस्थाया अन्तकरणं नाशनं शस्त्राणामायुधानामागमः स्वाभिमुखागमनं तस्योदीरणं निवारणम्। अष्टौ गुणा अणिमादयस्ते अस्य संजाता इत्यष्टगुणितममरत्वममरभावः सिद्धानामङ्गनाः सिद्धाङ्गनाः सिद्धाश्च ता अङ्गनाश्चेति वा तासामाकर्षणमाकर्षणशक्तिः स्यात् ॥ ५० ॥

मूर्ध्नः षोडशपत्रपद्मगलितं प्राणादवाप्तं हठा-
दूर्ध्वास्यो रसनां नियम्य विवरे शक्तिं परां चिन्तयन्।
उत्कल्लोलकलाजलं च विमलं धारामयं यः पिबे-
न्निर्व्याधिः स मृणालकोमलवपुर्योगी चिरं जीवति ॥५१॥

मूर्ध्न इति। रसनां जिह्वां विवरे कपालकुहरे नियम्य संयोज्य। उर्ध्वमुत्तानमास्यं यस्य सः, ऊर्ध्वास्य इत्यनेन विपरीतकरणी सूचिता। परां शक्तिं कुण्डलिनीं चिन्तयन् ध्यायन् सन् प्राणात् साधनभूतात्। षोडश पत्राणि दलानि यस्य तत् षोडशपत्रं तच्च तत्पद्मं च कण्ठस्थाने वर्तमानं तस्मिन् गलितं हठाद् हठयोगादवाप्तं प्राप्तं विमलं निर्मलं धारामयं धारारूपमुत्कल्लोलमुत्तरङ्गं च तत्कलाजलं च सोमकलारसं यः पुमान् पिबेत् धयेत् स योगी निर्गता व्याधयो ज्वरादयो यस्मात् स निर्व्याधिः सन् यद्वा निर्गता विविधा त्रिविधा आधयो मानसी व्यथा यस्मात् स तादृशः सन् मृणालं बिसमिव कोमलं मृदु वपुः शरीरं यस्य स मृणालकोमलवपुश्च सन् चिरं दीर्घकालं जीवति प्राणान् धारयति। हठाद्धठयोगात्। प्राणात् साधनभूतादवाप्तमिति वा योजना। प्राणैरिति क्वचित् पाठः ॥ ५१ ॥

यत्प्रालेयं प्रहितसुषिरं मेरुमूर्धान्तरस्थं
तस्मिंस्तत्त्वं प्रवदति सुधीस्तन्मुखं निम्नगानाम्।

चन्द्रात् सारः स्रवति वपुषस्तेन मृत्युर्नराणां
तद् बध्नीयात् सुकरणमधो नान्यथा कायसिद्धिः ॥ ५२ ॥

यत्प्रालेयमिति । मेरुवत् सर्वोन्नता सुषुम्ना मेरुस्तस्य मूर्धा उपरिभागस्तस्यान्तरे मध्ये तिष्ठतीति मेरुमूर्धान्तरस्थं यत्प्रालेयं सोमकलाजलं प्रहितं निहितं यस्मिन् तत्तथा तच्च तत्सुषिरं विवरं तस्मिन् विवरे सुधीः शोभना रजस्तमोभ्यामनभिभूतसत्त्वा धीर्बुद्धिर्यस्य सः । तत्त्वमात्मतत्त्वं प्रवदति प्रकर्षेण वदति । 'तस्याः शिखाया मध्ये परमात्मा व्यवस्थितः' (*Mahānā. Up.*, 11. 13) इति श्रुतेः । आत्मनो विभुत्वे खेचरीमुद्रायां तत्राभिव्यक्तिस्तस्मिन् तत्त्वमित्युक्तम् । निम्नगानां गङ्गायमुनासरस्वतीनर्मदादिशब्दवाच्यानामिडापिङ्गलासुषुम्नागान्धारीप्रभृतीनां तत् तस्मिन् विवरे तत्समीपे मुखमग्रमस्ति चन्द्रात् सोमाद् वपुषः शरीरस्य सारः सारभूतो रसः स्रवति क्षरति तेन चन्द्रसारक्षरणेन नराणां मनुष्याणां मृत्युर्मरणं भवति । अतो हेतोस्तत्पूर्वोदितं सुकरणं शोभनं करणं खेचरी मुद्राख्यं बध्नीयात् । सुकरणे बद्धे चन्द्रसारस्रवणाभावाद् मृत्युर्न स्यादिति भावः । अन्यथा सुकरणबन्धनाभावे कायस्य देहस्य सिद्धी रूपलावण्यबलवज्रसंहननरूपा न स्यात् ॥ ५२ ॥

सुषिरं ज्ञानजनकं पञ्चस्रोतःसमन्वितम् ।
तिष्ठते खेचरी मुद्रा तस्मिन् शून्ये निरञ्जने ॥ ५३ ॥

सुषिरमिति । पञ्च यानि स्रोतांसीडादीनां प्रवाहास्तैः समन्वितं सम्यगनुगतम् । सप्तस्रोतःसमन्वितमिति क्वचित् पाठः । ज्ञानजनकमलौकिकाबाधितात्मसाक्षात्कारजनकं यत्सुषिरं विवरं तस्मिन् सुषिरेऽञ्जनमविद्या तत्कार्यं शोकमोहादि च निर्गतं यस्मात् तन्निरञ्जनं तस्मिन् निरञ्जने शून्ये सुषिरावकाशे खेचरी मुद्रा तिष्ठते स्थिरीभवति । 'प्रकाशनस्थेयाख्ययोश्च' (*Pāṇ.* 1. 3. 23) इत्यात्मनेपदम् ॥ ५३ ॥

एकं सृष्टिमयं बीजमेका मुद्रा च खेचरी।
एको देवो निरालम्ब एकावस्था मनोन्मनी॥ ५४॥

एकमिति। सृष्टिमयं सृष्टिरूपं प्रणवाख्यं बीजमेकं मुख्यम्। तदुक्तं माण्डूक्योपनिषदि। 'ओमित्येतदक्षरमिदं सर्वम्' (*Māṇḍ. Up.*, I. 1) इति। खेचरी मुद्रा एका मुख्या। निरालम्ब आलम्बनशून्य एको मुख्यो देवः। आलम्बनपरित्यागेनात्मनः स्वरूपावस्थानात्। उन्मन्यवस्थैका मुख्या। 'एके मुख्यान्यकेवलाः' इत्यमरः (III. 3. 16)। बीजादिषु प्रणवादिवद् मुद्रासु खेचरी मुख्येत्यर्थः॥ ५४॥

अथोड्डीयानबन्धः—

बद्धो येन सुषुम्नायां प्राणस्तूड्डीयते यतः।
तस्मादुड्डीयनाख्योऽयं योगिभिः समुदाहृतः॥ ५५॥

उड्डीयानबन्धं विवक्षुस्तावदुड्डीयानशब्दार्थमाह—बद्ध इति। यतो यस्माद्धेतोर्येन बन्धेन बद्धो निरुद्धः प्राणः सुषुम्नायां मध्यनाड्यामुड्डीयते सुषुम्नां विहायसा गच्छति तस्मात् कारणादयं बन्धो योगिभिर्मत्स्येन्द्रादिभिरुड्डीयनमाख्याभिधा यस्य स उड्डीयनाख्यः समुदाहृतः सम्यग् व्युत्पत्त्योदाहृतः कथितः। सुषुम्नायामुड्डीयतेऽनेन बद्धः प्राण इत्युड्डीयनम्। उत्पूर्वाड्डीङ्विहायसा गतावित्यस्मात् करणे ल्युट्॥ ५५॥

उड्डीनं कुरुते यस्मादविश्रन्तं महाखगः।
उड्डीयानं तदेव स्यात् तत्र बन्धोऽभिधीयते॥ ५६॥

उड्डीनमिति॥ महांश्चासौ खगश्च महाखगः प्राणः। सर्वदा देहावकाशे गतिमत्त्वात्। यस्माद् बन्धादविश्रान्तं यथा स्यात् तथोड्डीनं विहङ्गमगतिं कुरुते।

सुषुम्नायामित्यध्याहार्यम्। तदेव बन्धविशेषमुड्डीयाननामकं स्यात्। तत्र तस्मिन् विषये बन्धोऽभिधीयते बन्धस्वरूपं कथ्यते मयेति शेषः ॥ ५६ ॥

उदरे पश्चिमं तानं नाभेरूर्ध्वं च कारयेत्।
उड्डीयानो ह्यसौ बन्धो मृत्युमातङ्गकेसरी ॥ ५७ ॥

उड्डीयानबन्धमाह—उदर इति। उदरे तुन्दे नाभेरूर्ध्वं चकारादधः उपरिभागेऽधोभागे च पश्चिमं तानं पश्चिममाकर्षणं नाभेरूर्ध्वाधोभागौ यथा पृष्ठसंलग्नौ स्यातां तथा तानंताननं नामाकर्षणं कारयेत् कुर्यात्। णिजर्थोऽविवक्षितः। असौ नाभेरूर्ध्वाधोभागयोस्ताननरूप उड्डीयान उड्डीयानाख्यो बन्धः। कीदृशः मृत्युरेव मातङ्गो गजस्तस्य केसरी सिंहः सिंह इव निवर्तकः ॥ ५७ ॥

उड्डीयानं तु सहजं गुरुणा कथितं सदा।
अभ्यसेत् सततं यस्तु वृद्धोऽपि तरुणायते ॥ ५८ ॥

उड्डीयानं त्विति। गुरुर्हितोपदेष्टा तेन गुरुणा उड्डीयानं तु सदा सर्वदा सहजं स्वाभाविकं कथितम्। प्राणस्य बहिर्गमने सर्वदा सर्वस्यैव जायमानत्वात्। यस्तु यः पुरुषस्तु सततं निरन्तरमभ्यसेत्। उड्डीयानमित्यत्रापि संबध्यते। स तु वृद्धोऽपि स्थविरोऽपि तरुणायते तरुण इवाचरति तरुणायते ॥ ५८ ॥

नाभेरूर्ध्वमधश्चापि तानं कुर्यात् प्रयत्नतः।
षण्मासमभ्यसेन्मृत्युं जयत्येव न संशयः ॥ ५९ ॥

नाभेरिति। नाभेरुर्ध्वमुपरिभागेऽधश्चाप्यधोभागेऽपि प्रयत्नतः प्रकृष्टो यत्नः प्रयत्नस्तस्मात् प्रयत्नतः। यत्नविशेषात् तानं पश्चिमतानं कुर्यात्।

पूर्वार्धेनोड्डीयानस्वरूपमुक्तम् । अथ तत्प्रशंसा । यः षण्मासं षण्मासपर्यन्तम् । उड्डीयानमित्यध्याहारः । अभ्यसेत् पुनःपुनरनुतिष्ठेत् । स मृत्युं जयत्येव संशयो न । अत्र संदेहो नास्तीत्यर्थः ॥ ५९ ॥

सर्वेषामेव बन्धानामुत्तमो ह्युड्डियानकः ।
उड्डियाने दृढे बन्धे मुक्तिः स्वाभाविकी भवेत् ॥ ६० ॥

सर्वेषामिति । सर्वेषां बन्धानां षोडशाधारबन्धानां मध्ये उड्डियानकः उड्डियानबन्ध एव । स्वार्थे कप्रयत्ययः । उत्तमः उत्कृष्टः, हि यस्मादुड्डियाने बन्धे दृढे सति स्वाभाविकी स्वभावसिद्धैव मुक्तिर्भवेत् । उड्डियानबन्धे कृते विहङ्गमगत्या सुषुम्नायां प्राणस्य मूर्ध्नि गमनात् 'समाधौ मोक्षमाप्नोति' इति वाक्यात् सहजैव मुक्तिः स्यादिति भावः ॥ ६० ॥

अथ मूलबन्धः—

पार्ष्णिभागेन संपीडय योनिमाकुञ्चयेद्गुदम् ।
अपानमूर्ध्वमाकृष्य मूलबन्धोऽभिधीयते ॥ ६१ ॥

मूलबन्धमाह—पार्ष्णिभागेनेति । पार्ष्णेर्भागो गुल्फयोरधःप्रदेशस्तेन योनिं योनिस्थानं गुदमेढ्रयोर्मध्यभागं संपीड्य सम्यक् पीडयित्वा गुदं पायुमाकुञ्चयेत् संकोचयेत् । अपानमधोगतिं वायुमूर्ध्वमुपर्याकृष्याकृष्टं कृत्वा मूलबन्धोऽभिधीयते कथ्यते । पार्ष्णिभागेन योनिस्थानसंपीडनपूर्वकं गुदस्याकुञ्चनं मूलबन्ध इत्युच्यत इत्यर्थः ॥ ६१ ॥

अधोगतिमपानं वा ऊर्ध्वगं कुरुते बलात् ।
आकुञ्चनेन तं प्राहुर्मूलबन्धं हि योगिनः ॥ ६२ ॥

अधोगतिमिति। यः अधोगतिं अधोऽर्वाग्गतिर्यस्य स तथा तमपानमपानवायुमाकुञ्चनेन मूलाधारस्य संकोचनेन बलाद्धठादूर्ध्वं गच्छतीत्यूर्ध्वगस्तमूर्ध्वगं सुषुम्नायामूर्ध्वगमनशीलं कुरुते। वै इति निश्चयेऽव्ययं। योगिनो योगाभ्यासिनस्तं मूलवन्धं मूलस्य मूलस्थानस्य वन्धनं मूलबन्धस्तं मूलबन्धमित्यन्वर्थं प्राहुः। अनेन मूलबन्धशब्दार्थ उक्तः। पूर्वश्लोकेन तु तस्य बन्धनप्रकार उक्त इत्यपौनरुक्त्यम् ॥ ६२ ॥

गुदं पार्ष्ण्या तु संपीड्य वायुमाकुञ्चयेद् बलात्।
वारंवारं यथा चोर्ध्वं समायाति समीरणः ॥ ६३ ॥

अथ योगबीजोक्तरीत्या मूलबन्धमाह—गुदमिति। पार्ष्ण्या गुल्फयोरधोभागेन गुदं पायुं संपीड्य सम्यक् पीडयित्वा संयोज्येत्यर्थः। तुशब्दः पूर्वस्मादस्य विशेषत्वद्योतकः। यथा येन प्रकारेण समीरणो वायुरूर्ध्वं सुषुम्नाया उपरिभागे याति गच्छति तथा तेन प्रकारेण बलाद्धठाद् वारंवारं पुनःपुनर्वायुमपानमाकुञ्चयेद् गुदस्याकुञ्चनेनाकर्षयेत्। अयं मूलबन्ध इति वाक्याध्याहारः ॥ ६३ ॥

प्राणापानौ नादबिन्दू मूलबन्धेन चैकताम्।
गत्वा योगस्य संसिद्धिं यच्छतो नात्र संशयः ॥ ६४ ॥

अथ मूलबन्धगुणानाह—प्राणापानाविति। प्राणश्चापानश्च प्राणापानावूर्ध्वाधोगती वायू। नादोऽनाहतध्वनिः बिन्दुरनुस्वारस्तौ मूलबन्धेनैकतां गत्वैकीभूय योगस्य संसिद्धिः सम्यक् सिद्धिस्तां योगसिद्धिं यच्छतो दत्तः। अभ्यासिन इति शेषः। अत्रास्मिन्नर्थे संशयो न, संदेहो नास्तीत्यर्थः। अयं भावः। मूलबन्धे कृतेऽपानः प्राणेन सहैकीभूय सुषुम्नायां प्रविशति।

ततो नादाभिव्यक्तिर्भवति। ततो नादेन सह प्राणापानौ हृदयोपरि गत्वा नादस्य बिन्दुना सहैक्यमाधाय मूर्ध्नि गच्छतः। ततो योगसिद्धिः॥ ६४॥

अपानप्राणयोरैक्यं क्षयो मूत्रपुरीषयोः।
युवा भवति वृद्धोऽपि सततं मूलबन्धनात्॥ ६५॥

अपानप्राणयोरिति। सततं मूलबन्धनाद् मूलबन्धमुद्राकरणादपानप्राणयोरैक्यं भवति। मूत्रपुरीषयोः संचितयोः क्षयः पतनं भवति। वृद्धोऽपि स्थविरोऽपि युवा तरुणो भवति॥ ६५॥

अपान ऊर्ध्वगे जाते प्रयाते वह्निमण्डलम्।
तदानलशिखा दीर्घा जायते वायुनाहता॥ ६६॥

अपान इति। मूलबन्धनादपाने अधोगमनशीले वायौ ऊर्ध्वगे ऊर्ध्वं गच्छतीत्यूर्ध्वगस्तस्मिन् तादृशे सति, वह्निमण्डलं वह्नेर्मण्डलं त्रिकोणं नाभेरधोभागेऽस्ति। तदुक्तं याज्ञवल्क्येन—

'देहमध्ये शिखिस्थानं तप्तजाम्बूनदप्रभम्।
त्रिकोणं तु मनुष्याणां चतुरस्रं चतुष्पदाम्॥
मण्डलं तु पतङ्गानां सत्यमेतद् ब्रवीमि ते।
तन्मध्ये तु शिखा तन्वी सदा तिष्ठति पावके॥' इति।

तदा तस्मिन् काले वायुना अपानेनाहता संगता सत्यनलशिखा जठराग्निशिखा दीर्घा आयता जायते। वर्धत इति क्वचित्पाठः॥ ६६॥

ततो यातो वह्न्यपानौ प्राणमुष्णस्वरूपकम्।
तेनात्यन्तप्रदीप्तस्तु ज्वलनो देहजस्तथा॥ ६७॥

तत इति। ततस्तदनन्तरं वह्निश्चापानश्च वह्न्यपानौ। उष्णं स्वरूपं यस्य स तथा तमनलं शिखादैर्घ्यादुष्णस्वरूपं प्राणमूर्ध्वगतिमनिलं यातो गच्छतः। ततोऽनलशिखादैर्घ्यादुष्णस्वरूपकमिति वा योजना। तेन प्राणसंगमनेन देहे जातो देहजो ज्वलनोऽग्निरत्यन्तमधिकं दीप्तो भवति। तथेति पादपूरणे। अपानस्योर्ध्वगमनेन दीप्त एव ज्वलनः प्राणसंगत्यात्यन्तं प्रदीप्तो भवतीत्यर्थः॥ ६७॥

तेन कुण्डलिनी सुप्ता संतप्ता संप्रबुध्यते।
दण्डाहता भुजङ्गीव निश्वस्य ऋजुतां व्रजेत्॥ ६८॥

तेनेति। तेन ज्वलनस्यात्यन्तप्रदीपनेन संतप्ता सम्यक् तप्ता सती सुप्ता निद्रिता कुण्डलिनी शक्तिः संप्रबुध्यते सम्यक् प्रबुद्धा भवति। दण्डेनाहता दण्डाहता, सा चासौ भुजङ्गीव सर्पिणीव निश्वस्य निश्वासं कृत्वा ऋजुतां सरलतां व्रजेद् गच्छेत्॥ ६८॥

बिलं प्रविष्टेव ततो ब्रह्मनाड्यन्तरं व्रजेत्।
तस्मान्नित्यं मूलबन्धः कर्तव्यो योगिभिः सदा॥ ६९॥

बिलं प्रविष्टेति। ततः ऋजुताप्राप्त्यनन्तरं बिलं विवरं प्रविष्टा भुजङ्गीव ब्रह्मनाडी सुषुम्ना तस्या अन्तरं मध्यं व्रजेत् गच्छेत्, तस्माद्धेतोर्योगिभिर्योगाभ्यासिभिर्मूलबन्धो नित्यं प्रतिदिनं सदा सर्वस्मिन् काले कर्तव्यः कर्तुं योग्यः॥ ६९॥

अथ जालंधरबन्धः—

कण्ठमाकुञ्च्य हृदये स्थापयेच्चिबुकं दृढम्।
बन्धो जालंधराख्योऽयं जरामृत्युविनाशकः॥ ७०॥

जालंधरबन्धमाह—कण्ठमितिं। कण्ठं गलबिलमाकुञ्च्य संकोच्य हृदये वक्षःसमीपे चतुरङ्गुलान्तरितप्रदेशे चुबुकं हनुं दृढं स्थिरं स्थापयेत् स्थितं कुर्यात्। अयं कण्ठाकुञ्चनपूर्वकं चतुरङ्गुलान्तरितहृदयसमीपेऽधोनमनयत्नपूर्वकं चुबुकस्थापनरूपो जालंधर इत्याख्यायत इति जालंधराख्यो जालंधरनामा बन्धः। कीदृशः? जरा वृद्धावस्था मृत्युर्मरणं तयोर्विनाशको विशेषेण नाशयतीति विनाशको विनाशकर्ता॥ ७०॥

बध्नाति हि सिराजालमधोगामि नभोजलम्।
ततो जालंधरो बन्धः कण्ठदुःखौघनाशनः॥ ७१॥

जालंधरपदस्यार्थमाह—बध्नातीति। हि यस्मात् सिराणां नाडीनां जालं समुदायं बध्नाति। अधो गन्तुं शीलमस्येत्यधोगामि नभसः कपालकुहरस्य जलममृतं च बध्नाति प्रतिबध्नाति। ततस्तस्माज्जालंधरो जालंधरनामकोऽन्वर्थो बन्धः; जालं सिराजालं जलानां समूहो जालं च धरतीति जालंधरः। कीदृशः? कण्ठे गलप्रदेशे यो दुःखौघो विकारजातो दुःखसमूहस्तस्य नाशनो नाशकर्ता॥ ७१॥

जालंधरे कृते बन्धे कण्ठसंकोचलक्षणे।
न पीयूषं पतत्यग्नौ न च वायुः प्रकुप्यति॥ ७२॥

जालंधरगुणानाह—जालंधर इति। कण्ठस्य गलबिलस्य संकोचनं संकोच आकुञ्चनं तदेव लक्षणं स्वरूपं यस्य स कण्ठसंकोचलक्षणः तस्मिन् तादृशे जालंधरे जालंधरसंज्ञके बन्धे कृते सति, पीयूषममृतमग्नौ जाठरेऽनले न पतति न सरति। वायुश्च प्राणश्च न प्रकुप्यति, नाड्यन्तरे वायोर्गमनं प्रकोपस्तं न करोतीत्यर्थः॥ ७२॥

कण्ठसंकोचनेनैव द्वे नाड्यौ स्तम्भयेद् दृढम् ।
मध्यचक्रमिदं ज्ञेयं षोडशाधारबन्धनम् ॥ ७३ ॥

कण्ठसंकोचनेनेति । दृढं गाढं कण्ठसंकोचनेनैव कण्ठसंकोचनमात्रेण द्वे नाड्यौ इडापिङ्गले स्तम्भयेद् बन्धयेद्, अयं जालंधर इति कर्तृपदाध्याहारः । इदं कण्ठस्थाने स्थितं विशुद्धाख्यं चक्रं मध्यचक्रं मध्यमं चक्रं ज्ञेयम् । कीदृशम् ? षोडशाधारबन्धनं षोडशसंख्याका ये आधारा अङ्गुष्ठाधारादिब्रह्मरन्ध्रान्तास्तेषां बन्धनं बन्धनकारकम् ।

‘ अङ्गुष्ठगुल्फजानूरुसीवनीलिङ्गनाभयः ।
हृद् ग्रीवा कण्ठदेशश्च लम्बिका नासिका तथा ॥
भ्रूमध्यं च ललाटं च मूर्धा च ब्रह्मरन्ध्रकम् ।
एते हि षोडशाधाराः कथिता योगिपुंगवैः ॥ ’

तेष्वाधारेषु धारणायाः फलविशेषस्तु गोरक्षसिद्धान्तादवगन्तव्यः ॥७३॥

मूलस्थानं समाकुञ्च्य उड्डियानं तु कारयेत् ।
इडां च पिङ्गलां बद्ध्वा वाहयेत् पश्चिमे पथि ॥ ७४ ॥

उक्तस्य बन्धत्रयस्योपयोगमाह—मूलस्थानमिति । मूलस्थानमाधारभूतमाधारस्थानं समाकुञ्च्य सम्यगाकुञ्च्य उड्डियानं नाभेः पश्चिमतानरूपं बन्धं कारयेत् कुर्यात् । णिजर्थोऽविवक्षितः । इडां गङ्गां पिङ्गलां यमुनां च बद्ध्वा । जालंधरबन्धेनेत्यर्थः । ‘ कण्ठसंकोचनेनैव द्वे नाड्यौ स्तम्भयेद् दृढम् ’ (III. 73) इत्युक्तेः । पश्चिमे पथि सुषुम्नामार्गे वाहयेद् गमयेत् प्राणमिति शेषः ॥ ७४ ॥

अनेनैव विधानेन प्रयाति पवनो लयम् ।
ततो न जायते मृत्युर्जरारोगादिकं तथा ॥ ७५ ॥

अनेनेति। अनेनैवोक्तेनैव विधानेन विधिना पवनः प्राणो लयं स्थैर्यं प्रयाति। गत्यभावपूर्वकं ब्रह्मरन्ध्रे स्थितिः प्राणस्य लयः। ततः प्राणस्य लयान्मृत्युर्जरारोगादिकम्, तथा चार्थे, न जायते नोद्भवति। आदिपदेन वलीपलिततन्द्रालस्यादिकं ग्राह्यम् ॥ ७५ ॥

बन्धत्रयमिदं श्रेष्ठं महासिद्धैश्च सेवितम्।
सर्वेषां हठतन्त्राणां साधनं योगिनो विदुः ॥ ७६ ॥

बन्धत्रयमिति। इदं पूर्वोक्तं बन्धत्रयं श्रेष्ठं षोडशाधारबन्धेष्वतिप्रशस्तं महासिद्धैर्मत्स्येन्द्रादिभिश्चकाराद् वसिष्ठादिमुनिभिः सेवितं, सर्वेषां हठतन्त्राणां हठोपायानां साधनं सिद्धिजनकं योगिनो गोरक्षाद्या विदुर्जानन्ति ॥ ७६ ॥

यत्किंचित् स्रवते चन्द्रादमृतं दिव्यरूपिणः।
तत्सर्वं ग्रसते सूर्यस्तेन पिण्डो जरायुतः ॥ ७७ ॥

विपरीतकरणीं विवक्षुस्तदुपोद्घातत्वेन पिण्डस्य जराकरणं तावदाह— यत्किंचिदिति। दिव्यमुत्कृष्टं सुधामयं रूपं यस्य स तथा तस्माद् दिव्यरूपिणश्चन्द्रात् सोमात् तालुमूलस्थाद् यत्किंचिद् यत्किमप्यमृतं पीयूषं स्रवते पतति, तत्सर्वं सर्वं तत्पीयूषं सूर्यो नाभिस्थोऽनलात्मकः ग्रसते ग्रासीकरोति। तदुक्तं गोरक्षनाथेन (57-8)—

'नाभिदेशे स्थितो नित्यं भास्करो दहनात्मकः।
अमृतात्मा स्थितो नित्यं तालुमूले च चन्द्रमाः ॥
वर्षत्यधोमुखश्चन्द्रो ग्रसत्यूर्ध्वमुखो रविः।
करणं तच्च कर्तव्यं येन पीयूषमाप्यते ॥'

इति। तेन सूर्यकर्तृकामृतग्रसनेन पिण्डो देहो जरायुतः जरसा युक्तो भवति ॥ ७७ ॥

तत्रास्ति करणं दिव्यं सूर्यस्य मुखवञ्चनम् ।
गुरूपदेशतो ज्ञेयं न तु शास्त्रार्थकोटिभिः ॥ ७८ ॥

तत्रेति । तत्र तद्विषये सूर्यस्य नाभिस्थानलस्य मुखं वञ्च्यतेऽनेनेति तादृशं दिव्यमुत्तमं करणं वक्ष्यमाणमुद्राख्यमस्ति । तद्गुरूपदेशतः गुरूपदेशाज्ज्ञेयं ज्ञातुं शक्यम् । शास्त्रार्थानां कोटिभिः न तु नैव ज्ञातुं शक्यम् ॥ ७८ ॥

ऊर्ध्वनाभेरधस्तालोरूर्ध्वं भानुरधः शशी ।
करणी विपरीताख्या गुरुवाक्येन लभ्यते ॥ ७९ ॥

विपरीतकरणीमाह—ऊर्ध्वनाभेरिति । ऊर्ध्वमुपरिभागे नाभिर्यस्य स ऊर्ध्वनाभिस्तस्योर्ध्वनाभेरधः अधोभागे तालु तालुस्थानं यस्य सोऽधस्तालुस्तस्याधस्तालोर्योगिन ऊर्ध्वमुपरिभागे भानुर्दहनात्मकः सूर्यो भवति । अधः अधोभागे शश्यमृतात्मा चन्द्रो भवति । प्रथमान्तपाठे तु यदा ऊर्ध्वनाभिरधस्तालुर्योगी भवति तदोर्ध्वं भानुरधः शशी भवति, इति यदातदापदयोरध्याहारेणान्वयः । इयं विपरीताख्या विपरीतनामिका करणी । ऊर्ध्वाधःस्थितयोश्चन्द्रसूर्ययोरधऊर्ध्वकरणेनान्वर्था गुरुवाक्येन गुरोर्वाक्येनैव लभ्यते प्राप्यते नान्यथा ॥ ७९ ॥

नित्यमभ्यासयुक्तस्य जठराग्निविवर्धिनी ।
आहारो बहुलस्तस्य संपाद्यः साधकस्य च ॥ ८० ॥

नित्यमिति । नित्यं प्रतिदिनमभ्यासोऽभ्यसनं तस्मिन् युक्तस्यावहितस्य जठराग्निरुदराग्निस्तस्य विवर्धिनी विशेषेण वर्धिनीति विपरीतकरणीविशेषणम् । तस्य साधकस्य विपरीतकरण्यभ्यासिन आहारो भोजनं बहुलो यथेच्छः संपाद्यः संपादनीयः । चः पादपूरणे ॥ ८० ॥

अल्पाहारो यदि भवेदग्निर्दहति तत्क्षणात् ।
अधःशिराश्चोर्ध्वपादः क्षणं स्यात् प्रथमे दिने ॥ ८१ ॥

अल्पाहार इति । यद्यल्पाहारः अल्पो भोक्तुमिष्टादूनः आहारो भोजनं यस्य तादृशो भवेत् स्यात् तदाग्निर्जठरानलो देहं तत्क्षणात् क्षणमात्राद् दहेत् । शीघ्रं दहेदित्यर्थः । ऊर्ध्वाधःस्थितयोश्चन्द्रसूर्ययोरधऊर्ध्वकरणक्रियामाह । अधः-शिरा इति । अधः अधोभागे भूमौ शिरो यस्य सोऽधःशिराः, कराभ्यां कटिप्रदेश-मवलम्ब्य बाहुमूलादारभ्य कूर्परपर्यन्ताभ्यां बाहुभ्यां स्कन्धाभ्यां गलपृष्ठभागशिरः-पृष्ठभागाभ्यां च भूमिमवष्टभ्याधःशिरा भवेत् । ऊर्ध्वमुपर्यन्तरिक्षे पादौ यस्य स ऊर्ध्वपादः प्रथमे दिने आरम्भदिने क्षणं क्षणमात्रं स्यात् ॥ ८१ ॥

क्षणाच्च किंचिदधिकमभ्यसेच्च दिने दिने ।
वलितं पलितं चैव षण्मासोर्ध्वं न दृश्यते ।
याममात्रं तु यो नित्यमभ्यसेत् स तु कालजित् ॥ ८२ ॥

दिने दिने प्रतिदिनं क्षणात् किंचिदधिकं द्विक्षणं त्रिक्षणं, एवं दिनक्रमवृद्ध्याभ्यसेदभ्यासं कुर्यात् । विपरीतकरणीगुणानाह—वलितमिति । वलितं चर्मसंकोचः पलितं केशेषु शौक्ल्यं च । षण्णां मासानां समाहारः षण्मासं तस्मादूर्ध्वमुपरि नैव दृश्यते नैवावलोक्यते । साधकस्य देह इति वाक्याध्याहारः । यस्तु साधको याममात्रं प्रहरमात्रं नित्यमभ्यसेत् स तु कालजित् कालं मृत्युं जयतीति कालजिन्मृत्युजेता भवेत् । एतेन योगस्य प्रारब्धकर्मप्रतिबन्धकत्वमपि सूचितम् ।

तदुक्तं विष्णुधर्मे—

'स्वदेहारम्भकस्यापि कर्मणः संक्षयावहः ।
यो योगः पृथिवीपाल शृणु तस्यापि लक्षणम् ॥' इति ।

विद्यारण्यैरपि जीवन्मुक्तावुक्तम्—'यथा प्रारब्धकर्म तत्त्वज्ञानात् प्रबलं तथा तस्मादपि कर्मणो योगाभ्यासः प्रबलः । अतएव योगिनामुद्दालकवीतहव्यादीनां स्वेच्छया देहत्याग उपपद्यते' इति । भागवतेऽप्युक्तं—'दैवं जह्यात् समाधिना' (VII. 15. 24) इति ॥ ८२ ॥

अथ वज्रोली—

स्वेच्छया वर्तमानोऽपि योगोक्तैर्नियमैर्विना ।
वज्रोलीं यो विजानाति स योगी सिद्धिभाजनम् ॥ ८३ ॥

वज्रोल्यां प्रवृत्तिं जनयितुमादौ तत्फलमाह—स्वेच्छयेति । योऽभ्यासी वज्रोलीं वज्रोलीमुद्रां विजानाति विशेषेण स्वानुभवेन जानाति स योगी योगे योगशास्त्रे उक्ता योगोक्तास्तैर्योगोक्तैर्नियमैर्ब्रह्मचर्यादिभिर्विना ऋते स्वेच्छया निजेच्छया वर्तमानोऽपि व्यवहरन्नपि सिद्धिभाजनं सिद्धीनामणिमादीनां भाजनं पात्रं भवति ॥ ८३ ॥

तत्र वस्तुद्वयं वक्ष्ये दुर्लभं यस्य कस्यचित् ।
क्षीरं चैकं द्वितीयं तु नारी च वशवर्तिनी ॥ ८४ ॥

तत्साधनोपयोगि वस्तुद्वयमाह—तत्रेति । तत्र वज्रोल्यभ्यासे वस्तुनोर्द्वयं पदार्थयुग्मं वक्ष्ये कथयिष्ये । कीदृशं वस्तुद्वयम् ? यस्य कस्यचित् यस्यकस्यापि धनहीनस्य दुर्लभं दुःखेन लब्धुं शक्यं दुःखेनापि लब्धुमशक्यमिति वा । 'दुःस्यात्कष्टनिषेधयोः' इति कोशात् । किं तद्वस्तुद्वयमित्यपेक्षायामाह—क्षीरमिति । एकं वस्तु क्षीरं दुग्धं पानार्थं, मेहनानन्तरमिन्द्रियनैर्बल्यात् तद्बलार्थं क्षीरपानं युक्तम् । केचित्तु अभ्यासकाले आकर्षणार्थमित्याहुः । तदयुक्तम् । तस्यान्तर्गतस्य घनीभावे निर्गमनासंभवात् । द्वितीयं तु वस्तु वशवर्तिनी स्वाधीना नारी वनिता ॥ ८४ ॥

मेहनेन शनैः सम्यगूर्ध्वाकुञ्चनमभ्यसेत् ।
पुरुषोऽप्यथवा नारी वज्रोलीसिद्धिमाप्नुयात् ॥ ८५ ॥

वज्रोलीमुद्राप्रकारमाह—मेहनेनेति । मेहनेन स्त्रीसङ्गानन्तरं बिन्दोः क्षरणेन साधनभूतेन पुरुषः पुमानथवा नार्यपि योषिदपि शनैर्मन्दं सम्यक् यत्नपूर्वकमूर्ध्वाकुञ्चनमूर्ध्वमुपर्याकुञ्चनं मेण्ढ्राकुञ्चनेन बिन्दोरुपर्याकर्षणमभ्यसेद् वज्रोलीमुद्रासिद्धिमाप्नुयात् सिद्धिं गच्छेत् ॥ ८५ ॥

यत्नतः शस्तनालेन फूत्कारं वज्रकन्दरे ।
शनैः शनैः प्रकुर्वीत वायुसंचारकारणात् ॥ ८६ ॥

अथ वज्रोल्याः पूर्वाङ्गप्रक्रियामाह— यत्नत इति । शस्तः प्रशस्तो यो नालस्तेन शस्तनालेन सीसकादिनिर्मितेन नालेन शनैः शनैर्मन्दं मन्दं यथाग्नेर्धमनार्थं फूत्कारः क्रियते तादृशं फूत्कारं वज्रकन्दरे मेण्ढ्रविवरे वायोः संचारः सम्यग्वज्रकन्दरे चरणं गमनं तत्कारणात् तद्धेतोः प्रकुर्वीत प्रकर्षेण पुनःपुनः कुर्वीत । अथ वज्रोलीसाधनप्रक्रिया—सीसकनिर्मितां स्निग्धां मेण्ढ्रप्रवेशयोग्यां चतुर्दशाङ्गुलमात्रां शलाकां कारयित्वा तस्या मेण्ढ्रे प्रवेशनमभ्यसेत् । प्रथमदिने एकाङ्गुलमात्रां प्रवेशयेत् । द्वितीयदिने द्व्यङ्गुलमात्रां तृतीयदिने त्र्यङ्गुलमात्राम् । एवं क्रमेण वृद्धौ द्वादशाङ्गुलमात्राप्रवेशे मेण्ढ्रमार्गः शुद्धो भवति । पुनस्तादृशीं चतुर्दशाङ्गुलमात्रां द्व्यङ्गुलमात्रावक्रामूर्ध्वमुखां कारयित्वा तां द्वादशाङ्गुलमात्रां प्रवेशयेत् । वक्रमूर्ध्वमुखं द्व्यङ्गुलमात्रं बहिः स्थापयेत् । ततः सुवर्णकारस्य अग्निधमनसाधनीभूतनालसदृशं नालं गृहीत्वा तदग्रं मेण्ढ्रप्रवेशितद्वादशाङ्गुलस्य नालस्य वक्रोर्ध्वमुखद्व्यङ्गुलमध्ये प्रवेश्य फूत्कारं कुर्यात् । तेन सम्यक् मार्गशुद्धिर्भवति । ततः कोष्णस्य जलस्य मेण्ढ्रेणाकर्षणमभ्यस्येत् । जलाकर्षणे सिद्धे पूर्वोक्तश्लोकरीत्या बिन्दोरूर्ध्वाकर्षणमभ्यस्येत्

बिन्द्वाकर्षणे सिद्धे वज्रोलीमुद्रासिद्धिः। इयं जितप्राणस्यैव सिध्यति, नान्यस्य। खेचरीमुद्राप्राणजयोभयसिद्धौ तु सम्यग् भवति ॥ ८६ ॥

नारीभगे पतद्बिन्दुमभ्यासेनोर्ध्वमाहरेत्।
चलितं च निजं बिन्दुमूर्ध्वमाकृष्य रक्षयेत् ॥ ८७ ॥

एवं वज्रोल्यभ्यासे सिद्धे तदुत्तरं साधनमाह—नारीभग इति। नारीभगे स्त्रीयोनौ पततीति पतन् पतंश्चासौ बिन्दुश्च पतद्बिन्दुस्तं पतद्बिन्दुं रतिकाले पतन्तं बिन्दुमभ्यासेन वज्रोलीमुद्राभ्यासेनोर्ध्वमुपर्याहरेदाकर्षयेत्, पतनात् पूर्वमेव। यदि पतनात् पूर्वं बिन्दोराकर्षणं न स्यात् तर्हि पतितमाकर्षयेदित्याह—चलितं चेति। चलितं नारीभगे पतितं निजं स्वकीयं बिन्दुं चकारात् तद्रजः ऊर्ध्वमुपर्याकृष्याहृत्य रक्षयेत् स्थापयेत् ॥ ८७ ॥

एवं संरक्षयेद् बिन्दुं मृत्युं जयति योगवित्।
मरणं बिन्दुपातेन जीवनं बिन्दुधारणात् ॥ ८८ ॥

वज्रोलीगुणानाह—एवमिति। एवमुक्तरीत्या बिन्दुं यः संरक्षयेत् सम्यग् रक्षयेत् स योगविद् योगाभिज्ञो मृत्युं जयत्यभिभवति। यतो बिन्दोः शुक्रस्य पातेन पतनेन मरणं भवति। बिन्दोर्धारणं बिन्दुधारणं तस्माद् बिन्दुधारणाज्जीवनं भवति। तस्माद् बिन्दुं संरक्षयेदित्यर्थः ॥ ८८ ॥

सुगन्धो योगिनो देहे जायते बिन्दुधारणात्।
यावद् बिन्दुः स्थिरो देहे तावत् कालभयं कुतः ॥ ८९ ॥

सुगन्ध इति। योगिनो वज्रोल्यभ्यासिनो देहे बिन्दोः शुक्रस्य धारणं बिन्दुधारणं तस्मात् सुगन्धः शोभनो गन्धो जायते प्रादुर्भवति। देहे यावद् बिन्दुः स्थिरस्तावत् कालभयं मृत्युभयं कुतः। न कुतोऽपीत्यर्थः ॥ ८९ ॥

चित्तायत्तं नृणां शुक्रं शुक्रायत्तं च जीवितम् ।
तस्माच्छुक्रं मनश्चैव रक्षणीयं प्रयत्नतः ॥ ९० ॥

चित्तायत्तमिति । हि यस्मान्नृणां शुक्रं वीर्यं चित्तायत्तम् । चित्ते चले चलत्वात्, चित्ते स्थिरे स्थिरत्वाच्चित्ताधीनम् । जीवितं जीवनं शुक्रायत्तं, शुक्रे स्थिरे जीवनाच्छुक्रे नष्टे मरणात् शुक्राधीनं, तस्माच्छुक्रं बिन्दुं मनश्च मानसं च प्रकृष्टाद् यत्नादिति प्रयत्नतः रक्षणीयमेव । अवश्यं रक्षणीयमित्यर्थः । एव-शब्दो भिन्नक्रमः ॥ ९० ॥

ऋतुमत्या रजोऽप्येवं निजं बिन्दुं च रक्षयेत् ।
मेण्ढ्रेणाकर्षयेदूर्ध्वं सम्यगभ्यासयोगवित् ॥ ९१ ॥

ऋतुमत्या इति । एवं पूर्वोक्तेनाभ्यासेन ऋतुर्विद्यते यस्याः सा ऋतुमती तस्या ऋतुमत्या ऋतुस्नातायाः स्त्रिया रजः निजं स्वकीयं बिन्दुं च रक्षयेत् । पूर्वोक्ताभ्यासं दर्शयति—मेण्ढ्रेणेति । अभ्यासो वज्रोल्यभ्यासः स एव योगो योगसाधनत्वात् तं वेत्तीत्यभ्यासयोगवित्, मेण्ढ्रेण गुह्येन्द्रियेण सम्यग् यत्न-पूर्वकमूर्ध्वमुपर्याकर्षयेत् । रजो बिन्दुं चेति कर्माध्याहारः । अयं श्लोकः प्रक्षिप्तः ॥ ९१ ॥

अथ सहजोलिः—

सहजोलिश्चामरोलिर्वज्रोल्या भेद एकतः ।
जले सुभस्म निक्षिप्य दग्धगोमयसंभवम् ॥ ९२ ॥

सहजोल्यमरोल्यौ विवक्षुस्तयोर्वज्रोलीविशेषत्वमाह—सहजोलिश्चेति । वज्रोल्या भेदो विशेषः सहजोलिरमरोलिश्च । तत्र हेतुः एकतः एकत्वादेक-फलत्वादित्यर्थः । एकशब्दाद्भावप्रधानात् पञ्चम्यास्तसिल् । सहजोलिमाह—

जल इति। गोः पुरीषाणि गोमयानि दग्धानि च तानि गोमयानि च दग्धगोमयानि तेषु संभव उत्पत्तिर्यस्य तद्दग्धगोमयसंभवं शोभनं भस्म सुभस्म विभूतिः तत् जले तोये निक्षिप्य तोयमिश्रं कृत्वेत्युत्तरश्लोकेनान्वेति ॥ ९२ ॥

वज्रोलीमैथुनादूर्ध्वं स्त्रीपुंसोः स्वङ्गलेपनम्।
आसीनयोः सुखेनैव मुक्तव्यापारयोः क्षणात् ॥ ९३ ॥

वज्रोलीति। वज्रोलीमुद्रार्थं मैथुनं तस्मादूर्ध्वमनन्तरं सुखेनैवानन्देनैवासीनयोरुपविष्टयोः क्षणादृत्युःसवान्मुक्तस्त्यक्तो व्यापारो रतिक्रिया याभ्यां तौ मुक्तव्यापारौ तयोर्मुक्तव्यापारयोः स्त्री च पुमांश्च स्त्रीपुंसौ तयोः स्त्रीपुंसयोः स्वङ्गलेपनं शोभनान्यङ्गानि स्वङ्गानि मूर्धललाटनेत्रहृदयस्कन्धभुजादीनि तेषु लेपनम्। कुर्यादिति शेषः ॥ ९३ ॥

सहजोलिरियं प्रोक्ता श्रद्धेया योगिभिः सदा।
अयं शुभकरो योगो भोगयुक्तोऽपि मुक्तिदः ॥ ९४ ॥

सहजोलिरिति। इयमुक्ता क्रिया सहजोलिरिति प्रोक्ता कथिता योगिभिर्मत्स्येन्द्रादिभिः। कीदृशी? सदा श्रद्धेया सर्वदा श्रद्धातुं योग्या। अयं सहजोल्याख्यो योग उपायः शुभकरः शुभं श्रेयः करोतीति शुभकरः। 'योगः संनहनोपायध्यानसंगतियुक्तिषु' (*Ak.*, III. 3. 22) इत्यभिधानात्। कीदृशो योगः? भोगेन स्त्रीसङ्गेन युक्तोऽपि मुक्तिदो मोक्षदः ॥ ९४ ॥

अयं योगः पुण्यवतां धीराणां तत्त्वदर्शिनाम्।
निर्मत्सराणां वै सिध्येन्न तु मत्सरशालिनाम् ॥ ९५ ॥

अयं योग इति। अयमुक्तो योगः पुण्यं विद्यते येषां ते पुण्यवन्तः सुकृतिनस्तेषां पुण्यवतां धीराणां धैर्यवतां, तत्त्वं वास्तविकं द्रष्टुं शीलं येषां ते

तत्त्वदर्शिनस्तेषां तत्त्वदर्शिनाम् । मत्सरान्निष्क्रान्ता निर्मत्सरास्तेषां निर्मत्सराणा-
मन्यगुणद्वेषरहितानाम् । 'मत्सरोऽन्यगुणद्वेषः' इत्यमरः (III. 3. 172) ।
तादृशानां पुंसां सिध्येत् सिद्धिं गच्छेत् । मत्सरशालिनां मत्सरवतां तु न
सिध्येत् ॥ ९५ ॥

अथामरोली—

पित्तोल्बणत्वात् प्रथमाम्बुधारां
विहाय निःसारतयान्त्यधाराम् ।
निषेव्यते शीतलमध्यधारा
कापालिके खण्डमतेऽमरोली ॥ ९६ ॥

अमरोलीमाह—पित्तोल्बणत्वादिति । पित्तेनोल्बणोत्कटा पित्तोल्बणा
तस्या भावः पित्तोल्बणत्वं तस्मात् । यथा प्रथमा पूर्वा याम्बुनः शिवाम्बुनो धारा
तां विहाय शिवाम्बुनिर्गमनसमये किंचित् पूर्वां धारां त्यक्त्वा । निर्गतः सारो
यस्याः सा निःसारा तस्या भावो निःसारता तया निःसारतया निःसारत्वेनान्त्य-
धारा अन्त्या चरमा या धारा तां विहाय किंचिदन्त्यां धारां त्यक्त्वा । शीतला
पित्तादिदोषनिःसारत्वरहिता या मध्यधारा मध्यमा धारा सा निषेव्यते नितरां
सेव्यते । खण्डो योगविशेषो मतोऽभिमतो यस्य स खण्डमतस्तस्मिन् खण्डमते
कापालिकस्यायं कापालिकस्तस्मिन् कापालिके खण्डकापालिकसंप्रदाय इत्यर्थः ।
अमरोली प्रसिद्धेति शेषः ॥ ९६ ॥

अमरीं यः पिबेन्नित्यं नस्यं कुर्वन् दिने दिने ।
वज्रोलीमभ्यसेत् सम्यक् सामरोलीति कथ्यते ॥ ९७ ॥

अमरीमिति । अमरीं शिवाम्बु यः पुमान् नित्यं पिबेत् । नस्यं
कुर्वन् श्वासेनामर्या घ्राणान्तर्ग्रहणं कुर्वन् सन् दिने दिने प्रतिदिनं वज्रोलीं

'मेहनेन शनैः' (III. 85) इति श्लोकेनोक्तां सम्यगभ्यसेत् सामरोलीति कथ्यते। कापालिकैरिति शेषः। अमरीपानामरीनस्यपूर्विका वज्रोल्यमरोलीशब्देनोच्यत इत्यर्थः॥ ९७॥

अभ्यासान्निःसृतां चान्द्रीं विभूत्या सह मिश्रयेत्।
धारयेदुत्तमाङ्गेषु दिव्यदृष्टिः प्रजायते॥ ९८॥

अभ्यासादिति। अभ्यासादमरोल्यभ्यासान्निःसृतां निर्गतां चान्द्रीं चन्द्रस्येयं चान्द्री तां चान्द्रीं सुधां विभूत्या भस्मना सह साकं मिश्रयेत् संयोजयेत्। उत्तमाङ्गेषु शिरःकपालनेत्रस्कन्धकण्ठहृदयभुजादिषु धारयेत्। भस्ममिश्रितां चान्द्रीमिति शेषः। दिव्या अतीतानागतवर्तमानव्यवहितविप्रकृष्टपदार्थदर्शनयोग्या दृष्टिर्यस्य स दिव्यदृष्टिर्दिव्यदृक् प्रजायते प्रकर्षेण जायते। अमरीसेवनप्रकारविशेषाः शिवाम्बुकल्पादवगन्तव्याः॥ ९८॥

पुंसो बिन्दुं समाकुञ्च्य सम्यगभ्यासपाटवात्।
यदि नारी रजो रक्षेद् वज्रोल्या सापि योगिनी॥ ९९॥

पुंसो वज्रोलीसाधनमुक्त्वा नार्यास्तदाह—पुंसो बिन्दुमिति। सम्यगभ्यासस्य सम्यगभ्यसनस्य पाटवं पटुत्वं तस्मात् पुंसः पुरुषस्य बिन्दुं वीर्यं समाकुञ्च्य सम्यगाकृष्य नारी स्त्री यदि रजो वज्रोल्या वज्रोलीमुद्रया रक्षेत्, सापि नारी योगिनी प्रशस्तयोगवती ज्ञेया। पुंसो बिन्दुसमायुक्तमिति पाठे तु एतद्रजसो विशेषणम्॥ ९९॥

तस्याः किंचिद् रजो नाशं न गच्छति न संशयः।
तस्याः शरीरे नादश्च बिन्दुतामेव गच्छति॥ १००॥

नारीकृताया वज्रोल्याः फलमाह—तस्या इति। तस्या वज्रोल्यभ्यसनशीलाया नार्या रजः किंचित् किमपि स्वल्पमपि नाशं न गच्छति नष्टं न भवति पतनं न प्राप्नोतीत्यर्थः। अत्र संशयो न, संदेहो न। तस्या नार्याः शरीरे नादश्च बिन्दुतामेव गच्छति मूलाधारादुत्थितो नादो हृदयोपरि बिन्दुभावं गच्छति। बिन्दुना सहैकीभवतीत्यर्थः। अमृतसिद्धौ—

'बीजं च पौरुषं प्रोक्तं रजश्च स्त्रीसमुद्भवम्।
अनयोर्बाह्ययोगेन सृष्टिः संजायते नृणाम्॥
यदाभ्यन्तरयोगः स्यात् तदा योगीति गीयते।
बिन्दुश्चन्द्रमयः प्रोक्तो रजः सूर्यमयं तथा॥
अनयोः संगमादेव जायते परमं पदम्।
स्वर्गदो मोक्षदो बिन्दुर्धर्मदोऽधर्मदस्तथा॥
तन्मध्ये देवताः सर्वास्तिष्ठन्ते सूक्ष्मरूपतः॥' इति॥ १००॥

स बिन्दुस्तद्रजश्चैव एकीभूय स्वदेहगौ।
वज्रोल्यभ्यासयोगेन सर्वसिद्धिं प्रयच्छतः॥ १०१॥

स बिन्दुरिति। स पुंसो बिन्दुस्तद्रजो नार्या रजश्चैव वज्रोलीमुद्राया अभ्यासो वज्रोल्यभ्यासः स एव योगस्तेनैकीभूय मिलित्वा स्वदेहगौ स्वदेहे गतौ सर्वसिद्धिं प्रयच्छतः दत्तः॥ १०१॥

रक्षेदाकुञ्चनादूर्ध्वं या रजः सा हि योगिनी।
अतीतानागतं वेत्ति खेचरी च भवेद् ध्रुवम्॥ १०२॥

रक्षेदिति। या नार्याकुञ्चनाद्योनिसंकोचनादूर्ध्वमुपरि स्थाने नीत्वा रजो रक्षेत्। हीति प्रसिद्धं योगशास्त्रे। सा योगिन्यतीतानागतं भूतं भविष्यं च वस्तु

वेत्ति जानाति ध्रुवमिति निश्चितं खेऽन्तरिक्षे चरतीति खेचर्यन्तरिक्षचरी च भवेत् ॥ १०२ ॥

देहसिद्धिं च लभते वज्रोल्यभ्यासयोगतः ।
अयं पुण्यकरो योगो भोगे भुक्तेऽपि मुक्तिदः ॥ १०३ ॥

देहसिद्धिमिति । वज्रोल्या अभ्यासस्य योगो युक्तिस्तस्माद् देहस्य सिद्धिं रूपलावण्यबलवज्रसंहननत्वरूपां लभते । अयं योगो वज्रोल्यभ्यासयोगः पुण्यकरोऽदृष्टविशेषजनकः । कीदृशो योगः? भुज्यत इति भोगो विषयस्तस्मिन् भुक्तेऽपि मुक्तिदो मोक्षदः ॥ १०३ ॥

अथ शक्तिचालनम्—

कुटिलाङ्गी कुण्डलिनी भुजङ्गी शक्तिरीश्वरी ।
कुण्डल्यरुन्धती चैते शब्दाः पर्यायवाचकाः ॥ १०४ ॥

शक्तिचालनं विवक्षुस्तदुपोद्घाततया कुण्डलीपर्यायान् तया मोक्षद्वार-विभेदनादिकं चाह सप्तभिः—कुटिलाङ्गीति । कुटिलाङ्गी । १ । कुण्डलिनी । २ । भुजङ्गी । ३ । शक्तिः । ४ । ईश्वरी । ५ । कुण्डली । ६ । अरुन्धती । ७ । चैते सप्त शब्दाः पर्यायवाचका एकार्थवाचकाः ॥ १०४ ॥

उद्घाटयेत् कपाटं तु यथा कुञ्चिकया हठात् ।
कुण्डलिन्या तथा योगी मोक्षद्वारं विभेदयेत् ॥ १०५ ॥

उद्घाटयेदिति । यथा येन प्रकारेण पुमान् कुञ्चिकया कपाटार्गलोत्सारण-साधनीभूतया हठाद् बलात् कपाटमररमुद्घाटयेदुत्सारयेत् । हठादिति देहलीदी-पन्यायेनोभयत्र संबध्यते । तथा तेन प्रकारेण योगी हठाद्धठाभ्यासात् कुण्ड-

लिन्या शक्त्या मोक्षद्वारं मोक्षस्य द्वारं प्रापकं सुषुम्नामार्गं विभेदयेद्विशेषेण भेदयेत्। 'तयोर्ध्वमायन्नमृतत्वमेति' इति श्रुतेः (*Ch. Up.*, VIII. 6. 6) ॥१०५॥

येन मार्गेण गन्तव्यं ब्रह्मस्थानं निरामयम्।
मुखेनाच्छाद्य तद्वारं प्रसुप्ता परमेश्वरी ॥ १०६ ॥

येनेति। आमयो रोगजन्यं दुःखं दुःखमात्रोपलक्षणं तस्मान्निर्गतं निरामयं दुःखमात्ररहितं ब्रह्मस्थानं ब्रह्माविर्भावजनकं स्थानं ब्रह्मस्थानं ब्रह्मरन्ध्रम्। 'तस्याः शिखाया मध्ये परमात्मा व्यवस्थितः' (*Mah. Nār.*, XI. 13) इति श्रुतेः। येन मार्गेण सुषुम्नामार्गेण गन्तव्यं गमनार्हमस्ति तद्वारं तस्य मार्गस्य द्वारं प्रवेशमार्गं मुखेनास्येनाच्छाद्य रुद्ध्वा परमेश्वरी कुण्डलिनी। प्रसुप्ता निद्रितास्ति ॥ १०६ ॥

कन्दोर्ध्वे कुण्डली शक्तिः सुप्ता मोक्षाय योगिनाम्।
बन्धनाय च मूढानां यस्तां वेत्ति स योगवित् ॥ १०७ ॥

कन्दोर्ध्व इति। कुण्डली शक्तिः कन्दोर्ध्वे कन्दस्योपरिभागे योगिनां मोक्षाय सुप्ता, मूढानां बन्धनाय सुप्ता। योगिनस्तां चालयित्वा मुक्ता भवन्ति। मूढास्तदज्ञानाद् बद्धास्तिष्ठन्तीति भावः। तां कुण्डलिनीं यो वेत्ति स योगवित्। सर्वेषां योगतन्त्राणां कुण्डल्याश्रयत्वादित्यर्थः ॥ १०७ ॥

कुण्डली कुटिलाकारा सर्पवत्परिकीर्तिता।
सा शक्तिश्चालिता येन स मुक्तो नात्र संशयः ॥ १०८ ॥

कुण्डलीति। कुण्डली शक्तिः सर्पवद्भुजङ्गवत् कुटिल आकारः स्वरूपं यस्याः सा कुटिलाकारा परिकीर्तिता कथिता योगिभिः। सा कुण्डली शक्तिर्येन

पुंसा चालिता मूलाधारादूर्ध्वं नीता स मुक्तोऽज्ञानबन्धान्निवृत्तः । अत्रास्मिन्नर्थे संशयो न संदेहो नास्तीत्यर्थः । 'तयोर्ध्वमायन्नमृतत्वमेति' इति श्रुतेः (*Ch. Up.*, VIII. 6. 6) ॥ १०८ ॥

गङ्गायमुनयोर्मध्ये बालरण्डां तपस्विनीम् ।
बलात्कारेण गृह्णीयात् तद्विष्णोः परमं पदम् ॥ १०९ ॥

गङ्गायमुनयोरिति । गङ्गायमुनयोराधाराधेयभावेन तयोर्भावनाद् गङ्गायमुनयोरभेदेन भावनाद्वा गङ्गायमुने इडापिङ्गले तयोर्मध्ये सुषुम्नामार्गे तपस्विनीं निरशनस्थितेः, बालरण्डां बालरण्डाशब्दवाच्यां कुण्डलीं बलात्कारेण हठेन गृह्णीयात् । तत्तस्या गङ्गायमुनयोर्मध्ये ग्रहणं विष्णोर्हरेर्व्यापकस्यात्मनो वा परमं पदं परमपदप्रापकम् ॥ १०९ ॥

इडा भगवती गङ्गा पिङ्गला यमुना नदी ।
इडापिङ्गलयोर्मध्ये बालरण्डा च कुण्डली ॥ ११० ॥

गङ्गायमुनादिपदार्थमाह—इडेति । इडा वामनिःश्वासा नाडी भगवत्यैश्वर्यादिसंपन्ना गङ्गा गङ्गापदवाच्या, पिङ्गला दक्षिणनिःश्वासा यमुना यमुनाशब्दवाच्या नदी । इडापिङ्गलयोर्मध्ये मध्यगता या कुण्डली सा बालरण्डा बालरण्डाशब्दवाच्या ॥ ११० ॥

पुच्छे प्रगृह्य भुजगीं सुप्तामुद्बोधयेच्च ताम् ।
निद्रां विहाय सा शक्तिरूर्ध्वमुत्तिष्ठते हठात् ॥ १११ ॥

शक्तिचालनमाह—पुच्छ इति । सुप्तां निद्रितां भुजगीं तां कुण्डलिनीं पुच्छे प्रगृह्योद्बोधयेत् प्रबोधयेत् सा शक्तिः कुण्डली निद्रां विहाय हठादूर्ध्वं तिष्ठत इत्यन्वयः । एतद्रहस्यं तु गुरुमुखादवगन्तव्यम् ॥ १११ ॥

अवस्थिता चैव फणावती सा
प्रातश्च सायं प्रहरार्धमात्रम् ।
प्रपूर्य सूर्यात् परिधानयुक्त्या
प्रगृह्य नित्यं परिचालनीया ॥ ११२ ॥

अवस्थितेति । अवस्थितार्वाक् स्थिता मूलाधारस्थिता फणावती भुजङ्गी सा कुण्डली सूर्यादापूर्य सूर्यात् पूरणं कृत्वा परिधाने युक्तिस्तया परिधानयुक्त्या प्रगृह्य गृहीत्वा । सायं सूर्यास्तसमये प्रातः सूर्योदयवेलायां नित्यमहरहः प्रहरस्य यामस्यार्धं प्रहरार्धं प्रहरार्धमेव प्रहरार्धमात्रं मुहूर्तद्वयमात्रं परिचालनीया परितश्चालयितुं योग्या । परिधानयुक्तिर्देशिकाद् बोध्या ॥ ११२ ॥

ऊर्ध्वं वितस्तिमात्रं तु विस्तारं चतुरङ्गुलम् ।
मृदुलं धवलं प्रोक्तं वेष्टिताम्बरलक्षणम् ॥ ११३ ॥

कन्दसंपीडनेन शक्तिचालनं विवक्षुरादौ कन्दस्य स्थानं स्वरूपं चाह—ऊर्ध्वमिति। मूलस्थानाद् वितस्तिमात्रं वितस्तिप्रमाणमूर्ध्वमुपरि नाभिमेण्ढ्रयोर्मध्ये । एतेन कन्दस्य स्थानमुक्तम् । तथा चोक्तं गोरक्षशतके (16)—

'उर्ध्वं मेढ्रादधो नाभेः कन्दयोनिः खगाण्डवत् ।
तत्र नाड्यः समुत्पन्नाः सहस्राणां द्विसप्ततिः ॥'

इति । याज्ञवल्क्यः—

'गुदात्तु द्व्यङ्गुलादूर्ध्वं मेढ्रात्तु द्व्यङ्गुलादधः ।
देहमध्यं तयोर्मध्यं मनुजानामितीरितम् ॥
कन्दस्थानं मनुष्याणां देहमध्यान्नवाङ्गुलम् ।
चतुरङ्गुलविस्तारमायामं च तथाविधम् ॥

अण्डाकृतिवदाकारभूषितं च त्वगादिभिः ।
चतुष्पदां तिरश्चां च द्विजानां तुन्दमध्यगम् ॥' इति ।
(*Yy.*, IV. 14, 16-17)

गुदाद् द्व्यङ्गुलोपर्येकाङ्गुलं मध्यं तस्मान्नवाङ्गुलं कन्दस्थानं, मिलित्वा द्वादशाङ्गुलप्रमाणं वितस्तिमात्रं जातम् । चतुर्णामङ्गुलानां समाहारश्चतुरङ्गुलं चतुरङ्गुलप्रमाणं विस्तारम् । विस्तारो दैर्घ्यस्याप्युपलक्षणम् । चतुरङ्गुलं दीर्घं च मृदुलं कोमलं धवलं शुभ्रं वेष्टितं वेष्टनाकारीकृतं यदम्बरं वस्त्रं तस्य लक्षणं स्वरूपमिव लक्षणं स्वरूपं यस्य तादृशं प्रोक्तं कथितम् । कन्दस्वरूपं योगिभिरिति शेषः ॥ ११३ ॥

सति वज्रासने पादौ कराभ्यां धारयेद् दृढम् ।
गुल्फदेशसमीपे च कन्दं तत्र प्रपीडयेत् ॥ ११४ ॥

सतीति । वज्रासने कृते सति कराभ्यां हस्ताभ्यां गुल्फौ पादग्रन्थी तयोर्देशौ प्रदेशौ तयोः समीपे गुल्फाभ्यां किंचिदुपरि । 'तद्ग्रन्थी घुटिके गुल्फौ' इत्यमरः (II. 6. 72) । पादौ चरणौ दृढं गाढं धारयेत् गृह्णीयात् । चकाराद् धृताभ्यां पादाभ्यां तत्र कन्दस्थाने कन्दं प्रपीडयेत् प्रकर्षेण पीडयेत् । गुल्फादूर्ध्वं कराभ्यां पादौ गृहीत्वा नाभेरधोभागे कन्दं पीडयेदित्यर्थः ॥ ११४ ॥

वज्रासने स्थितो योगी चालयित्वा च कुण्डलीम् ।
कुर्यादनन्तरं भस्त्रां कुण्डलीमाशु बोधयेत् ॥ ११५ ॥

वज्रासन इति । वज्रासने स्थितो योगी कुण्डलीं चालयित्वा शक्तिचालनमुद्रां कृत्वेत्यर्थः । अनन्तरं शक्तिचालनानन्तरं भस्त्रां भस्त्राख्यं कुम्भकं कुर्यात् । एवंरीत्या कुण्डलीं शक्तिमाशु शीघ्रं बोधयेत् प्रबुद्धां कुर्यात् ।

वज्रासने शक्तिचालनस्य पूर्वं विधानेऽपि पुनर्वज्रासनोपादानं शक्तिचालनानन्तरं भस्त्रायां वज्रासनमेव कर्तव्यमिति नियमार्थम् ॥ ११५ ॥

भानोराकुञ्चनं कुर्यात् कुण्डलीं चालयेत् ततः ।
मृत्युवक्त्रगतस्यापि तस्य मृत्युभयं कुतः ॥ ११६ ॥

भानोरिति । भानोर्नाभिदेशस्थस्य सूर्यस्याकुञ्चनं कुर्यात् । नाभेराकुञ्चनेनैवास्याकुञ्चनं भवति । ततो भानोराकुञ्चनात् कुण्डलीं शक्तिं चालयेत् । मृत्योर्वक्त्रं मुखं गतस्यापि प्राप्तस्यापि तस्य पुंसो मृत्युभयं कालभयं कुतः ? न कुतोऽपीत्यर्थः ॥ ११६ ॥

मुहूर्तद्वयपर्यन्तं निर्भयं चालनादसौ ।
ऊर्ध्वमाकृष्यते किंचित् सुषुम्नायां समुद्गता ॥ ११७ ॥

मुहूर्तद्वयेति । मुहूर्तयोर्द्वयं युग्मं घटिकाचतुष्टयात्मकं तत्पर्यन्तं तदवधि निर्भयं निःशङ्कं चालनादसौ शक्तिः सुषुम्नायां समुद्गता सती किंचिदूर्ध्वमाकृष्यते आकृष्टा भवति ॥ ११७ ॥

तेन कुण्डलिनी तस्याः सुषुम्नाया मुखं ध्रुवम् ।
जहाति तस्मात् प्राणोऽयं सुषुम्नां व्रजति स्वतः ॥ ११८ ॥

तेनेति । तेनोर्ध्वाकर्षणेन कुण्डलिनी तस्याः प्रसिद्धायाः सुषुम्नाया मुखं प्रवेशमार्गं ध्रुवं निश्चितं जहाति त्यजति । तस्मान्मार्गत्यागादयं प्राणवायुः स्वतः स्वयमेव सुषुम्नां व्रजति गच्छति । सुषुम्नामुखात् प्रागेव कुण्डलिन्या निर्गतत्वादिति भावः ॥ ११८ ॥

तस्मात् संचालयेन्नित्यं सुखसुप्तामरुन्धतीम् ।
तस्याः संचालनेनैव योगी रोगैः प्रमुच्यते ॥ ११९ ॥

तस्मादिति । यस्माच्छक्तिचालनेन प्राणः सुषुम्नां व्रजति तस्मात् सुखेन सुप्ता सुखसुप्ता तां सुखसुप्तामरुन्धतीं शक्तिं नित्यं प्रतिदिनं संचालयेत् सम्यक् चालयेत् । तस्याः शक्तेः संचालनेनैव संचालनमात्रेण योगी रोगैः कासश्वासज्वरादिभिः प्रमुच्यते प्रकर्षेण मुक्तो भवति ॥ ११९ ॥

येन संचालिता शक्तिः स योगी सिद्धिभाजनम् ।
किमत्र बहुनोक्तेन कालं जयति लीलया ॥ १२० ॥

येनेति । येन योगिना शक्तिः कुण्डली संचालिता स योगी सिद्धीनामणिमादीनां भाजनं पात्रं भवति । अत्रास्मिन्नर्थे बहुनोक्तेन बहुप्रशंसनेन किम् ? न किमपीत्यर्थः । कालं मृत्युं लीलया क्रीडयानायासेनैव जयत्यभिभवतीत्यर्थः ॥ १२० ॥

ब्रह्मचर्यरतस्यैव नित्यं हितमिताशिनः ।
मण्डलाद् दृश्यते सिद्धिः कुण्डल्यभ्यासयोगिनः ॥ १२१ ॥

ब्रह्मचर्येति । ब्रह्मचर्यं श्रोत्रादिभिः सहोपस्थसंयमस्तस्मिन् रतस्य तत्परस्य नित्यं सर्वदा हितं पथ्यं मितं चतुर्थांशवर्जितमश्नातीति तस्य कुण्डल्यभ्यासः शक्तिचालनाभ्यासः स एव योगः सोऽस्यास्तीति स तथा, तस्य मण्डलाच्चत्वारिंशद्दिनात्मकादनन्तरं सिद्धिः प्राणायामसिद्धिर्दृश्यते ।

'नासादक्षिणमार्गवाहिपवनात् प्राणोऽतिदीर्घीकृत-
श्चन्द्राभः परिपूरितामृततनुः प्राग्घण्टिकायास्ततः ।
छित्वा कालविशालवह्निवशगं भ्रूरन्ध्रनाडीगतं
तत्कायं कुरुते पुनर्नवतरं छिन्नद्रुमस्कन्धवत् ॥' १२१ ॥

कुण्डलीं चालयित्वा तु भस्त्रां कुर्याद् विशेषतः ।
एवमभ्यस्यतो नित्यं यमिनो यमभीः कुतः ॥ १२२ ॥

कुण्डलीमिति । कुण्डलीं चालयित्वा शक्तिचालनं कृत्वा । अथानन्तरमेव भस्त्रां भस्त्राख्यं कुम्भकं कुर्यात् । नित्यं प्रतिदिनम् । एवमुक्तप्रकारेणाभ्यस्यतो यमिनो योगिनो यमभीर्यमाद्भयं कुतः? न कुतोऽपीत्यर्थः । योगिनो देहत्यागस्य स्वाधीनत्वादिति तात्पर्यम् ॥ १२२ ॥

द्वासप्ततिसहस्राणां नाडीनां मलशोधने ।
कुतः प्रक्षालनोपायः कुण्डल्यभ्यसनादृते ॥ १२३ ॥

द्वासप्ततीति । द्वाभ्यामधिका सप्ततिः, द्वासप्ततिसंख्याकानि सहस्राणि द्वासप्ततिसहस्राणि तेषां तत्संख्याकानां नाडीनां मलशोधने कर्तव्ये सति कुण्डल्यभ्यसनाच्छक्तिचालनाभ्यासादृते विना कुतः प्रक्षालनोपायः? न कुतोऽपि । शक्तिचालनाभ्यासेनैव सर्वासां नाडीनां मलशोधनं भवतीत्यभिप्रायः ॥ १२३ ॥

इयं तु मध्यमा नाडी दृढाभ्यासेन योगिनाम् ।
आसनप्राणसंयाममुद्राभिः सरला भवेत् ॥ १२४ ॥

इयं त्विति । इयं मध्यमा नाडी सुषुम्ना योगिनां दृढाभ्यासेनासनं स्वस्तिकादि प्राणसंयामः प्राणायामो मुद्रा महामुद्रादिका तैः सरला ऋज्वी भवेत् ॥ १२४ ॥

अभ्यासे तु विनिद्राणां मनो धृत्वा समाधिना ।
रुद्राणी वा परा मुद्रा भद्रां सिद्धिं प्रयच्छति ॥ १२५ ॥

अभ्यास इति । समाधिनेतरवृत्तिनिरोधरूपेणैकाग्र्येण मनो धृत्वान्तःकरणं धारणानिष्ठं कृत्वाभ्यासे मनःस्थितौ यत्ने, विगता निद्रा येषां ते तथा तेषाम् । निद्रापदमालस्योपलक्षणम् । अनलसानामित्यर्थः । रुद्राणी शांभवी

मुद्रा वा अथवा परान्या उन्मन्यादिका, भद्रां शुभां सिद्धिं योगसिद्धिं प्रयच्छति ददाति । एतेन हठयोगोपकारको राजयोगः प्रोक्तः ॥ १२५ ॥

राजयोगं विना पृथ्वी राजयोगं विना निशा ।
राजयोगं विना मुद्रा विचित्रापि न शोभते ॥ १२६ ॥

राजयोगं विना आसनादीनां वैयर्थ्यमौपचारिकश्लेषेणाह—राजयोगमिति । वृत्त्यन्तरनिरोधपूर्वकात्मगोचरधारावाहिकनिर्विकल्पकवृत्ती राजयोगः । 'हठं विना राजयोगः' (II. 76) इत्यत्र सूचितस्तत्साधनाभ्यासो वा तं विना तमृते । पृथ्वीशब्देन स्थैर्यगुणयोगादासनं लक्ष्यते । तन्न राजते न शोभते । राजयोगं विना परमपुरुषार्थफलासिद्धेरिति हेतुरग्रेऽपि योजनीयः । राजयोगं विना निशेव निशा कुम्भको न राजते, निशायां प्रायेण जनसंचाराभावात् । निशाशब्देन प्राणसंचाराभावलक्षणः कुम्भको लक्ष्यते । राजयोगं विना मुद्रा महामुद्रादिरूपा विचित्रापि विविधापि विलक्षणापि वा न राजते न शोभते । पक्षान्तरे । राज्ञो नृपस्य योगो राजयोगो राजसंबन्धस्तं विना पृथ्वी भूमिर्न राजते । शास्तारं विना भूमौ नानोपद्रवसंभवात् । राजा चन्द्रः । 'सोमोऽस्माकं ब्राह्मणानां राजा' इति श्रुतेः (*TS.*, 1. 8. 10. 2) । तस्य योगं संबन्धं विना निशा रात्रिर्न राजते । राजयोगं विना नृपसंबन्धं विना मुद्रा राजभिः पत्रेषु क्रियमाणश्चिह्नविशेषः । विचित्रापि । पृथ्वीपक्षे रत्नादिजनकत्वेन विलक्षणापि, निशापक्षे ग्रहनक्षत्रादिभिर्विचित्रापि, मुद्रापक्षे रेखाभिर्विचित्रापि न राजते ॥ १२६ ॥

मारुतस्य विधिं सर्वं मनोयुक्तं समभ्यसेत् ।
इतरत्र न कर्तव्या मनोवृत्तिर्मनीषिणा ॥ १२७ ॥

मारुतस्येति । मारुतस्य वायोः सर्वं विधिं कुम्भकमुद्राविधानं मनोयुक्तं मनसा युक्तं समभ्यसेत् सम्यगभ्यस्येत् मनीषिणा बुद्धिमता पुंसा, इतरत्र

मारुतस्य विरेरन्यस्मिन् विषये मनोवृत्तिर्मनसो वृत्तिः प्रवृत्तिर्न कर्तव्या न कार्या ॥ १२७ ॥

इति मुद्रा दश प्रोक्ता आदिनाथेन शंभुना ।
एकैका तासु यमिनां महासिद्धिप्रदायिनी ॥ १२८ ॥

मुद्रा उपसंहरति—इतीति । आदिनाथेन सर्वेश्वरेण शंभुना शं सुखं भवत्यस्मादिति शंभुस्तेन । इत्युक्तरीत्या दश दशसंख्याका मुद्राः प्रोक्ताः कथिताः । तासु मुद्रासु मध्ये एकैकापि प्रत्येकमपि या काचन मुद्रा यमिनां यमवतां योगिनां महासिद्धिप्रदायिनी, अणिमादिप्रदात्री कैवल्यप्रदात्री वा ॥ १२८ ॥

उपदेशं हि मुद्राणां यो दत्ते सांप्रदायिकम् ।
स एव श्रीगुरुः स्वामी साक्षादीश्वर एव सः ॥ १२९ ॥

मुद्रोपदेष्टारं गुरुं प्रशंसति—उपदेशमिति । यः पुमान् मुद्राणां महामुद्रादीनां संप्रदायाद् योगिनां गुरुपरंपरारूपादागतं सांप्रदायिकमुपदेशं दत्ते ददाति । स एव स पुमानेव श्रीगुरुः श्रीमान् गुरुः, सर्वगुरुभ्यः श्रेष्ठ इत्यर्थः । स्वामी प्रभुः स एव, साक्षात्प्रत्यक्ष ईश्वर एव सः । ईश्वराभिन्न एव स इत्यर्थः ॥ १२९ ॥

तस्य वाक्यपरो भूत्वा मुद्राभ्यासे समाहितः ।
अणिमादिगुणैः सार्धं लभते कालवञ्चनम् ॥ १३० ॥

इति श्रीस्वात्मारामयोगीन्द्रविरचितायां हठयोगप्रदीपिकायां मुद्राविधानं नाम तृतीयोपदेशः

तस्येति। तस्य मुद्राणामुपदेष्टुर्गुरोर्वाक्यपरो वाक्यमासनकुम्भकाद्यनुष्ठानविषयकं युक्ताहारविहारचेष्टादिविषयकं च तस्मिन् परस्तत्परः, तत्परश्चादरवान्। आदरश्चावहिततया करणम्। भूत्वा संभूय मुद्राणां महामुद्रादीनामभ्यासः पौनःपुन्येनावर्तनं तस्मिन् मुद्राभ्यासे समाहितः सावधानः पुरुषोऽणिमादिगुणैरणिमादिसिद्धिभिः सार्धं साकं कालस्य मृत्योर्वञ्चनं प्रतारणं लभते प्राप्नोति ॥ १३० ॥

इति श्रीहठयोगप्रदीपिकाव्याख्यायां ब्रह्मानन्दकृतायां ज्योत्स्नाभिधायां मुद्राकथनं नाम तृतीयोपदेशः

चतुर्थोपदेशः

नमः शिवाय गुरवे नादबिन्दुकलात्मने ।
निरञ्जनपदं याति नित्यं तत्र परायणः ॥ १ ॥

प्रथमद्वितीयतृतीयोपदेशोक्तानामासनकुम्भकमुद्राणां फलभूतं राजयोगं विवक्षुः स्वात्मारामः श्रेयांसि बहुविघ्नानीति तत्र विघ्नबाहुल्यस्य संभवात् तन्निवृत्तये शिवाभिन्नगुरुनमस्कारात्मकं मङ्गलमाचरति—नम इति। शिवाय सुखरूपायेश्वराभिन्नाय वा । तदुक्तम्—'नमस्ते नाथ भगवन् शिवाय गुरुरूपिणे' इति । गुरवे देशिकाय यद्वा गुरवे सर्वान्तर्यामितया निखिलोपदेष्ट्रे शिवायेश्वराय। तथा च पातञ्जलसूत्रम्—'[स]पूर्वेषामपि गुरुः कालेनानवच्छेदात्' (1. 26) इति । नमः प्रह्वीभावोऽस्तु । कीदृशाय शिवाय? गुरवे नादबिन्दुकलात्मने । कांस्यघण्टानिर्ह्रादवदनुरणनं नादः। बिन्दुरनुस्वारोत्तरभावी ध्वनिः। कला नादैकदेशः, ता आत्मा स्वरूपं यस्य स तथा तस्मै । नादबिन्दुकलात्मना वर्तमानायेत्यर्थः। तत्र नादबिन्दुकलात्मनि शिवे गुरौ नित्यं प्रतिदिनं परायणोऽवहितः पुमान्। एतेन नादानुसंधानपरायण इत्युक्तम्। पूर्वपादेन गुरुशिवयोरभेदश्च सूचितः। अञ्जनं मायोपाधिस्तद्रहितं निरञ्जनं शुद्धं, पद्यते गम्यते योगिभिरिति पदं ब्रह्म याति प्राप्नोति । तथा च वक्ष्यति —'नादानुसंधानसमाधिभाजाम्' (IV. 81) इत्यादिना ॥ १ ॥

अथेदानीं प्रवक्ष्यामि समाधिक्रममुत्तमम् ।
मृत्युघ्नं च सुखोपायं ब्रह्मानन्दकरं परम् ॥ २ ॥

समाधिक्रमं प्रतिजानीते—अथेति। अथासनकुम्भकमुद्राकथनानन्तरमिदानीमस्मिन्नवसरे समाधिक्रमं प्रत्याहारादिरूपं प्रवक्ष्यामि प्रकर्षेण विविच्य वक्ष्यामीत्यन्वयः। कीदृशं समाधिक्रमम्? उत्तमं श्रीआदिनाथोक्तसपादकोटिसमाधिप्रकारेषूत्कृष्टम्। पुनः कीदृशम्? मृत्युं कालं हन्ति निवारयतीति मृत्युघ्नं स्वेच्छया देहत्यागजनकं तत्त्वज्ञानोदयमनोनाशवासनाक्षयैः सुखस्य जीवन्मुक्तिसुखस्योपायं प्राप्तिसाधनम्। पुनः कीदृशम्? परं ब्रह्मानन्दकरं प्रारब्धकर्मक्षये सति जीवब्रह्मणोरभेदेनात्यन्तिकब्रह्मानन्दप्राप्तिरूपविदेहमुक्तिकरम्। तत्र निरोधसमाधिना चित्तस्य ससंस्काराशेषवृत्तिनिरोधे शान्तघोरमूढावस्थानिवृत्तौ 'जीवन्नेव हि विद्वान् हर्षशोकाभ्यां विमुच्यते' इत्यादिश्रुत्युक्तनिर्विकारस्वरूपावस्थितिरूपा जीवन्मुक्तिर्भवति। परममुक्तिस्तु प्रारब्धभोगान्तेऽन्तःकरणगुणानां प्रतिप्रसवेनौपाधिकरूपात्यन्तिकनिवृत्तावात्यन्तिकस्वरूपावस्थानं प्रतिप्रसवसिद्धम्। व्युत्थाननिरोधसमाधिसंस्कारा मनसि लीयन्ते। मनोऽस्मितायामस्मिता महति महान् प्रधान इति चित्तगुणानां प्रतिप्रसवः प्रतिसर्गः स्वकारणे लयः। ननु जीवन्मुक्तस्य व्युत्थाने ब्राह्मणोऽहं मनुष्योऽहमित्यादिव्यवहारदर्शनाच्चित्तादिभिरौपाधिकभावजननादम्लेन दुग्धस्येव स्वरूपच्युतिः स्यादिति चेन्न। संप्रज्ञातसमाधावनुभूतात्मसंस्कारस्य निरोधसंस्कारस्य च तदानीं सत्त्वात्। ताभ्यां च व्युत्थानसंस्कारस्य दग्धबीजकल्पत्वाद् व्युत्थानव्यवहारस्याताात्त्विकत्वनिश्चयात्। अतात्त्विकान्यथाभावस्य विकारित्वाप्रयोजकत्वात्। अम्लेन दुग्धस्य दधिभावस्तु तात्त्विक इति दृष्टान्तवैषम्याच्च। पुरुषस्य त्वन्तःकरणोपाधिकोऽहं ब्राह्मण इत्यादिव्यवहारः स्फटिकस्य जपाकुसुमसंनिधानोपाधिररुणिमेव न तात्त्विकः। जपाकुसुमापगमे स्फटिकस्य स्वस्वरूपस्थितिवदन्तःकरणस्य सकलवृत्तिनिरोधे स्वस्वरूपावस्थितिरच्युतैव पुरुषस्य ॥ २ ॥

राजयोगः समाधिश्च उन्मनी च मनोन्मनी ।
अमरत्वं लयस्तत्त्वं शून्याशून्यं परं पदम् ॥ ३ ॥
अमनस्कं तथाद्वैतं निरालम्बं निरञ्जनम् ।
जीवन्मुक्तिश्च सहजा तुर्या चेत्येकवाचकाः ॥ ४ ॥

समाधिपर्यायान् विशेषेणाह—राजयोग इत्यादिना श्लोकद्वयेन । स्पष्टम् ॥ ३-४ ॥

सलिले सैन्धवं यद्वत् साम्यं भजति योगतः ।
तथात्ममनसोरैक्यं समाधिरभिधीयते ॥ ५ ॥

त्रिभिः समाधिमाह—सलिल इति । यद्वद्यथा सैन्धवं सिन्धुदेशोद्भवं लवणं सलिले जले योगतः संयोगात् साम्यं सलिलसाम्यं सलिलैक्यं भजति प्राप्नोति तथा तद्वदात्मा च मनश्चात्ममनसी तयोरात्ममनसोरैक्यमेकाकारता । आत्मनि धारितं मन आत्माकारं सदात्मसाम्यं भजति तादृशमात्ममनसोरैक्यं समाधिरभिधीयते समाधिशब्देनोच्यत इत्यर्थः ॥ ५ ॥

यदा संक्षीयते प्राणो मानसं च प्रलीयते ।
तदा समरसत्वं च समाधिरभिधीयते ॥ ६ ॥

यदा संक्षीयत इति । यदा यस्मिन् काले जितप्राणस्य योगिनः कुम्भककाले प्राणः शरीरान्तर्वर्ती वायुः कुम्भकेन निरुद्धवृत्तिकः प्राणः क्षीण इत्युच्यते, संक्षीयते सम्यक् क्षीणो भवति । मानसं च मनश्च प्रलीयते प्रकर्षेण लयं प्राप्नोति । आत्मनि स्थितस्य मनसः आत्माकारता लयः तदा तस्मिन् काले समरसत्वम् एकाकारत्वं मनसश्च आत्मनि स्थितस्य आत्माकारपरिणामेनात्माकारत्वम् । जपाकुसुमस्थस्य स्फटिकमणेर्जपाकुसुमाकारत्ववत् । तथा च पातञ्जलं

सूत्रम् 'क्षीणवृत्तेरभिजातस्येव मणेर्ग्रहीतृग्रहणग्राह्येषु तत्स्थतदञ्जनता समापत्तिः' (1. 41) इति। चकारेण समरसत्वस्य स्थैर्यं समुच्चीयते। अत एव पातञ्जलभाष्ये 'विक्षिप्ते चेतसि विक्षेपोपसर्जनीभूतः समाधिर्न योगपक्षे वर्तते' इत्युक्तम् (I. 1)। इत्थं चात्माकारमनोवृत्तेः स्थिरीभावः समाधिरभिधीयत इत्यर्थः। उक्ताभ्यां द्वाभ्यां श्लोकाभ्यां संप्रज्ञातः समाधिरुक्तः। सम्यक् संभूय विपर्ययरहितत्वेन प्रज्ञायते प्रकर्षेणापरोक्षतयानुभूयते भाव्यस्य स्वरूपमनेनेति संप्रज्ञातः समाधिः भावनाविशेषः। भावना च भाव्यस्य विषयान्तरपरिहारेण चेतसि पुनःपुनर्निवेशनम्। संप्रज्ञातः सालम्बनः सबीजो लयः—एते संप्रज्ञातस्य प्रसिद्धाः पर्यायाः ॥ ६ ॥

तत्समं च द्वयोरैक्यं जीवात्मपरमात्मनोः।
प्रनष्टसर्वसंकल्पः समाधिः सोऽभिधीयते ॥ ७ ॥

तत्सममिति। तत्समं पूर्वोक्तसमं द्वयोरुभयोः जीवात्मा अन्तःकरणोपहितं चैतन्यम्, परमात्मा सच्चिदानन्दलक्षणं, देशकालवस्तुपरिच्छेदशून्यं चैतन्यं, तयोरैक्यमभेदः। ऐक्यं विशिनष्टि प्रनष्टसर्वसंकल्प इति। प्रकर्षेण नष्टाः निरुद्धाः सर्वे ध्यातृध्यानध्येयादिरूपाः संकल्पाः सम्यक् कल्पनाः यस्मिन् तत् तादृशमैक्यम्, पुंलिङ्गपाठे समाधेर्विशेषणम्। सः योगशास्त्रप्रसिद्धः समाधिः निर्बीजः समाधिः अभिधीयते कथ्यते। तथा च पातञ्जलं सूत्रम्—'तस्यापि निरोधे सर्वनिरोधान्निर्बीजः समाधिः' (1. 51) इति। अनेनासंप्रज्ञातः समाधिरुक्तः। अन्वर्थश्चायम्, न किमपि सम्यग् ध्यातृध्यानध्येयत्वादिना प्रज्ञायतेऽस्मिन्निति असंप्रज्ञातः। असंप्रज्ञातो निरालम्बो निर्बीजो राजयोगो निरोधश्चैते असंप्रज्ञातस्य प्रसिद्धाः पर्यायाः ॥ ७ ॥

राजयोगस्य माहात्म्यं को वा जानाति तत्त्वतः।
ज्ञानं मुक्तिः स्थितिः सिद्धिर्गुरुवाक्येन लभ्यते ॥ ८ ॥

अथ राजयोगप्रशंसा—राजयोगस्येति । राजयोगस्यानन्तरमेवोक्तस्य माहात्म्यं प्रभावं तत्त्वतो वस्तुतः को वा जानाति ? न कोऽपि जानातीत्यर्थः । तत्त्वतो वक्तुमशक्यत्वेऽप्येकदेशेन राजयोगप्रभावमाह—ज्ञानमिति । ज्ञानं स्वस्वरूपापरोक्षानुभवो मुक्तिर्विदेहमुक्तिः स्थितिर्निर्विकारस्वरूपावस्थितिरूपा जीवन्मुक्तिः सिद्धिरणिमादिर्गुरुवाक्येन गुरुवचसा लभ्यते । राजयोगादिति शेषः ॥ ८ ॥

दुर्लभो विषयत्यागो दुर्लभं तत्त्वदर्शनम् ।
दुर्लभा सहजावस्था सद्गुरोः करुणां विना ॥ ९ ॥

दुर्लभ इति । विशेषेण सिन्वन्त्यवबध्नन्ति प्रमातारं स्वसङ्गेनेति विषया ऐहिका दारादय आमुष्मिकाः सुधादयस्तेषां त्यागो भोगेच्छाभावो दुर्लभः । तत्त्वदर्शनमात्मापरोक्षानुभवः दुर्लभम् । सहजावस्था तुर्यावस्था । सद्गुरोः 'दृष्टिः स्थिरा यस्य विनैव दृश्यम्' इति वक्ष्यमाणलक्षणस्य करुणां दयां विनेति सर्वत्र संबध्यते । दुर्लभा' लब्धुमशक्या । 'दुःस्यात् कष्टनिषेधयोः' इति कोशः । गुरुकृपया तु सर्वं सुलभमिति भावः ॥ ९ ॥

विविधैरासनैः कुम्भैर्विचित्रैः करणैरपि ।
प्रबुद्धायां महाशक्तौ प्राणः शून्ये प्रलीयते ॥ १० ॥

विविधैरिति । विविधैरनेकविधैरासनैर्मत्स्येन्द्रादिपीठैर्विचित्रैर्नानाविधैः कुम्भैः कुम्भकैः । विचित्रैरिति काकाक्षिगोलकन्यायेनोभयत्र संबध्यते । विचित्रैरनेकप्रकारकैः करणैर्हठसिद्धौ प्रकृष्टोपकारकैर्महामुद्रादिभिर्महाशक्तौ कुण्डलिन्यां प्रबुद्धायां गतनिद्रायां सत्यां प्राणो वायुः शून्ये ब्रह्मरन्ध्रे प्रलीयते प्रलयं प्राप्नोति । व्यापाराभावः प्राणस्य प्रलयः ॥ १० ॥

उत्पन्नशक्तिबोधस्य त्यक्तनिःशेषकर्मणः ।
योगिनः सहजावस्था स्वयमेव प्रजायते ॥ ११ ॥

उत्पन्नेति । उत्पन्नो जातः शक्तिबोधः कुण्डलीबोधो यस्य तस्य । त्यक्तानि परिहृतानि निःशेषाणि समग्राणि कर्माणि येन तस्य योगिनः । आसनेन कायिकव्यापारे त्यक्ते प्राणेन्द्रियेषु व्यापारस्तिष्ठति । कुम्भकेन प्राणनिरोधे प्राणेन्द्रियव्यापारे त्यक्ते मनसि व्यापारस्तिष्ठति । प्रत्याहारधारणाध्यानसंप्रज्ञात-समाधिभिर्मानसिकव्यापारे त्यक्ते बुद्धौ व्यापारस्तिष्ठति । 'असङ्गो ह्ययं पुरुषः' (*Bṛh. Up.*, IV. 3. 15) इति श्रुतेरपरिणामी शुद्धः पुरुषः सत्त्वगुणात्मिका परिणामिनी बुद्धिरिति । परवैराग्येण दीर्घकालसंप्रज्ञाताभ्यासेनैव वा बुद्धिव्यापारे परित्यक्ते निर्विकारस्वरूपावस्थितिर्भवति सैव सहजावस्था तुर्यावस्था जीवन्मुक्तिः स्वयमेव प्रयत्नान्तरं विनैव प्रजायते प्रादुर्भवति । 'येन त्यजसि तत्त्यज' इति 'निःसङ्गः प्रज्ञया भवेत्' (*Mān. Up.*, III. 45) इति च श्रुतेः ॥ ११ ॥

सुषुम्नावाहिनि प्राणे शून्ये विशति मानसे ।
तदा सर्वाणि कर्माणि निर्मूलयति योगवित् ॥ १२ ॥

सुषुम्नेति । प्राणे वायौ सुषुम्नावाहिनि मध्यनाडीप्रवाहिणि सति मानसेऽन्तःकरणे शून्ये देशकालवस्तुपरिच्छेदहीने ब्रह्मणि विशति सति तदा तस्मिन् काले योगविच्चित्तवृत्तिनिरोधज्ञः सर्वाणि कर्माणि समारब्धानि निर्मूलानि करोति निर्मूलयति । निर्मूलशब्दात् 'तत् करोति—' (*Gaṇasūtra*) इति णिच् ॥ १२ ॥

अमराय नमस्तुभ्यं सोऽपि कालस्त्वया जितः ।
पतितं वदने यस्य जगदेतच्चराचरम् ॥ १३ ॥

समाध्यभ्यासेन प्रारब्धकर्मणोऽप्यभिभवाज्जितकालं योगिनं नमस्करोति—अमरायेति । न म्रियत इत्यमरः तस्मै अमराय चिरंजीविने तुभ्यं योगिने नमः । सोऽपि दुर्वारोऽपि कालो मृत्युस्त्वया योगिना जितोऽभिभूतः । इदं वाक्यं नमस्करणे हेतुः । स कः ? यस्य कालस्य वदने मुखे एतद् दृश्यमानं चराचरं स्थावरजङ्गमं जगत् संसारः पतितः । सोऽपि जगद्भक्षकोऽपीत्यर्थः ॥ १३ ॥

चित्ते समत्वमापन्ने वायौ व्रजति मध्यमे ।
तदामरोली वज्रोली सहजोली प्रजायते ॥ १४ ॥

पूर्वोक्तममरोल्यादिकं समाधिसिद्धावेव सिद्ध्यतीति समाधिनिरूपणानन्तरं समाधिसिद्धौ तत्सिद्धिरित्याह—चित्त इति । चित्तेऽन्तःकरणे समत्वं ध्येयाकारवृत्तिप्रवाहवत्त्वम् आपन्ने प्राप्ते सति वायौ प्राणे मध्यमे सुषुम्नायां व्रजति सतीति चित्तसमत्वे हेतुः । तदा तस्मिन् काले अमरोली वज्रोली सहजोली च पूर्वोक्ताः प्रजायन्ते । नाजितप्राणस्य न चाजितचित्तस्य सिद्ध्यन्तीति भावः ॥ १४ ॥

ज्ञानं कुतो मनसि संभवतीह तावत्
प्राणोऽपि जीवति मनो म्रियते न यावत् ।
प्राणो मनो द्वयमिदं विलयं नयेद् यो
मोक्षं स गच्छति नरो न कथंचिदन्यः ॥ १५ ॥

हठाभ्यासं विना ज्ञानं मोक्षश्च न सिद्ध्यतीत्याह—ज्ञानमिति । यावत्प्राणो जीवति । अपिशब्दादिन्द्रियाणि जीवन्ति न तु म्रियन्ते । यावन्मनो न म्रियते किंतु जीवत्येव । इडापिङ्गलाभ्यां वहनं प्राणस्य जीवनं, स्वस्वविषयग्रहणमिन्द्रियाणां जीवनं, नानाविषयाकारवृत्त्युत्पादनं मनसो जीवनं, तत्तदभावः तत्तन्मरणमत्र विवक्षितम् । न तु स्वरूपतस्तेषां नाशस्तावन्मनस्यन्तःकरणे ज्ञानमात्मापरोक्षानु-

भवः कुतः संभवति ? न कुतोऽपि । प्राणोन्द्रियमनोवृत्तीनां ज्ञानप्रतिबन्धकत्वादिति भावः । प्राणो मनः, इदं द्वयं यो योगी विलयं नाशं नयेत् स मोक्षमात्यन्तिकस्वरूपावस्थानलक्षणं गच्छति प्राप्नोति । ब्रह्मरन्ध्रे निर्व्यापारस्थितिः प्राणस्य लयः । ध्येयाकारावेशात् विषयान्तरेणापरिणमनं मनसो लयोऽन्यः । अलीनप्राणोऽलीनमनाश्च कथंचिदुपायशतेनापि न मोक्षं प्राप्नोतीत्यर्थः । तदुक्तं योगबीजे—

‘नानाविधैर्विचारैस्तु न साध्यं जायते मनः ।
तस्मात् तस्य जयोपायः प्राणस्य जय एव हि ॥’ इति ।

नानामार्गैः सुदुष्प्रापं कैवल्यं परमं पदं सिद्धमार्गेण लभ्येत, नान्यथा शिवभाषितमिति च । सिद्धमार्गो योगमार्गः । एतेन योगं विना ज्ञानं मोक्षश्च न सिद्ध्यतीति सिद्धम् । श्रुतिस्मृतीतिहासपुराणादिषु चेदं प्रसिद्धम् । तथाहि— ‘अथ तद्दर्शनाभ्युपायो योगः’ इति, तद्दर्शनमात्मदर्शनम् । ‘अध्यात्मयोगाधिगमेन देवं मत्वा धीरो हर्षशोकौ जहाति’ (*Kaṭ. Up.*, II. 12) इति । ‘श्रद्धाभक्तिध्यानयोगादवेहि’ (*Kai. Up.*, 2) इति ।

‘यदा पञ्चावतिष्ठन्ते ज्ञानानि मनसा सह ।
बुद्धिश्च न विचेष्टति तामाहुः परमां गतिम् ।
तां योगमिति मन्यन्ते स्थिरामिन्द्रियधारणाम् ॥
अप्रमत्तस्तदा भवति ।’ (*Kaṭ. Up.*, VI. 10-11)

‘यदात्मतत्त्वेन तु ब्रह्मतत्त्वं दीपोपमेनेह युक्तः प्रपश्येत् ।
अजं ध्रुवं सर्वतत्त्वैर्विशुद्धं ज्ञात्वा देवं मुच्यते सर्वपाशैः ॥’
(*Śve. Up.*, II. 15)

‘ब्रह्मणे त्वा महस ओमित्यात्मानं युञ्जीत’ ।
(*Mahānā. Up.*, 24. 2) इति

'त्रिरुन्नतं स्थाप्य समं शरीरं हृदीन्द्रियाणि मनसा संनिरुध्य ।
ब्रह्मोडुपेन प्रतरेत विद्वान् स्रोतांसि सर्वाणि भयावहानि ॥' इति ।
(*Śve. Up.*, II. 8)

'ओमित्येवं ध्यायथ आत्मानम्' (*Muṇ. Up.*, II. 2. 6)

इत्याद्याः श्रुतयः । यतिधर्मप्रकरणे मनुः—

'भूतभाव्यानवेक्षेत योगेन परमात्मनः ।
देहद्वयं विहायाशु मुक्तो भवति बन्धनात् ॥'

याज्ञवल्क्यस्मृतौ—(I. 1. 8)

'इज्याचारदमाहिंसादानस्वाध्यायकर्मणाम् ।
अयं तु परमो धर्मो यद्योगेनात्मदर्शनम् ॥'

महर्षिमातङ्गः—

'अग्निष्टोमादिकान् सर्वान् विहाय द्विजसत्तमः ।
योगाभ्यासरतः शान्तः परं ब्रह्माधिगच्छति ॥'
'ब्राह्मणक्षत्रियविशां स्त्रीशूद्राणां च पावनम् ।
शान्तये कर्मणामन्यद् योगान्नास्ति विमुक्तये ॥'

दक्षस्मृतौ व्यतिरेकमुखेनोक्तम्—

'स्वसंवेद्यं हि तद् ब्रह्म कुमारी स्त्रीसुखं यथा ।
अयोगी नैव जानाति जात्यन्धो हि यथा घटम् ॥' (VII. 25)

इत्याद्याः स्मृतयः । महाभारते योगमार्गप्रसङ्गे व्यासः—

'अपि वर्णावकृष्टस्तु नारी वा धर्मकाङ्क्षिणी ।
तावप्येतेन मार्गेण गच्छेतां परमां गतिम् ॥ (XII. 246. 34)

यदि वा सर्वधर्मज्ञो यदि वाप्यकृती पुमान् ।
यदि वा धार्मिकः श्रेष्ठो यदि वा पापकृत्तमः ॥
यदि वा पुरुषव्याघ्रो यदि वा क्लैब्यधारकः ।
तरत्येव महादुःखं जरामरणसागरम् ॥
अपि जिज्ञासमानोऽपि शब्दब्रह्मातिवर्तते ॥'

इति । भगवद्गीतायाम्—

'युञ्जन्नेवं सदात्मानं योगी नियतमानसः ।
शान्तिं निर्वाणपरमां मत्संस्थामधिगच्छति ॥' (VI. 15)

'यत् सांख्यैः प्राप्यते स्थानम्' (V. 5) इत्यादि च । आदित्यपुराणे—
'योगात् संजायते ज्ञानं योगो मय्येकचित्तता' । स्कन्दपुराणे—

'आत्मज्ञानेन मुक्तिः स्यात् तच्च योगादृते नहि ।
स च योगश्चिरं कालमभ्यासादेव सिद्ध्यति ॥'

कूर्मपुराणे शिववाक्यम्—

'अतःपरं प्रवक्ष्यामि योगं परमदुर्लभम् ।
येनात्मानं प्रपश्यन्ति भानुमन्तमिवेश्वरम् ॥
योगाग्निर्दहति क्षिप्रमशेषं पापपञ्जरम् ।
प्रसन्नं जायते ज्ञानं ज्ञानान्निर्वाणमृच्छति ॥'

गरुडपुराणे—

'तथा यतेत मतिमान् यथा स्यान्निर्वृतिः परा ।
योगेन लभ्यते सा तु न चान्येन तु केनचित् ॥
भवतापेन तप्तानां योगो हि परमौषधम् ।

परावरप्रसक्ता धीर्यस्य निर्वेदसंभवा ॥
स च योगाग्निना दग्धसमस्तक्लेशसंचयः ।
निर्वाणं परमं नित्यं प्राप्नोत्येव न संशयः ॥
संप्राप्तयोगसिद्धिस्तु पूर्णो यस्त्वात्मदर्शनात् ।
न किंचिद् दृश्यते कार्यं तेनैव सकलं कृतम् ॥
आत्मारामः सदा पूर्णः सुखमात्यन्तिकं गतः ।
अतस्तस्यापि निर्वेदः परानन्दमयस्य च ॥
तपसा भावितात्मानो योगिनः संयतेन्द्रियाः ।
प्रतरन्ति महात्मानो योगेनैव महार्णवम् ॥'

विष्णुधर्मेषु—

'यच्छ्रेयः सर्वभूतानां स्त्रीणामत्युपकारकम् ।
अपि कीटपतङ्गानां तन्नः श्रेयः परं वद ॥
इत्युक्तः कपिलः पूर्वं देवैर्देवर्षिभिस्तथा ।
योग एव परं श्रेयस्तेषामित्युक्तवान् पुरा ॥'

वासिष्ठे—

'दुःसहा राम संसारविषवेगविषूचिका ।
योगगारुडमन्त्रेण पावनेनोपशाम्यति ॥' इति ।

ननु तत्त्वमस्यादिवाक्यैरप्यपरोक्षप्रमा संभवतीति किमर्थमतिश्रमसाध्ये योगे प्रयासः कार्यः । न च वाक्यजन्यज्ञानस्यापरोक्षत्वे प्रमाणासंभव इति वाच्यम् । तत्त्वमस्यादिवाक्यजन्यं ज्ञानमपरोक्षम्, अपरोक्षविषयकत्वात्, चाक्षुषघटादिप्रत्यक्षवदित्यनुमानस्य प्रमाणत्वात् । न च विषयगतापरोक्षत्वस्य दुर्निरूपत्वाद्धेत्वसिद्धिरिति वाच्यम् । अज्ञानाविषयचित्त्वतत्तादात्म्यापन्नत्वान्यतररूपस्य

तस्य सुनिरूपत्वात् । यथा हि घटादौ चक्षुःसंनिकर्षेणान्तःकरणवृत्तिदशायां तदधिष्ठानचैतन्याज्ञाननिवृत्तौ तच्चैतन्यस्याज्ञानाविषयत्वं तद्घटस्याज्ञानाविषयचैतन्यतादात्म्यापन्नत्वं चापरोक्षत्वम् । तथा तत्त्वमस्यादिवाक्येन शुद्धचैतन्याकारान्तःकरणवृत्त्युत्थापने सति तदज्ञानस्य निवृत्तत्वेनैव चैतन्यस्याज्ञानाविषयत्वाच्चैतन्यस्यापरोक्षत्वमिति न हेत्वसिद्धिः । न चाप्रयोजकत्वम्, ज्ञानगतापरोक्षत्वं प्रत्यपरोक्षविषयकत्वेन प्रयोजकत्वात् । नत्विन्द्रियजन्यत्वं, मनस इन्द्रियत्वाभावेन सुखादिप्रत्यक्षे व्यभिचारात् । अथवाभिव्यक्तचैतन्याभिन्नतया भासमानत्वं विषयस्यापरोक्षत्वम् । अभिव्यक्तत्वं च निवृत्तावरणकत्वं परोक्षवृत्तिस्थले चावरणनिवृत्त्यभावान्नातिव्याप्तिः । सर्पादिभ्रमजनकदोषवतस्तु नायं सर्पः किंतु रज्जुरिति वाक्येन जायमाना वृत्तिस्तु नावरणं निवर्तयतीति तत्र परोक्ष एव विषयः । वेदान्तवाक्यजन्यं च ज्ञानमावरणनिवर्तकत्वादपरोक्षमेव । मननादेः पूर्वमुत्पन्नं ज्ञानमज्ञानानिवर्तकम् । प्रमाणासंभावनादिदोषसामान्याभावविशिष्टस्यैव तस्याज्ञाननिवर्तकत्वात् । किंच 'तं त्वौपनिषदं पुरुषं पृच्छामि' (*Bṛh. Up.*, III. 9. 26) इति श्रुतिप्रतिपन्नमुपनिषन्मात्रगम्यत्वं योगगम्यत्वे नोपपन्नं स्यात् । तस्मात् तत्त्वमस्यादिवाक्यादेवापरोक्षमिति चेन्न । अनुमानस्याप्रयोजकत्वात् । नच प्रत्यक्षं प्रति निरुक्तापरोक्षविषयकत्वेन प्रयोजकात् तन्मूलकतर्केणाप्रयोजकशङ्कानिवृत्तिरिति वाच्यम् । लाघवाज्जन्यप्रत्यक्षसामान्यं प्रति इन्द्रियत्वेन कारणतया तज्जन्यस्यैव प्रयोजकत्वात् । नित्यानित्यसाधारणप्रत्यक्षत्वे तु न किंचित्प्रयोजकमिति । त्वन्मते तु प्रत्यक्षविशेषे इन्द्रियं कारणं तद्विशेषे च शब्दविशेष इति कार्यकारणभावद्वयं स्यात् । न च मनसोऽनिन्द्रियत्वं मनस इन्द्रियत्वे बाधकाभावात् 'इन्द्रियाणां मनो नाथः' (IV. 29) इति तु, मनुष्यमेवोद्दिश्य मनुष्याणामयं राजेत्यादिवदिन्द्रियेष्वेव किंचिदुत्कर्षं ब्रवीति । न तु तस्यानिन्द्रियत्वं तत्त्वं च षट्स्वखण्डोपाधिविशेष एव । अत एव 'कर्मेन्द्रियं तु पाय्वादि मनोनेत्रादि धीन्द्रियम्' इति (*AK.*, I. 5. 8) 'प्रत्यक्षं स्यादैन्द्रियकमप्रत्यक्षमतीन्द्रियम्'

इति (*AK.*, III. 1. 79) च शक्तिप्रमाणभूतकोशोऽपीन्द्रियाप्रमाणकज्ञानस्याप्रत्यक्षत्वं वदन् मनस इन्द्रियत्वज्ञापकः संगच्छते । 'इन्द्रियाणि दशैकं च' इति गीतावचनमपि (XIII. 5) मनस इन्द्रियत्वे प्रमाणम् । किंच तत्त्वमस्यादिवाक्यजन्यं ज्ञानं शाब्दम्, शब्दजन्यत्वाद् यजेतेत्यादिवाक्यजन्यज्ञानवदित्यनेनापरोक्षत्वविरोधिशाब्दत्वसाधकेन सत्प्रतिपक्षः । न चेदमप्रयोजकम् । शाब्दं प्रत्येव शब्दस्य जनकत्वेन लाघवमूलकानुकूलतर्कात् । त्वन्मते तु शब्दादपि प्रत्यक्षस्वीकारेण कार्यकारणभावद्वयकल्पने गौरवम् । अपि च मनननिदिध्यासनाभ्यां पूर्वमप्युत्पन्नं ज्ञानं तव मते ऽपरोक्षमपि नाज्ञाननिवर्तकमित्यज्ञाननिवृत्तिं प्रत्यप्रतिबद्धज्ञानत्वेनैव हेतुत्वमिति गौरवम् । मम तु समाध्यभ्यासपरिपाकेनासंभावनादिसकलमलरहितेनान्तःकरणेनात्मनि दृष्टे सति दर्शनमात्रादेवाज्ञाननिवृत्तेर्न कश्चिद्गौरवावकाशः ।

'एष सर्वेषु भूतेषु गूढोऽत्मा न प्रकाशते ।
दृश्यते त्वग्र्यया बुध्या सूक्ष्मया सूक्ष्मदर्शिभिः ॥'
'यच्छेद्वाङ्मनसी प्राज्ञः' (*Kat. Up.*, III. 12-13) ।

इत्यारभ्याज्ञाननिवृत्त्यर्थकेन 'मृत्युमुखात्प्रमुच्यते' (III. 16) इत्यन्तेन कठवल्लीस्थमृत्यूपदेशेन संमतोऽयमर्थ इति न कश्चिदत्र विवादः इति । यदि तु मननादेः पूर्वमुत्पन्नं ज्ञानं परोक्षमेवेति नाप्रतिबद्धत्वकृतगौरवमिति मतमाद्रियते तदापि श्रवणादिभिर्मनःसंस्कारे सिद्धेऽव्यवहितोत्तरमात्मदर्शनसंभवात् तदुत्तरं वाक्यस्मरणादिकल्पनं महद्गौरवापादकमेव । ननु न वयं केवलेन तर्केण शब्दजन्यज्ञानस्यापरोक्षत्वं वदामः किंतु श्रुत्यापि । तथाहि—'तं त्वौपनिषदं पुरुषं पृच्छामि' (*Bṛh. Up.*, III. 9. 26) इति श्रुत्या चौपनिषदत्वं पुरुषस्य नोपनिषज्जन्यबुद्धिविषयत्वमात्रं प्रत्यक्षादिगम्येऽप्यौपनिषदत्वव्यवहारापत्तेः । यथा हि द्वादशकपालेष्वष्टानां कपालानां सत्त्वाद् द्वादशकपालसंस्कृतेनाष्टाकपालादि-

व्यवहारः, यथा द्विपुत्रादावेकपुत्रादिव्यवहारः, तथात्रापि। नान्यत्र तथा व्यवहार इति उपनिषन्मात्रगम्यत्वमेव प्रत्ययार्थः। तच्च मनोगम्यत्वेऽनुपपन्नमिति चेन्न। न हि प्रत्ययेनोपनिषद्भिन्नं सर्वं कारणत्वाद् व्यावर्त्यते। शाब्दापरोक्षवादिना त्वयाप्यात्मापरोक्षे मनआदीनां करणत्वस्याङ्गीकारात्। किं तु पुराणादिशब्दान्तरमेव, 'श्रोतव्यः श्रुतिवाक्येभ्यः' इति स्मरणात् स चार्थो ममापि संमत इति न किंचिदेतत्। प्रमाणान्तरव्यावृत्तौ तात्पर्यकल्पनं चात्मापरोक्षे शब्दस्य प्रमाणत्वे सिद्ध एव वक्तुमुचितम्। शब्दान्तरव्यावृत्तितात्पर्यं तु श्रुत्यादिसंमतत्वात् कल्पयितुमुचितमेव। एवं स्थिते 'मनसैवानुद्रष्टव्यम्' (*Bṛh. Up.*, IV. 4. 19) 'मनसैवेदमाप्तव्यम्' (*Kaṭ. Up.*, IV. 11) इत्यादिश्रुतयोऽप्याञ्जस्येन प्रतिपादिता भवेयुः। यत्तु कैश्चिदुक्तं दर्शनवृत्तिं प्रति मनोमात्रस्योपादानत्वपरायत्ताः श्रुतयो न विरुध्यन्त इति तदतीव विचारासहम्। यतः प्रमाणाकाङ्क्षायां प्रवृत्तास्ताः कथमुपादानपरा भवेयुः। 'कामः संकल्पो विचिकित्सा—' (*Bṛh. Up.*, I. 5. 3) इत्यादिश्रुत्या सावधारणया सर्वासां वृत्तीनां मनोमात्रोपादानकत्वे बोधिते आकाङ्क्षाभावेनोपादानतात्पर्यकत्वेन वर्णयितुं कथं शक्येरन्। पूर्वं द्वितीयवल्ल्यां प्रणवस्य ब्रह्मबोधकत्वेनोक्तेस्तस्याप्यपरोक्षहेतुत्वमिति शङ्कां निवारयितुं मनसैवानुद्रष्टव्यमित्यादि सावधारणवाक्यानीत्येवं वर्णयितुं शक्यानि स्युरित्यलमतिवाग्जालेन। वस्तुतस्तु योगिनां समाधौ दूरविप्रकृष्टपदार्थज्ञानं सर्वशास्त्रप्रसिद्धं, न परोक्षम्। तदानीं परोक्षसामग्र्यभावात्। नापि स्मरणं तेषां पूर्वं विशिष्यानुभवात्। नापि सुखादिज्ञानवत् साक्षिरूपम्, अपसिद्धान्तात्। नाप्यप्रमाणकं प्रमासामान्ये करणनियमात्। नापि चक्षुरादिजन्यं तेषामसंनिकर्षात्। तस्मान्मानसिकी प्रमैव सा वाच्येति मनस इन्द्रियत्वं प्रमाणत्वं च दुरपह्नवमेवेति। येऽपि योगश्रुत्योः समुच्चयं कल्पयन्ति तेषामपि पूर्वोक्तदूषणगणस्तदवस्थ एव। तस्माद् योगजन्यसंस्कारसचिवमनोमात्रगम्य आत्मेति सिद्धम्। न च कामिनीं भावयतो व्यवहितकामिनीसाक्षात्कारस्येव भावनाजन्यत्वेनात्मसाक्षात्कारस्याप्रमात्वप्रसङ्गः।

अबाधितविषयत्वाद् दोषजन्यत्वाभावाच्च। कामिनीसाक्षात्कारस्य तु बाधितविषयत्वाद् दोषजन्यत्वाच्चाप्रामाण्यम्, न भावनाजन्यत्वात्। न च भावनासमाधेर्ज्ञानजनकत्वे प्रमाणान्तरत्वापातः। तस्या मनःसहकारित्वात् प्रमाणनिरूपणनिपुणैर्नैयायिकादिभिरपि योगजप्रत्यक्षस्यालौकिकप्रत्यक्षेऽन्तर्भावः कृतः। योगजालौकिकसंनिकर्षेण योगिनो व्यवहितविप्रकृष्टसूक्ष्मार्थमात्मानमपि यथार्थं पश्यन्ति। तथा च पातञ्जले सूत्रे—'ऋतंभरा तत्र प्रज्ञा। श्रुतानुमानप्रज्ञाभ्यामन्यविषया विशेषार्थत्वात्' (I. 48-9)। तत्र समाधौ या प्रज्ञा सा ऋतं सत्यमेव पुरुषयाथार्थ्यं बिभर्तीति ऋतंभरेति प्रथमसूत्रार्थः। सा समाधिप्रज्ञा श्रुतानुमानप्रज्ञाभ्यां श्रुतं श्रवणं शाब्दबोधः, अनुमननमनुमानं यौक्तिकज्ञानं तद्रूपप्रज्ञाभ्यामन्यविषया अतिरिक्तविषया। कुतः? विशेषार्थत्वात्। विशेषो निर्विकल्पोऽर्थो विषयो यस्याः सा तथा तस्या भावस्तथात्वं तस्माच्छब्दस्य पदार्थतावच्छेदकपुरस्कारेणैवानुमानस्य व्यापकतावच्छेदकपुरस्कारेणैव धीजनकत्वनियमेन तद्ग्रहणायोग्यविशेष्यमात्रपरत्वादित्यर्थः। अत्र बादरायणकृतं भाष्यम्—'श्रुतमागमविज्ञानं तत्सामान्यविषयम्। न ह्यागमेन शक्यो विशेषोऽभिधातुम्, कस्मात्, नहि विशेषेण कृतसंकेतः शब्दः' इत्यारभ्य 'समाधिप्रज्ञानिर्ग्राह्य एव स विशेषो भूतसूक्ष्मगतो वा पुरुषगतो वा' इति (I. 49)।

योगबीजे—

'ज्ञाननिष्ठो विरक्तोऽपि धर्मज्ञोऽपि जितेन्द्रियः।
विना योगेन देवोऽपि न मोक्षं लभते प्रिये॥'

किं च। 'तदेव सक्तः सह कर्मणैति लिङ्गं मनो यत्र निषक्तमस्य' (*Bṛh. Up.*, IV. 4. 6) इति श्रुतेः 'कारणं गुणसङ्गोऽस्य सदसद्योनिजन्मसु' इति स्मृतेश्च (*BG.*, XIII. 21) देहावसानसमये यत्र रागाद्युद्बुद्धो भवति

तामेव योनिं जीवः प्राप्नोतीति योगहीनस्य जन्मान्तरं स्यादेव मरणसमये समुद्भूतवैक्लव्यस्यायोगिना वारयितुमशक्यत्वात् ।

तदुक्तं योगबीजे—

'देहावसानसमये चित्ते यद्यद् विभावयेत् ।
तत्तदेव भवेज्जीव इत्येवं जन्मकारणम् ॥
देहान्ते किं भवेज्जन्म तन्न जानन्ति मानवाः ।
तस्माज्ज्ञानं च वैराग्यं जपश्च केवलं श्रमः ॥
पिपीलिका यदा लग्ना देहे ज्ञानाद् विमुच्यते ।
असौ किं वृश्चिकैर्दष्टो देहान्ते वा कथं सुखी ॥' इति ।

योगिनां तु योगबलेनान्तकालेऽप्यात्मभावनया मोक्ष एवेति न स्याज्जन्मान्तरम् । तदुक्तं भगवता । 'प्रयाणकाले मनसाचलेन भक्त्या युक्तो योगबलेन चैव' (*BG*., VIII. 10) इत्यादिना । 'शतं चैका च हृदयस्य नाड्यः' (*Chā. Up*., VIII. 6. 6) इत्यादि श्रुतेश्च । न च तत्त्वमस्यादिवाक्यस्यापरोक्षज्ञानाजनकत्वे तद्विचारस्य वैयर्थ्यमेवेति शङ्क्यम् । वाक्यविचारजन्यज्ञानस्य योगद्वारापरोक्षज्ञानसाधनत्वात् । अत्र च योगबीजे गौरीश्वरसंवादो महानस्ति, ततःकिंचिल्लिख्यते ।

देव्युवाच—

'ज्ञानिनस्तु मृता ये वै तेषां भवति कीदृशी ।
गतिः कथय देवेश कारुण्यामृतवारिधे ॥'

ईश्वर उवाच—

'देहान्ते ज्ञानिना पुण्यात् पापात् तत्फलमाप्यते ।
यादृशं तु भवेत् तत्तद् भुक्त्वा ज्ञानी पुनर्भवेत् ॥

पश्चात् पुण्येन लभते सिद्धेन सह संगतिम् ।
ततः सिद्धस्य कृपया योगी भवति नान्यथा ।
ततो नश्यति संसारो नान्यथा शिवभाषितम् ॥'

देव्युवाच—

'ज्ञानादेव हि मोक्षं च वदन्ति ज्ञानिनः सदा ।
[स] कथं सिद्धयोगेन योगः किं मोक्षदो भवेत् ॥'

ईश्वर उवाच—

'ज्ञानेनैव हि मोक्षो हि तेषां वाक्यं तु नान्यथा ।
सर्वे वदन्ति खड्गेन जयो भवति तर्हि किम् ॥
विना युद्धेन वीर्येण कथं जयमवाप्नुयात् ।
तथा योगेन रहितं ज्ञानं मोक्षाय नो भवेत् ॥' इति ।

ननु जनकादीनां योगमन्तरेणाप्यप्रतिबद्धज्ञानमोक्षयोः श्रवणात् कथं योगादेवाप्रतिबद्धज्ञानं मोक्षश्चेति चेत् उच्यते । तेषां पूर्वजन्मानुष्ठितयोगज-संस्काराज्ज्ञानप्राप्तिरिति पुराणादौ श्रूयते ।

तथाहि—

'जैगीषव्यो यथा विप्रो यथा चैवासितादयः ।
क्षत्रिया जनकाद्यास्तु तुलाधारादयो विशः ॥
संप्राप्ताः परमां सिद्धिं पूर्वाभ्यस्तस्वयोगतः ।
धर्मव्याधादयः सप्त शूद्राः पैलवकादयः ॥
मैत्रेयी सुलभा शार्ङ्गी शाण्डिली च तपस्विनी ।
एते चान्ये च बहवो नीचयोनिगता अपि ।
ज्ञाननिष्ठां परां प्राप्ताः पूर्वाभ्यस्तस्वयोगतः ॥'

इति। किं च पूर्वजन्मानुष्ठितयोगाभ्यासपुण्यतारतम्येन केचिद् ब्रह्मत्वं केचिद् ब्रह्मपुत्रत्वं केचिद् देवर्षित्वं केचिद् ब्रह्मर्षित्वं केचिन्मुनित्वं केचिद् भक्तत्वं च प्राप्ताः सन्ति। तत्रोपदेशमन्तरेणैवात्मसाक्षात्कारवन्तो बभूवुः। तथाहि। हिरण्यगर्भवसिष्ठनारदसनत्कुमारवामदेवशुकादयो जन्मसिद्धा इत्येव पुराणादिषु श्रूयन्ते। यत्तु ब्राह्मण एव मोक्षाधिकारीति श्रूयते पुराणादौ तदयोगिपरम्। तदुक्तं गरुडपुराणे—

'योगाभ्यासो नृणां येषां नास्ति जन्मान्तराहृतः।
योगस्य प्राप्तये तेषां शूद्रवैश्यादिकक्रमः॥
स्त्रीत्वाच्छूद्रत्वमभ्येति ततो वैश्यत्वमाप्नुयात्।
ततश्च क्षत्रियो विप्रः क्रियाहीनस्ततो भवेत्॥
अनूचानः स्मृतो यज्वा कर्मन्यासी ततः परम्।
ततो ज्ञानित्वमभ्येति योगी मुक्तिं क्रमाल्लभेत्॥'

इति। शूद्रवैश्यादिक्रमाद् योगी भूत्वा मुक्तिं लभेतेत्यर्थः। इत्थं च योगे सर्वाधिकारश्रवणाद् योगोत्पन्नतत्त्वज्ञानेन सर्व एव मुच्यन्त इति सिद्धम्। योगिनस्तु भ्रष्टस्यापि न शूद्रादिक्रमः।

'शुचीनां श्रीमतां गेहे योगभ्रष्टोऽभिजायते।
अथवा योगिनामेव॥' (*BG.*, VI. 41-2)

इत्यादिभगवद्वचनादित्यलम्॥ १५॥

ज्ञात्वा सुषुम्नासद्भेदं कृत्वा वायुं च मध्यगम्।
स्थित्वा सदैव सुस्थाने ब्रह्मरन्ध्रे निरोधयेत्॥ १६॥

प्राणमनसोर्लयं विना मोक्षो न सिध्यतीत्युक्तम्। तत्र प्राणलयेन मनसोऽपि लयः सिध्यतीति तल्लयरीतिमाह—ज्ञात्वेति। सदैव सर्वदैव

सुस्थाने शोभने स्थाने 'सुराज्ये धार्मिके देशे' (I. 12) इत्याद्युक्तलक्षणे स्थित्वा स्थितिं कृत्वा वसतिं कृत्वेत्यर्थः। सुषुम्ना मध्यनाडी तस्याः सद्भेदं शोभनं भेदनप्रकारं ज्ञात्वा गुरुमुखाद् विदित्वा वायुं प्राणं मध्यगं मध्यनाडीसंचारिणं कृत्वा ब्रह्मरन्ध्रे मूर्धावकाशे निरोधयेन्नितरां रुद्धं कुर्यात्। प्राणस्य ब्रह्मरन्ध्रे निरोधो लयः, प्राणलये जाते मनोऽपि लीयते। तदुक्तं वासिष्ठे—

'अभ्यासेन परिस्पन्दे प्राणानां क्षयमागते।
मनः प्रशममायाति निर्वाणमवशिष्यते ॥'

इति। प्राणमनसोर्लये सति भावनाविशेषरूपसमाधिसहकृतेनान्तःकरणेनाबाधितात्मसाक्षात्कारो भवति, तदा जीवन्नेव मुक्तः पुरुषो भवति ॥ १६ ॥

सूर्याचन्द्रमसौ धत्तः कालं रात्रिंदिवात्मकम्।
भोक्त्री सुषुम्ना कालस्य गुह्यमेतदुदाहृतम् ॥ १७ ॥

प्राणलये कालजयो भवतीत्याह—सूर्याचन्द्रमसाविति। सूर्यश्च चन्द्रमाश्च सूर्याचन्द्रमसौ। 'देवताद्वन्द्वे च' (*Pāṇ.*, VI. 3. 26) इत्यानङ्। रात्रिश्च दिवा च रत्रिंदिवम्। 'अचतुर—' (*Pāṇ.*, V. 4. 77) इत्यादिना निपातितः। रात्रिंदिवं आत्मा स्वरूपं यस्य स रात्रिंदिवात्मकस्तं रात्रिंदिवात्मकं कालं समयं धत्तो विधत्तः कुरुतः। सुषुम्ना सरस्वती कालस्य सूर्याचन्द्रमोभ्यां कृतस्य रात्रिंदिवात्मकस्य समयस्य भोक्त्री भक्षिका विनाशिका। एतद् गुह्यं रहस्यमुदाहृतं कथितम्। अयं भावः। सार्धं घटिकाद्वयं सूर्यो वहति सार्धं घटिकाद्वयं चन्द्रो वहति। यदा सूर्यो वहति तदा दिनमुच्यते। यदा चन्द्रो वहति तदा रात्रिरुच्यते। पञ्चघटिकामध्ये रात्रिंदिवात्मकः कालो भवति। लौकिकाहोरात्रमध्ये योगिनां द्वादशाहोरात्रात्मकः कालव्यवहारो भवति। तादृशकालमानेन जीवानामायुर्मानमस्ति। यदा सुषुम्नामार्गेण वायुर्ब्रह्मरन्ध्रे

लीनो भवति तदा रात्रिंदिवात्मकस्य कालस्याभावादुक्तं भोक्त्री सुषुम्ना कालस्येति। यावद् ब्रह्मरन्ध्रे वायुर्लीयते तावद् योगिन आयुर्वर्धते। दीर्घकालाभ्यस्तसमाधिर्योगी पूर्वमेव मरणकालं ज्ञात्वा ब्रह्मरन्ध्रे वायुं नीत्वा कालं निवारयति स्वेच्छया देहत्यागं च करोतीति ॥ १७ ॥

द्वासप्ततिसहस्राणि नाडीद्वाराणि पञ्जरे।
सुषुम्ना शांभवी शक्तिः शेषास्त्वेव निरर्थकाः ॥ १८ ॥

द्वासप्ततीति। पञ्जरे पञ्जरवच्छिरास्थिभिर्बद्धे शरीरे द्वाभ्यामधिका सप्ततिः द्वासप्ततिः द्वासप्ततिसंख्याकानि सहस्राणि नाडीनां शिराणां द्वाराणि वायुप्रवेशमार्गाः सन्ति। सुषुम्ना मध्या नाडी शांभवी शक्तिरस्ति। शं सुखं भवत्यस्माद्भक्तानामिति शंभुरीश्वरस्तस्येयं शांभवी, ध्यानेन शंभुप्रापकत्वात्। शंभोराविर्भावजनकत्वाद्वा शांभवी। यद्वा शं सुखरूपो भवति तिष्ठतीति शंभुरात्मा तस्येयं शांभवी। चिदभिव्यक्तिस्थानत्वाद् ध्यानेनात्मसाक्षात्कारहेतुत्वाच्च। शेषा इडापिङ्गलादयस्तु निरर्थका एव, निर्गतोऽर्थः प्रयोजनं यासां ता निरर्थकाः। पूर्वोक्तप्रयोजनाभावात् ॥ १८ ॥

वायुः परिचितो यस्मादग्निना सह कुण्डलीम्।
बोधयित्वा सुषुम्नायां प्रविशेदनिरोधतः ॥ १९ ॥

वायुरिति। यस्मात् परिचितोऽभ्यस्तो वायुस्तस्मादग्निना जठराग्निना सह कुण्डलीं शक्तिं बोधयित्वा अनिरोधतोऽप्रतिबन्धात् सुषुम्नायां सरस्वत्यां प्रविशेत्, वायोः सुषुम्नाप्रवेशार्थमभ्यासः कर्तव्य इत्यर्थः ॥ १९ ॥

सुषुम्नावाहिनि प्राणे सिद्ध्यत्येव मनोन्मनी।
अन्यथा त्वितराभ्यासाः प्रयासायैव योगिनाम् ॥ २० ॥

सुषुम्नेति। प्राणे सुषुम्नावाहिनि सति मनोन्मनी उन्मन्यवस्था सिद्ध्यत्येव। अन्यथा प्राणे सुषुम्नावाहिन्यसति तु इतराभ्यासाः सुषुम्नेतर-नाड्यभ्यासाः योगिनां योगाभ्यासिनां प्रयासायैव श्रमायैव भवन्तीत्यर्थः ॥ २० ॥

पवनो बध्यते येन मनस्तेनैव बध्यते।
मनश्च बध्यते येन पवनस्तेन बध्यते ॥ २१ ॥

पवन इति। येन योगिना पवनः प्राणवायुर्बध्यते बद्धः क्रियते तेनैव योगिना मनो बध्यते, येन मनो बध्यते तेन पवनो बध्यते। मनः पवनयोरेकतरे बद्धे उभयं बद्धं भवतीत्यर्थः ॥ २१ ॥

हेतुद्वयं तु चित्तस्य वासना च समीरणः।
तयोर्विनष्ट एकस्मिन् तौ द्वावपि विनश्यतः ॥ २२ ॥

हेतुद्वयं तु चित्तस्येति। चित्तस्य प्रवृत्तौ हेतुद्वयं कारणद्वयमस्ति किं तदित्याह। वासना भावनाख्यः संस्कारः, समीरणः प्राणवायुश्च तयोर्वासनासमीरणयोरेकस्मिन् विनष्टे सति क्षीणे सति तौ द्वावपि विनश्यतः। अयमाशयः। वासनाक्षये समीरणचित्ते क्षीणे भवतः। समीरणे क्षीणे चित्तवासने क्षीणे भवतः। चित्ते क्षीणे समीरणवासने क्षीणे भवतः।

तदुक्तं वासिष्ठे—

'द्वे बीजे राम चित्तस्य प्राणस्पन्दनवासने।
एकस्मिंश्च तयोर्नष्टे क्षिप्रं द्वे अपि नश्यतः ॥'

तत्रैव व्यतिरेकेणोक्तम्—

'यावद् विलीनं न मनो न तावद् वासनाक्षयः।
न क्षीणा वासना यावच्चित्तं तावन्न शाम्यति ॥

न यावत् तत्त्वविज्ञानं न तावच्चित्तसंक्षयः ।
यावन्न चित्तोपशमो न तावत् तत्त्ववेदनम् ॥
यावन्न वासनानाशस्तावत् तत्त्वागमः कुतः ।
यावन्न तत्त्वसंप्राप्तिर्न तावद् वासनाक्षयः ॥
तत्त्वज्ञानं मनोनाशो वासनाक्षय एव च ।
मिथः कारणतां गत्वा दुःसाध्यानि स्थितान्यतः ॥
त्रय एते समं यावन्न स्वभ्यस्ता मुहुर्मुहुः ।
तावन्न तत्त्वसंप्राप्तिर्भवत्यपि समैः शतैः ॥' २२ ॥

मनो यत्र विलीयेत पवनस्तत्र लीयते ।
पवनो लीयते यत्र मनस्तत्र विलीयते ॥ २३ ॥

मन इति । यत्र यस्मिन्नाधारे मनो विलीयते पवनस्तत्र तस्मिन्नाधारे लीयते । यत्र यस्मिन्नाधारे पवनो लीयते तत्र तस्मिन्नाधारे मनो विलीयत इत्यन्वयः ॥ २३ ॥

दुग्धाम्बुवत् संमिलितावुभौ तौ
तुल्यक्रियौ मानसमारुतौ हि ।
यतो मरुत् तत्र मनःप्रवृत्ति-
र्यतो मनस्तत्र मरुत्प्रवृत्तिः ॥ २४ ॥

दुग्धाम्बुवदिति । दुग्धाम्बुवत क्षीरनीरवत् संमिलितौ सम्यक् मिलितौ तावुभौ द्वावपि मानसमारुतौ मानसं च मारुतश्च मानसमारुतौ चित्तप्राणौ तुल्यक्रियौ तुल्या समा क्रिया प्रवृत्तिर्ययोस्तादृशौ भवतः । तुल्यक्रियत्वमेवाह— यत इति । यतः यत्र सार्वविभक्तिकस्तसिः । यस्मिन् चक्रे मरुद् वायुः प्रवर्तते

तत्र तस्मिन् चक्रे मनःप्रवृत्तिः मनसः प्रवृत्तिर्भवति । यतो यस्मिन् चक्रे मनः प्रवर्तते तत्र तस्मिन् चक्रे मरुत्प्रवृत्तिः, वायोः प्रवृत्तिर्भवतीत्यर्थः । तदुक्तं वासिष्ठे—

'अविनाभाविनी नित्यं जन्तूनां प्राणचेतसी ।
कुसुमामोदवन्मिश्रे तिलतैले इव स्थिते ।
कुरुतश्च विनाशेन कार्यं मोक्षाख्यमुत्तमम् ॥'

इति ॥ २४ ॥

तत्रैकनाशादपरस्य नाश एकप्रवृत्तेरपरप्रवृत्तिः ।
अध्वस्तयोश्चेन्द्रियवर्गवृत्तिः प्रध्वस्तयोर्मोक्षपदस्य सिद्धिः ॥

तत्रेति । तत्र तयोर्मानसमारुतयोर्मध्ये एकस्य मानसस्य मारुतस्य वा नाशाल्लयादपरस्यान्यस्य मारुतस्य मानसस्य वा नाशो लयो भवति । एकप्रवृत्तेरेकस्य मानसस्य मारुतस्य वा प्रवृत्तेर्व्यापारादपरप्रवृत्तिरपरस्य मारुतस्य मानसस्य वा प्रवृत्तिर्व्यापारो भवति । अध्वस्तयोरलीनयोर्मानसमारुतयोः सतोरिन्द्रियवर्गवृत्तिरिन्द्रियसमुदायस्य स्वस्वविषये प्रवृत्तिर्भवति । प्रध्वस्तयोः प्रलीनयोस्तयोः सतोर्मोक्षपदस्य मोक्षाख्यपदस्य सिद्धिर्निष्पत्तिर्भवति । तयोर्लये पुरुषस्य स्वरूपेऽवस्थानादित्यर्थः ।

'तत्रापि साध्यः पवनस्य नाशः षडङ्गयोगादिनिषेवणेन ।
मनोविनाशस्तु गुरोः प्रसादान्निमेषमात्रेण सुसाध्य एव ॥'

योगबीजे मूलश्लोकस्यायमुत्तरः श्लोकः ॥ २५ ॥

रसस्य मनसश्चैव चञ्चलत्वं स्वभावतः ।
रसो बद्धो मनो बद्धं किं न सिद्ध्यति भूतले ॥ २६ ॥

रसस्येति। रसस्य पारदस्य मनसो मानसस्य स्वभावतः स्वभावाचञ्चलत्वं चाञ्चल्यमस्ति। रसः पारदो बद्धश्चेन्मनश्चित्तं बद्धं भवति। ततो भूतले पृथिवीतले किं न सिद्ध्यति? सर्वं सिद्ध्यतीत्यर्थः ॥ २६ ॥

मूर्च्छितो हरते व्याधीन् मृतो जीवयति स्वयम्।
बद्धः खेचरतां धत्ते रसो वायुश्च पार्वति ॥ २७ ॥

तदेवाह—मूर्च्छित इति। ओषधिविशेषयोगेन गतचापलो रसो मूर्च्छितः। कुम्भकान्ते रेचकनिवृत्तौ वायुर्मूर्च्छित इत्युच्यते। हे पार्वतीति पार्वतीं संबोध्येश्वरवाक्यम्। मूर्च्छितो रसः पारदः, वायुः प्राणश्च व्याधीन् रोगान् हरते नाशयति। भस्मीभूतो रसः, ब्रह्मरन्ध्रे लीनो वायुश्च मृतः स्वयमात्मना स्वसामर्थ्येनेत्यर्थः। जीवयति दीर्घकालं जीवनं करोति। क्रियाविशेषेण गुटिकाकारकृतो रसो बद्धः, भ्रूमध्यादौ धारणाविशेषेण धृतो वायुश्च बद्धः, खेचरतामाकाशगतिं धत्ते विधत्ते करोतीत्यर्थः।

तदुक्तं गोरक्षकशतके (72)—

'यद्भिन्नाञ्जनपुञ्जसंनिभमिदं वृत्तं भ्रुवोरन्तरे
तत्त्वं वायुमयं यकारसहितं यत्रेश्वरो देवता।
प्राणं तत्र विलाप्य पञ्चघटिकं चित्तान्वितं धारये-
देषा खे गमनं करोति यमिनां स्याद् वायवी धारणा ॥'

इति ॥ २७ ॥

मनः स्थैर्ये स्थिरो वायुस्ततो बिन्दुः स्थिरो भवेत्।
बिन्दुस्थैर्यात् सदा सत्त्वं पिण्डस्थैर्यं प्रजायते ॥ २८ ॥

मनःस्थैर्य इति। मनसः स्थैर्ये सति वायुः प्राणः स्थिरो भवेत्। ततो वायुस्थैर्याद् बिन्दुर्वीर्यं स्थिरो भवेत्। बिन्दोः स्थैर्यात् सदा सत्त्वं बलं पिण्डस्थैर्यं देहस्थैर्यं प्रजायते ॥ २८ ॥

इन्द्रियाणां मनो नाथो मनोनाथस्तु मारुतः।
मारुतस्य लयो नाथः स लयो नादमाश्रितः ॥ २९ ॥

इन्द्रियाणामिति। इन्द्रियाणां श्रोत्रादीनां मनोऽन्तःकरणं नाथः प्रवर्तकः। मनोनाथो मनसो नाथो मारुतः प्राणः। मारुतस्य प्राणस्य लयो मनोविलयो नाथः। स लयो मनोलयः नादमाश्रितो नादे मनो लीयत इत्यर्थः ॥ २९ ॥

सोऽयमेवास्तु मोक्षाख्यो मास्तु वापि मतान्तरे।
मनःप्राणलये कश्चिदानन्दः संप्रवर्तते ॥ ३० ॥

सोऽयमिति। सोऽयमेव चित्तलय एव मोक्षाख्यो मोक्षपदवाच्यः। मतान्तरेऽन्यमते मास्तु वा। चित्तलयस्य सुषुप्तावपि सत्त्वान्मनःप्राणयोर्लये सति कश्चिदनिर्वाच्य आनन्दः संप्रवर्तते सम्यक् प्रवृत्तो भवति। अनिर्वाच्यानन्दाविर्भावे जीवन्मुक्तिसुखं भवत्येवेति भावः ॥ ३० ॥

प्रनष्टश्वासनिश्वासः प्रध्वस्तविषयग्रहः।
निश्चेष्टो निर्विकारश्च लयो जयति योगिनाम् ॥ ३१ ॥

प्रनष्टेति। श्वासश्च निश्वासश्च श्वासनिश्वासौ प्रनष्टौ लीनौ श्वासनिश्वासौ यस्मिन् स तथा बाह्यवायोरन्तः प्रवेशनं श्वासः अन्तः स्थितस्य वायोर्बहिर्निःसरणं निश्वासः। प्रध्वस्तः प्रकर्षेण ध्वस्तो नष्टो विषयाणां शब्दादीनां ग्रहो ग्रहणं यस्मिन्, निर्गता चेष्टा कायक्रिया यस्मिन्, निर्गतो विकारोऽन्तः-

करणक्रिया यस्मिन् एतादृशो योगिनां लयोऽन्तःकरणवृत्तेर्ध्येयाकारापत्तिर्जयति सर्वोत्कर्षेण वर्तते ॥ ३१ ॥

उच्छिन्नसर्वसंकल्पो निःशेषाशेषचेष्टितः ।
स्वावगम्यो लयः कोऽपि जायते वागगोचरः ॥ ३२ ॥

उच्छिन्नेति । उच्छिन्ना नष्टाः सर्वे संकल्पा मनःपरिणामा यस्मिन् स तथा निर्गतः शेषो येभ्यस्तानि निःशेषाण्यशेषाणि चेष्टितानि यस्मिन् स तथा स्वेनैवावगन्तुं बोद्धुं शक्यः स्वावगम्यः वाचामगोचरो विषयः कोऽपि विलक्षणो लयः जायते योगिनां प्रादुर्भवति ॥ ३२ ॥

यत्र दृष्टिर्लयस्तत्र भूतेन्द्रियसनातनी ।
सा शक्तिर्जीवभूतानां द्वे अलक्ष्ये लयं गते ॥ ३३ ॥

यत्र दृष्टिरिति । यत्र यस्मिन् विषये ब्रह्मणि दृष्टिरन्तःकरणवृत्तिस्तत्रैव लयो भवति । भूतानि पृथिव्यादीनि इन्द्रियाणि श्रोत्रादीनि सनातनानि शाश्वतानि यस्यां सा सत्कार्यवादेऽविद्यायां कार्यजातस्य सत्त्वात् । जीवभूतानां प्राणिनां शक्तिरविद्या इमे द्वे अलक्ष्ये ब्रह्मणि लयं गते योगिनामिति शेषः ॥ ३३ ॥

लयो लय इति प्राहुः कीदृशं लयलक्षणम् ।
अपुनर्वासनोत्थानाल्लयो विषयविस्मृतिः ॥ ३४ ॥

लय इति । लयो लय इति प्राहुर्वदन्ति बहवः । लयस्य लक्षणं लयस्वरूपं कीदृशमिति प्रश्नपूर्वकं लयस्वरूपमाह—अपुनरिति । अपुनर्वासनोत्थानात् पुनर्वासनोत्थानाभावाद् विषयविस्मृतिर्विषयाणां शब्दादीनां ध्येयाकारस्य विषयस्य वा विस्मृतिर्लयो लयशब्दार्थ इत्यर्थः ॥ ३४ ॥

वेदशास्त्रपुराणानि सामान्यगणिका इव ।
एकैव शांभवी मुद्रा गुप्ता कुलवधूरिव ॥ ३५ ॥

वेदेति । वेदाश्चत्वारः शास्त्राणि षट् पुराणान्यष्टादश सामान्यगणिका इव वेश्या इव । बहुपुरुषगम्यत्वात् । एका शांभवी मुद्रैव कुलवधूरिव कुलस्त्रीव गुप्ता । पुरुषविशेषगम्यत्वात् ॥ ३५ ॥

अन्तर्लक्ष्यं बहिर्दृष्टिर्निमेषोन्मेषवर्जिता ।
एषा सा शांभवी मुद्रा वेदशास्त्रेषु गोपिता ॥ ३६ ॥

चित्तलयाय प्राणलयसाधनीभूतां मुद्रां विवक्षुस्तत्र शांभवीं मुद्रामाह—अन्तर्लक्ष्यमिति । अन्तः आधारादिब्रह्मरन्ध्रान्तेषु चक्रेषु मध्ये स्वाभिमते चक्रे लक्ष्यमन्तःकरणवृत्तिः । बहिर्देहाद् बहिःप्रदेशे दृष्टिः चक्षुःसंबन्धः । कीदृशी दृष्टिः ? निमेषोन्मेषवर्जिता निमेषः पक्ष्मसंयोगः उन्मेषः पक्ष्मसंयोगविश्लेषः ताभ्यां वर्जिता रहिता चित्तस्य ध्येयाकारावेशे निमेषोन्मेषवर्जिता दृष्टिर्भवति । सोक्तैषा मुद्रा शांभवी शंभोरियं शांभवी शिवप्रिया शिवाविर्भावजनिका वा भवति । कीदृशी ? वेदशास्त्रेषु गोपिता, वेदेषु ऋगादिषु शास्त्रेषु सांख्यपातञ्जलादिषु गोपिता रक्षिता ॥ ३६ ॥

अन्तर्लक्ष्यविलीनचित्तपवनो योगी यदा वर्तते
दृष्ट्या निश्चलतारया बहिरधः पश्यन्नपश्यन्नपि ।
मुद्रेयं खलु शांभवी भवति सा लब्धा प्रसादाद् गुरोः
शून्याशून्यविलक्षणं स्फुरति तत् तत्त्वं पदं शांभवम् ॥३७॥

शांभवीं मुद्रामभिनीय दर्शयति—अन्तर्लक्ष्येति । यदा यस्यामवस्थायामन्तः अनाहतपद्मादौ यल्लक्ष्यं सगुणेश्वरमूर्त्यादिकं तत्त्वमस्यादिवाक्यलक्ष्यं

जीवेश्वराभिन्नमहं ब्रह्मास्मीति वाक्यार्थभूतं ब्रह्म वा तस्मिन् विलीनौ विशेषेण लीनौ चित्तपवनौ मनोमारुतौ यस्य स तथा योगी वर्तते। निश्चलतारया निश्चला स्थिरा तारा कनीनिका यस्यां तादृश्या दृष्ट्या बहिर्देहाद् बहिःप्रदेशे पश्यन्नपि चक्षुःसंबन्धं कुर्वन्नपि अपश्यन् बाह्यविषयग्रहणमकुर्वन् वर्तते आस्ते। खल्विति वाक्यालंकारे। इयमुक्ता शांभवीमुद्रा शांभवीनामिका मुद्रयति क्लेशानिति मुद्रा, गुरोर्देशिकस्य प्रसादात् प्रीतिपूर्वकादनुग्रहाल्लब्धा प्राप्ता चेत् तदिदमिति वक्तुमशक्यं शांभवं शांभव्या इदं शांभवम्, शांभवीमुद्रायां भासमानं पदं पद्यते गम्यते योगिभिरिति पदमात्मस्वरूपं शून्याशून्यविलक्षणं ध्येयाकारवृत्तेः सद्भावाच्छून्यविलक्षणं तस्या अपि भानाभावादशून्यविलक्षणं तत्त्वं वास्तविकं वस्तु स्फुरति प्रतीयते। तथा चोक्तम्—

'अन्तर्लक्ष्यमनन्यधीरविरतं पश्यन् मुदा संयमी
दृष्ट्युन्मेषनिमेषवर्जितमियं मुद्रा भवेच्छांभवी।
गुप्तेयं गिरिशेन तन्त्रविदुषा तन्त्रेषु तत्त्वार्थिना-
मेषा स्याद् यमिनां मनोलयकरी मुक्तिप्रदा दुर्लभा॥' १॥
ऊर्ध्वदृष्टिरधोदृष्टिरूर्ध्ववेधो ह्यधःशिराः।
राधायन्त्रविधानेन जीवन्मुक्तो भवेत् क्षितौ॥' २॥ ३७॥

श्रीशांभव्याश्च खेचर्या अवस्थाधामभेदतः।
भवेच्चित्तलयानन्दः शून्ये चित्सुखरूपिणि॥ ३८॥

श्रीशांभव्या इति। श्रीशांभव्याः श्रीमत्याः शांभवीमुद्रायाः खेचरीमुद्रायाश्चावस्थाधामभेदतः अवस्थावस्थितिर्धाम स्थानं तयोर्भेदाच्छांभव्यां बहिर्दृष्ट्या अवस्थितिः खेचर्यां भ्रूमध्यदृष्ट्यावस्थितिः। शांभव्यां हृदयं भावनादेशः, खेचर्यां भ्रूमध्य एव देशः। तयोर्भेदाभ्यां शून्ये देशकालवस्तुपरिच्छेदशून्ये

सजातीयविजातीयस्वगतभेदशून्ये वा चित्सुखरूपिणि चिदानन्दस्वरूपिण्यात्मनि चित्तलयानन्दो भवेत् स्यात्। श्रीशांभवीखेचर्योरवस्थाधामरूपसाधनांशे भेदः न तु चित्तलयानन्दरूपफलांश इति भावः ॥ ३८ ॥

तारे ज्योतिषि संयोज्य किंचिदुन्नमयेद् भ्रुवौ।
पूर्वयोगं मनो युञ्जन्नुन्मनीकारकः क्षणात् ॥ ३९ ॥

उन्मनीमुद्रामाह—तार इति। तारे नेत्रयोः कनीनिके ज्योतिषि तारयोर्नासाग्रे योजनात् प्रकाशमाने तेजसि संयोज्य संयुक्ते कृत्वा भ्रुवौ किंचित् स्वल्पमुन्नमयेदूर्ध्वं नमयेत्, पूर्वः पूर्वोक्तः 'अन्तर्लक्ष्यं बहिर्दृष्टिः' (IV. 36) इत्याकारको योगो युक्तिर्यस्मिन् तत्तादृशं मनोऽन्तःकरणं युञ्जन् युक्तं कुर्वन् योगी क्षणान्मुहूर्तादुन्मनीकारक उन्मन्यवस्थाकारको भवति ॥ ३९ ॥

केचिदागमजालेन केचिन्निगमसंकुलैः।
केचित् तर्केण मुह्यन्ति नैव जानन्ति तारकम् ॥ ४० ॥

उन्मनीमन्तरा अन्यस्तरणोपायो नास्तीत्याह—केचिदिति। केचिच्छास्त्रतन्त्रादिविदः, आगच्छन्ति बुद्धिमारोहन्ति अर्था एभ्य इत्यागमाः शास्त्रतन्त्रादयस्तेषां जालैर्जालवद्बन्धनसाधनैस्तदुक्तैः फलैर्मुह्यन्ति मोहं प्राप्नुवन्ति। तत्रासक्ता बध्यन्त इति भावः। केचिद् वैदिका निगमसंकुलैर्निगमानां निगमोक्तानां संकुलैः फलबाहुल्यैर्मुह्यन्ति। केचिद् वैशेषिकादयस्तर्केण स्वकल्पितयुक्तिविशेषेण मुह्यन्ति। तारयतीति तारकस्तं तारकं तरणोपायं नैव जानन्ति। उक्तोन्मन्येव तरणोपायस्तं न जानन्तीत्यर्थः ॥ ४० ॥

अर्धोन्मीलितलोचनः स्थिरमना नासाग्रदत्तेक्षण-
श्चन्द्रार्कावपि लीनतामुपनयन्निस्पन्दभावेन यः।

ज्योतीरूपमशेषबीजमखिलं देदीप्यमानं परं
तत्त्वं तत्पदमेति वस्तु परमं वाच्यं किमत्राधिकम् ॥ ४१ ॥

अर्धोन्मीलितेति। अर्धम् उन्मीलिते अर्धोन्मीलिते, अर्धोन्मीलिते लोचने येन सः, अर्धोद्घाटितलोचन इत्यर्थः। स्थिरं निश्चलं मनो यस्य स स्थिरमनाः, नासाया नासिकाया अग्रेऽग्रभागे नासिकायां द्वादशाङ्गुलपर्यन्ते वा दत्ते प्रहिते ईक्षणे येन स नासाग्रदत्तेक्षणः।

तथाह वसिष्ठः—

'द्वादशाङ्गुलपर्यन्ते नासाग्रे विमलेऽम्बरे।
संविद्दृशोः प्रशाम्यन्त्योः प्राणस्पन्दो निरुध्यते ॥'

इति। निस्पन्दस्य निश्चलस्य भावो निस्पन्दभावः कायेन्द्रियमनसां निश्चलत्वं तेन चन्द्रार्कौ चन्द्रसूर्यावपि लीनतां लीनस्य भावो लीनता लयस्तामुपनयन् प्रापयन् कायेन्द्रियमनसां निश्चलत्वेन प्राणसंचारमपि स्तम्भयन्नित्यर्थः। तदुक्तं प्राक्— 'मनो यत्र विलीयेत' (IV. 23) इत्यादिपूर्वोक्तविशेषणसंपन्नो योगी ज्योतीरूपं ज्योतिरिवाखिलप्रकाशकं रूपं यस्य स तथा तमशेषबीजमाकाशाद्युत्पत्तिद्वारा सर्वकारणमखिलं पूर्णं देदीप्यमानमतिशयेन दीप्यत इति देदीप्यमानः तं तथा स्वप्रकाशं परं कायेन्द्रियमनसां साक्षिणं तत्त्वमनारोपितं वास्तविकमित्यर्थः। तदिदमिति वक्तुमशक्यं, पद्यते गम्यते योगिभिरिति पदं परमं सर्वोत्कृष्टं वस्तु आत्मस्वरूपं एति प्राप्नोति। उन्मन्यवस्थायां स्वस्वरूपावस्थितो योगी भवतीत्यर्थः। अत्राधिकं किं वाच्यम्। अपरं वस्तु न प्राप्नोतीत्यत्र किं वक्तव्यमित्यर्थः ॥ ४१ ॥

दिवा न पूजयेल्लिङ्गं रात्रौ चैव न पूजयेत्।
सर्वदा पूजयेल्लिङ्गं दिवारात्रिनिरोधतः ॥ ४२ ॥

उन्मनीभावनायाः कालनियमाभावमाह—दिवा नेति। दिवा सूर्यसंचारे लिङ्गं सर्वकारणमात्मानम्। 'एतस्मादात्मन आकाशः संभूतः' (*Tai. Up.*, II. 1. 1) इत्यादिश्रुतेः। न पूजयेत् न भावयेत्। ध्यानमेवात्मपूजनम्। तदुक्तं वासिष्ठे—

'ध्यानोपहार एवात्मा ध्यानमस्य महार्चनम्।
विना तेनेतरेणायमात्मा लभ्यत एव नो॥' इति।

रात्रौ चन्द्रसंचारे च नैव पूजयेन्नैव भावयेत्। चन्द्रसूर्यसंचारे चित्तस्थैर्याभावात्। 'चले वाते चलं चित्तम्' (II. 2) इत्युक्तत्वात्। दिवारात्रिनिरोधतः सूर्यचन्द्रौ निरुध्य। ल्यब्लोपे पञ्चमी। तस्यास्तसिल्। सर्वदा सर्वस्मिन् काले लिङ्गम् आत्मानं पूजयेद् भावयेत्। सूर्यचन्द्रयोर्निरोधे कृते सुषुम्नान्तर्गते प्राणे मनःस्थैर्यात्। तदुक्तम्—'सुषुम्नान्तर्गते वायौ मनःस्थैर्यं प्रजायते' इति॥ ४२॥

अथ खेचरी—

सव्यदक्षिणनाडीस्थो मध्ये चरति मारुतः।
तिष्ठते खेचरी मुद्रा तस्मिन् स्थाने न संशयः॥ ४३॥

खेचरीमाह—सव्येति। सव्यदक्षिणनाडीस्थो वामतदितरनाडीस्थो मारुतो वायुर्यत्र मध्ये चरति यस्मिन् मध्यप्रदेशे गच्छति तस्मिन् स्थाने तस्मिन् प्रदेशे खेचरी मुद्रा तिष्ठते स्थिरा भवति। 'प्रकाशनस्थेयाख्ययोश्च' (*Pāṇ.* 1. 3. 32) इत्यात्मनेपदम्। न संशयः उक्तेऽर्थे संदेहो नास्तीत्यर्थः॥ ४३॥

इडापिङ्गलयोर्मध्ये शून्यं चैवानिलं ग्रसेत्।
तिष्ठते खेचरी मुद्रा तत्र सत्यं पुनः पुनः॥ ४४॥

इडापिङ्गलयोरिति। इडापिङ्गलयोः सव्यदक्षिणनाड्योर्मध्ये यच्छून्यं खं कर्तृ अनिलं प्राणवायुं यत्र ग्रसेत्। शून्ये प्राणस्य स्थिरीभाव एव ग्रासः। तत्र तस्मिन् शून्ये खेचरी मुद्रा तिष्ठते। पुनः पुनः सत्यमिति योजना ॥ ४४ ॥

सूर्याचन्द्रमसोर्मध्ये निरालम्बान्तरे पुनः।
संस्थिता व्योमचक्रे या सा मुद्रा नाम खेचरी ॥ ४५ ॥

सूर्याचन्द्रमसोरिति। सूर्याचन्द्रमसोरिडापिङ्गलयोर्मध्ये निरालम्बं यदन्तरमवकाशस्तत्र। पुनः पादपूरणे। व्योम्नां खानां चक्रे समुदाये। भ्रूमध्ये सर्वखानां समन्वयात्। तदुक्तं 'पञ्चस्रोतः समन्वितम्' (III. 53) इति। या संस्थिता सा मुद्रा खेचरी नाम ॥ ४५ ॥

सोमाद् यत्रोदिता धारा साक्षात् सा शिववल्लभा।
पूरयेदतुलां दिव्यां सुषुम्नां पश्चिमे मुखे ॥ ४६ ॥

सोमादिति—सोमाच्चन्द्राद् यत्र यस्यां खेचर्यां धारा अमृतधारा उदितोद्गता सा खेचरी साक्षाच्छिववल्लभा शिवस्य प्रियेति पूर्वेणान्वयः। अतुलां निर्मलां निरुपमां दिव्यां सर्वनाड्युत्तमां सुषुम्नां पश्चिमे मुखे पूरयेत्। जिह्वयेति शेषः ॥ ४६ ॥

पुरस्ताच्चैव पूर्येत निश्चिता खेचरी भवेत्।
अभ्यस्ता खेचरी मुद्राप्युन्मनी संप्रजायते ॥ ४७ ॥

पुरस्ताच्चैवेति। पुरस्ताच्चैव पूर्वत एव पूर्येत। सुषुम्नां प्राणेनेति शेषः। यदि तर्हि निश्चितासंदिग्धा खेचरी खेचर्याख्या मुद्रा भवेदिति। यदि तु पुरस्तात् प्राणेन न पूर्येत जिह्वामात्रेण पश्चिमतः पूर्येत तर्हि मूढावस्थाजनिका न

निश्चिता खेचरी स्यादिति भावः । खेचरीमुद्राप्यभ्यस्ता सती उन्मनी संप्रजायते चित्तस्य ध्येयाकारावेशात् तुर्यावस्था भवतीत्यर्थः ॥ ४७ ॥

भ्रुवोर्मध्ये शिवस्थानं मनस्तत्र विलीयते ।
ज्ञातव्यं तत्पदं तुर्यं तत्र कालो न विद्यते ॥ ४८ ॥

भ्रुवोरिति । भ्रुवोर्मध्ये भ्रुवोरन्तराले शिवस्थानं शिवस्येश्वरस्य स्थानं शिवस्य सुखरूपस्यात्मनो वा स्थानमस्तीति शेषः । तत्र तस्मिन् शिवे मनो लीयते । शिवाकारवृत्तिप्रवाहवद् भवति तच्चित्तलयरूपं तुर्यं पदं जाग्रत्स्वप्नसुषुप्तिभ्यश्चतुर्था-वस्थाख्यं ज्ञातव्यम् । तत्र तस्मिन् पदे कालो मृत्युर्न विद्यते । यद्वा सूर्यचन्द्र-योर्निरोधादायुःक्षयकारकः कालः समयो न विद्यत इत्यर्थः । तदुक्तम्— 'भोक्त्री सुषुम्ना कालस्य' (IV. 17) इति ॥ ४८ ॥

अभ्यसेत् खेचरीं तावद् यावत् स्याद् योगनिद्रितः ।
संप्राप्तयोगनिद्रस्य कालो नास्ति कदाचन ॥ ४९ ॥

अभ्यसेदिति । तावत् खेचरीं मुद्रामभ्यसेत, यावद्योगनिद्रितः । योगः सर्ववृत्तिनिरोधः सैव निद्रा योगनिद्रास्य संजाता इति योगनिद्रितः तादृशः स्यात् । संप्राप्ता योगनिद्रा येन स संप्राप्तयोगनिद्रस्तस्य कदाचन कस्मिंश्चिदपि समये कालो मृत्युर्नास्ति ॥ ४९ ॥

निरालम्बं मनः कृत्वा न किंचिदपि चिन्तयेत् ।
सबाह्याभ्यन्तरे व्योम्नि घटवत् तिष्ठति ध्रुवम् ॥ ५० ॥

निरालम्बमिति । यो निरालम्बमालम्बनशून्यं मनः कृत्वा किंचिदपि न चिन्तयेत् खेचरीमुद्रायां जायमानायां ब्रह्माकारामपि वृत्तिं परवैराग्येण परित्य-जेदित्यर्थः । स योगी बाह्याभ्यन्तरे बाह्ये बहिर्भवे आभ्यन्तरेऽन्तर्भवे च

व्योम्न्याकाशे घटवत् तिष्ठति। ध्रुवं निश्चितमेतत्। यथाकाशे घटो बहिरन्तश्चाकाशपूर्णो भवति तथा खेचर्यामालम्बनपरित्यागेन योगी ब्रह्मणा पूर्णस्तिष्ठतीत्यर्थः ॥ ५० ॥

बाह्यवायुर्यथा लीनस्तथा मध्यो न संशयः।
स्वस्थाने स्थिरतामेति पवनो मनसा सह ॥ ५१ ॥

बाह्येति। बाह्यो देहाद् बहिर्भवो वायुर्यथा लीनो भवति खेचर्याम्। तस्यान्तःप्रवृत्त्यभावात्। तथा मध्यो देहमध्यवर्ती वायुर्लीनो भवति। तस्य बहिःप्रवृत्त्यभावात्। न संशयः, अस्मिन्नर्थे संदेहो नास्तीत्यर्थः। स्थीयते स्थिरीभूयतेऽस्मिन्निति स्थानं स्वस्य प्राणस्य स्थानं स्थैर्याधिष्ठानं ब्रह्मरन्ध्रं तत्र मनसा चित्तेन सह पवनः प्राणः स्थिरतां निश्चलतामेति प्राप्नोति ॥ ५१ ॥

एवमभ्यस्यतस्तस्य वायुमार्गे दिवानिशम्।
अभ्यासाज्जीर्यते वायुर्मनस्तत्रैव लीयते ॥ ५२ ॥

एवमुक्तप्रकारेण वायुमार्गे प्राणमार्गे सुषुम्नायामित्यर्थः। दिवानिशं रात्रिंदिवमभ्यस्यतोऽभ्यासं कुर्वतो योगिनोऽभ्यासाद् यत्र यस्मिन्नाधारे वायुः प्राणो जीर्यते क्षीयत लीयत इत्यर्थः। तत्रैव वायोर्लयाधिष्ठाने मनश्चित्तं लीयते जीर्यत इत्यर्थः ॥ ५२ ॥

अमृतैः प्लावयेद् देहमापादतलमस्तकम्।
सिद्ध्यत्येव महाकायो महाबलपराक्रमः ॥ ५३ ॥

इति खेचरी ॥

अमृतैरिति। अमृतैः सुषिरनिर्गतैः पादतलं च मस्तकं च पादतलमस्तकम्। 'द्वन्द्वश्च प्राणितूर्यसेनाङ्गानाम्' (*Pāṇ.* II. 4. 2) इत्येकवद्भावः। पादतल-

मस्तकमभिव्याप्येत्यापादतलमस्तकं देहमाप्लावयेदाप्लावितं कुर्यात् । महानुत्कृष्टः कायो यस्य स महाकायः महान्तौ बलपराक्रमौ यस्येत्येतादृशो योगी सिद्धयत्येव, अमृताप्लावनेन सिद्धो भवत्येव ॥ ५३ ॥

शक्तिमध्ये मनः कृत्वा शक्तिं मानसमध्यगाम् ।
मनसा मन आलोक्य धारयेत् परमं पदम् ॥ ५४ ॥

शक्तिरिति । शक्तिः कुण्डलिनी तस्या मध्ये मनः कृत्वा तस्यां मनो धृत्वा तदाकारं मनः कृत्वेत्यर्थः । शक्तिं मानसमध्यगां कृत्वा । शक्तिध्यानावेशाच्छक्ति-मनसोरत्यन्तैक्यं कृत्वा तेन कुण्डलीं बोधयित्वेति यावत् । 'प्रबुद्धा वह्नियोगेन मनसा मरुता सह' इति गोरक्षोक्तेः (31) । मनसान्तःकरणेन मनः आलोक्य बुद्धिं मनसोऽवलोकनेन स्थिरीकृत्येत्यर्थः । परमं पदं सर्वोत्कृष्टं स्वरूपं धारयेद् धारणाविषयं कुर्यादित्यर्थः ॥ ५४ ॥

खमध्ये कुरु चात्मानमात्ममध्ये च खं कुरु ।
सर्वं च खमयं कृत्वा न किंचिदपि चिन्तयेत् ॥ ५५ ॥

खमध्य इति । खमिव पूर्णं ब्रह्म खं तन्मध्ये आत्मानं स्वस्वरूपं कुरु । ब्रह्माहमिति भावयेत्यर्थः । आत्ममध्ये स्वस्वरूपे च खं पूर्णं ब्रह्म कुरु । अहं ब्रह्मेति च भावयेत्यर्थः । सर्वं च खमयं कृत्वा ब्रह्ममयं विभाव्य किमपि न चिन्तयेत् । अहं ब्रह्मेति ध्यानमपि परित्यजेदित्यर्थः ॥ ५५ ॥

अन्तः शून्यो बहिः शून्यः शून्यः कुम्भ इवाम्बरे ।
अन्तः पूर्णो बहिः पूर्णः पूर्णः कुम्भ इवार्णवे ॥ ५६ ॥

एवं समाहितस्य स्वरूपे स्थितिमाह—अन्तःशून्य इति । अन्तः अन्तःकरणे शून्यः । ब्रह्मातिरिक्तवृत्तेरभावाद् द्वितीयशून्यः । बहिरन्तःकरणाद्

बहिरपि शून्यः। द्वितीयादर्शनात्। अम्बरे आकाशे कुम्भो घटो यथान्तर्बहिः-शून्यस्तद्वदन्तः अन्तःकरणे हृदाकाशे वा पूर्णः व्याप्तत्वाद् ब्रह्माकारवृत्तेः सद्भावाद् ब्रह्मसत्त्वाद्वा। बहिःपूर्णोऽन्तःकरणाद् बहिर्हृदाकाशाद् बहिर्वा पूर्णः। सत्तया ब्रह्मातिरिक्तवृत्तेर्भावाद् ब्रह्मपूर्णत्वाद्वा। अर्णवे समुद्रे कुम्भो घटो यथा सर्वतो जलपूर्णो भवत्येवं समाधिनिष्ठो योगी ब्रह्मपूर्णो भवतीत्यर्थः॥ ५६॥

बाह्यचिन्ता न कर्तव्या तथैवान्तरचिन्तनम्।
सर्वचिन्तां परित्यज्य न किंचिदपि चिन्तयेत्॥ ५७॥

बाह्यचिन्तेति। समाहितेन योगिनेत्यध्याहारः। बाह्यचिन्ता बाह्यविषय-चिन्ता न कर्तव्या। तथैव बाह्यचिन्ताकरणवदान्तरचिन्तनमान्तराणां मनसा परिकल्पितानामाशामोदकसौधवाटिकादीनां चिन्तनं न कर्तव्यमिति लिङ्गवि-परिणामेनान्वयः। सर्वचिन्तां बाह्याभ्यन्तरचिन्तनं परित्यज्य किंचिदपि न चिन्तयेत् परवैराग्येणात्माकारवृत्तिमपि परित्यजेत्। तत्त्यागे स्वरूपावस्थितिरूपा जीवन्मुक्तिर्भवतीति भावः॥ ५७॥

संकल्पमात्रकलनैव जगत् समग्रं
संकल्पमात्रकलनैव मनोविलासः।
संकल्पमात्रमतिमुत्सृज निर्विकल्प-
माश्रित्य निश्चयमवाप्नुहि राम शान्तिम्॥ ५८॥

बाह्याभ्यन्तरचिन्तापरित्यागे शान्तिश्च भवतीत्यत्र वसिष्ठवाक्यं प्रमाण-यति—संकल्पेति। संकल्पो मानसिको व्यापारः स एव संकल्पमात्रं तस्य कलनैव रचनैवेदं दृश्यमानं समग्रं जगत्। बाह्यप्रपञ्चो मनोमात्रकल्पित इत्यर्थः। मनसो मानसस्य विलासो नानाविषयाकारकल्पना आशामोदकसौधवाटिकादि-

कल्पनारूपो विलासः संकल्पमात्रकलनैव । मानसः प्रपञ्चोऽपि संकल्पमात्ररचनै-वेत्यर्थः । संकल्पमात्रे बाह्याभ्यन्तरप्रपञ्चे या मतिः सत्यत्वबुद्धिस्तामुत्सृज त्यज । तर्हि किं कर्तव्यमित्यत आह—निर्विकल्पेति । विशिष्टः कल्पो विकल्पः । आत्मनि कर्तृत्वभोक्तृत्वसुखित्वदुःखित्वसजातीयविजातीयस्वगतभेददेशकालवस्तुपरिच्छेद - कल्पनारूपः, तस्मान्निष्क्रान्तो निर्विकल्पः आत्मा तमाश्रित्य धारणादिविषयं कृत्वा हे राम निश्चयमसंदिग्धं शान्तिं परमोपरतिमवाप्नुहि । ततः सुखमपि प्राप्स्यसीति भावः । तदुक्तं भगवता व्यतिरेकेण । 'न चाभावयतः शान्ति-रशान्तस्य कुतः सुखम्' (*B.G.* II. 66) इति ॥ ५८ ॥

कर्पूरमनले यद्वत् सैन्धवं सलिले यथा ।
तथा संधीयमानं च मनस्तत्त्वे विलीयते ॥ ५९ ॥

कर्पूरमिति । यद्वद् यथा अनलेऽग्नौ संधीयमानं संयोज्यमानं कर्पूरं विली-यते विशेषेण लीयते लीनं भवति । अग्न्याकारं भवति । यथा सलिले जले संधीय-मानं सैन्धवं लवणं विलीयते लवणाकारं परित्यज्य जलाकारं भवति तथा तद्वत् तत्त्वे आत्मनि संधीयमानं धार्यमाणं मनो विलीयते आत्माकारं भवति ॥ ५९ ॥

ज्ञेयं सर्वं प्रतीतं च ज्ञानं च मन उच्यते ।
ज्ञानं ज्ञेयं समं नष्टं नान्यः पन्था द्वितीयकः ॥ ६० ॥

मनसो विलये जाते द्वैतमपि लीयत इत्याह त्रिभिः—ज्ञेयमिति । सर्वं सकलं ज्ञेयं ज्ञानार्हं प्रतीतं च ज्ञातं च ज्ञानं च इदं सर्वं मन उच्यते । सर्वस्य मनःकल्पनामात्रत्वान्मनःशब्देनोच्यते । ज्ञानं ज्ञेयं च समं मनसो विलये मनसा सार्धं नष्टं यदि तर्हि द्वितीयकः द्वितीय एव द्वितीयकः पन्था मनोविषयो नास्ति । द्वैतं नास्तीति फलितार्थः ॥ ६० ॥

मनोदृश्यमिदं सर्वं यत्किंचित् सचराचरम् ।
मनसो ह्युन्मनीभावाद् द्वैतं नैवोपलभ्यते ॥ ६१ ॥

मनोदृश्यमिति । इदमुपलभ्यमानं यत्किंचिद् यत्किमपि चरं जङ्गममचरं स्थावरं चरं चाचरं च चराचरे ताभ्यां सह वर्तत इति सचराचरं यज्जगत् तत्सर्वं मनोदृश्यं मनसा दृश्यम् । मनःसंकल्पमात्रमित्यर्थः । मनःकल्पनासत्त्वे प्रतीतेस्तदभावे चाप्रतीतेर्भ्रम एव सर्वं जगत् । भ्रमस्य प्रातीतिकशरीरत्वात् । न च बौद्धमतप्रसङ्गः । भ्रमाधिष्ठानस्य ब्रह्मणः सत्यत्वाभ्युपगमात् । मनस उन्मनीभावाद् विलयाद् द्वैतं भेदः नैवोपलभ्यते नैव प्रतीयते । द्वैतभ्रमहेतोर्मनःसंकल्पस्याभावात् । हीति हेतावव्ययम् ॥ ६१ ॥

ज्ञेयवस्तुपरित्यागाद् विलयं याति मानसम् ।
मनसो विलये जाते कैवल्यमवशिष्यते ॥ ६२ ॥

ज्ञेयेति । ज्ञेयं ज्ञानविषयं यद्वस्तु सर्वं चराचरं यद् दृश्यं तस्य परित्यागान्नामरूपात्मकस्य तस्य परिवर्जनाद् मानसं विलयं याति सच्चिदानन्दरूपात्माकारं भवति । मनसो विलये जाते सति कैवल्यं केवलस्यात्मनो भावः कैवल्यमवशिष्यते । अद्वितीयात्मस्वरूपमेव शिष्टं भवतीत्यर्थः ॥ ६२ ॥

एवं नानाविधोपायाः सम्यक् स्वानुभवान्विताः ।
समाधिमार्गाः कथिताः पूर्वाचार्यैर्महात्मभिः ॥ ६३ ॥

एवमिति । एवम् 'अन्तर्लक्ष्यं बहिर्दृष्टिः' (IV. 36) इत्याद्युक्तप्रकारेण महान् समाधिपरिशीलनशुद्ध आत्मान्तःकरणं येषां ते महात्मानस्तैर्महात्मभिः पूर्वे च ते आचार्याश्च पूर्वाचार्या मत्स्येन्द्रादयस्तैः समाधेश्चित्तवृत्तिनिरोधस्य मार्गाः प्राप्त्युपायाः कथिताः । कीदृशाः समाधिमार्गाः ?

नानाविधोपायाः नानाविधा उपायाः साधनानि येषां ते तथा सम्यक् समीचीनतया संशयविपर्ययराहित्येन यः स्वानुभव आत्मानुभवस्तेनान्विता युक्ताः ॥ ६३ ॥

सुषुम्नायै कुण्डलिन्यै सुधायै चन्द्रजन्मने ।
मनोन्मन्यै नमस्तुभ्यं महाशक्त्यै चिदात्मने ॥ ६४ ॥

सुषुम्नादिभ्यः कृतकृत्यस्ताः प्रणमति—सुषुम्नायै इति । सुषुम्ना मध्यनाडी तस्यै कुण्डलिन्यै आधारशक्त्यै चन्द्राद् भ्रूमध्यस्थाज्जन्म यस्यास्तस्यै सुधायै पीयूषाय मनोन्मन्यै तुर्यावस्थायै चिच्चैतन्यमात्मा स्वरूपं यस्याः सा तथा तस्यै महती जडानां कायेन्द्रियमनसां चैतन्यसंपादकत्वात् सर्वोत्तमा या शक्तिश्चिच्छक्तिः पुरुषरूपा तस्यै । तुभ्यमिति प्रत्येकं संबध्यते । नमः प्रह्वीभावोऽस्तु ॥ ६४ ॥

अशक्यतत्त्वबोधानां मूढानामपि संमतम् ।
प्रोक्तं गोरक्षनाथेन नादोपासनमुच्यते ॥ ६५ ॥

नानाविधान् समाध्युपायानुक्त्वा नादानुसंधानरूपं मुख्योपायं प्रतिजानीते—अशक्येति । अव्युत्पन्नत्वादशक्यस्तत्त्वबोधस्तत्त्वज्ञानं येषां ते तथा तेषां मूढानामनधीतानां संमतम् । अपिशब्दात् किमुताधीतानामिति गम्यते । गोरक्षनाथेन प्रोक्तमित्यनेन महदुक्तत्वादुपादेयत्वं गम्यते । नादस्यानाहतध्वनेरुपासनमनुसंधानरूपं सेवनमुच्यते कथ्यते ॥ ६५ ॥

श्रीआदिनाथेन सपादकोटिलयप्रकाराः कथिता जयन्ति ।
नादानुसंधानकमेकमेव मन्यामहे मुख्यतमं लयानाम् ॥ ६६ ॥

श्रीआदिनाथेनेति । श्रीआदिनाथेन शिवेन कथिताः प्रोक्ताः पादेन चतुर्थांशेन सह वर्तमानाः कोटिसंख्याका लयप्रकाराश्चित्तलयसाधनभेदा जयन्ति, उत्कर्षेण वर्तन्ते । वयं तु नादानुसंधानकं नादानुचिन्तनमेव एकं केवलं लयानां लयसाधनानां मध्ये मुख्यतममतिशयेन मुख्यं मन्यामहे जानीमहे । उत्कृष्टानां लयसाधनानां मध्ये उत्कृष्टतमत्वाद् गोरक्षाभिमतत्वादस्मदभिमतत्वाच्च नादानुसंधानमेव अवश्यं विधेयमिति भावः ॥ ६६ ॥

मुक्तासने स्थितो योगी मुद्रां संधाय शांभवीम् ।
शृणुयाद् दक्षिणे कर्णे नादमन्तस्थमेकधीः ॥ ६७ ॥

शांभवीमुद्रया नादानुसंधानमाह—मुक्तासन इति । मुक्तासने सिद्धासने स्थितो योगी शांभवीं मुद्राम् 'अन्तर्लक्ष्यं बहिर्दृष्टिः' (IV. 36) इत्यादिनोक्तां संधाय कृत्वा । एकधीरेकाग्रचित्तः सन् दक्षिणे कर्णेऽन्तस्थं सुषुम्ना-नाड्यां सन्तमेव नादं शृणुयात् । तदुक्तं त्रिपुरासारसमुच्चये—

'आदौ मत्तालिमालाजनितरवसमस्तारझंकारकारी
नादोऽसौ वांशिकस्यानिलभरितलसद्वंशनिःस्वानतुल्यः ।
घण्टानादानुकारी तदनु च जलधिध्वानधीरो गभीरो
गर्जत्पर्जन्यघोषः पर इह कुहरे वर्तते ब्रह्मनाड्याः ॥'

इति ॥ ६७ ॥

श्रवणपुटनयनयुगलघ्राणमुखानां निरोधनं कार्यम् ।
शुद्धसुषुम्नासरणौ स्फुटममलः श्रूयते नादः ॥ ६८ ॥

षण्मुखीमुद्रया नादानुसंधानमाह—श्रवणेति । श्रवणपुटे नयन-योर्नेत्रयोर्युगलं युग्मं घ्राणशब्देन घ्राणपुटे मुखमास्यम् । एषां द्वन्द्वे प्राण्यङ्गत्वा-

देकवद्भावे प्राप्तेऽपि सर्वस्यापि द्वन्द्वैकवद्भावस्य वैकल्पिकत्वान्न भवति। तेषां निरोधनं कराङ्गुलिभिः कार्यम्। निरोधनं चेत्थम्—

'अङ्गुष्ठाभ्यामुभौ कर्णौ तर्जनीभ्यां च चक्षुषी।
नासापुटौ तथान्याभ्यां प्रच्छाद्य करणानि च॥' इति।

चकारात् तदन्याभ्यां मुखं प्रच्छाद्येति समुच्चीयते। शुद्धा प्राणायामैर्मलरहिता या सुषुम्नासरणिः सुषुम्नापद्धतिस्तस्याममलो नादः स्फुटं व्यक्तं श्रूयते॥ ६८॥

आरम्भश्च घटश्चैव तथा परिचयोऽपि च।
निष्पत्तिः सर्वयोगेषु स्यादवस्थाचतुष्टयम्॥ ६९॥

अथ नादस्य चतस्रोऽवस्थाः प्राह—आरम्भश्चेति। आरम्भावस्था घटावस्था परिचयावस्था निष्पत्त्यवस्था इति। सर्वयोगेषु सर्वेषु चित्तवृत्तिनिरोधोपायेषु शांभव्यादिषु अवस्थाचतुष्टयं स्यात्। चचैवतथापिचाः पादपूरणार्थाः॥ ६९॥

अथारम्भावस्था—

ब्रह्मग्रन्थेर्भवेद्भेदो ह्यानन्दः शून्यसंभवः।
विचित्रः क्वणको देहेऽनाहतः श्रूयते ध्वनिः॥ ७०॥

तत्रारम्भावस्थामाह—ब्रह्मग्रन्थेरिति। ब्रह्मग्रन्थेरनाहतचक्रे वर्तमानाया भेदः प्राणायामाभ्यासेन भेदनं यदा भवेत् तदेति; यत्तदोरध्याहारः। आनन्दयतीत्यानन्दः आनन्दजनकः शून्ये हृदाकाशे संभवतीति शून्यसंभवो हृदाकाशोत्पन्नो विचित्रो नानाविधः क्वणो भूषणनिनदः स एव क्वणकः। भूषणनिनदसदृश इत्यर्थः। 'भूषणानां तु शिञ्जितम्। निक्वाणो निक्वणः क्वाण

क्वणः क्वणनमित्यपि' (I. 7. 3) इत्यमरः। अनाहतो ध्वनिरनाहतो निर्ह्रादो देहे देहमध्ये श्रूयते श्रवणविषयो भवतीत्यर्थः ॥ ७० ॥

दिव्यदेहश्च तेजस्वी दिव्यगन्धस्त्वरोगवान्।
संपूर्णहृदयः शून्य आरम्भे योगवान् भवेत् ॥ ७१ ॥

दिव्यदेह इति। शून्ये हृदाकाशे य आरम्भो नादारम्भस्तस्मिन् सति हृदाकाशविशुद्ध्याकाशभ्रूमध्याकाशाः शून्यातिशून्यमहाशून्यशब्दैर्व्यवह्रियन्ते योगिभिः। संपूर्णहृदयः प्राणवायुना सम्यक् पूर्णं हृदयं यस्य स तथा आनन्देन पूर्णे हृदये योगवान् योगी दिव्यो रूपलावण्यबलसंपन्नो देहो यस्य स दिव्यदेहः तेजस्वी प्रतापवान् दिव्यगन्धः दिव्य उत्तमो गन्धो यस्य स तथा अरोगवान् रोगरहितो भवेदिति संबन्धः ॥ ७१ ॥

अथ घटावस्था—

द्वितीयायां घटीकृत्य वायुर्भवति मध्यगः।
दृढासनो भवेद् योगी ज्ञानी देवसमस्तदा ॥ ७२ ॥

घटावस्थामाह—द्वितीयायामिति। द्वितीयायां घटावस्थायां वायुः प्राणः घटीकृत्य आत्मना सहापानं नादबिन्दू चैकीकृत्य मध्यगो मध्यचक्रगतः कण्ठस्थाने मध्यचक्रम्। तदुक्तमत्रैव जालंधरबन्धे—'मध्यचक्रमिदं ज्ञेयं षोडशाधारबन्धनम्' (III. 73) इति। यदा भवेदित्यध्याहारः। तदास्यामवस्थायां योगी योगाभ्यासी दृढमासनं यस्य स दृढासनः स्थिरासनो ज्ञानी पूर्वापेक्षया कुशलबुद्धिर्देवसमो रूपलावण्याधिक्याद् देवतुल्यो भवेत्। तदुक्तमीश्वरोक्ते राजयोगे—

'प्राणापानौ नादबिन्दू जीवात्मपरमात्मनोः ।
मिलित्वा घटते यस्मात् तस्मात् स घट उच्यते ॥' इति ॥ ७२ ॥

विष्णुग्रन्थेस्ततो भेदात् परमानन्दसूचकः ।
अतिशून्ये विमर्दश्च भेरीशब्दस्तदा भवेत् ॥ ७३ ॥

विष्णुग्रन्थेरिति । ततो ब्रह्मग्रन्थिभेदनानन्तरं विष्णुग्रन्थेः कण्ठे वर्तमानाया भेदात् कुम्भकैर्भेदनात् परमानन्दस्य भाविनो ब्रह्मानन्दस्य सूचको ज्ञापकः । अतिशून्ये कण्ठावकाशे विमर्दोऽनेकनादसंमर्दो भेर्याः शब्द इव शब्दो भेरीशब्दो भेरीनादश्च तदा तस्मिन् काले भवेत् ॥ ७३ ॥

तृतीयायां तु विज्ञेयो विहायोमर्दलध्वनिः ।
महाशून्यं तदा याति सर्वसिद्धिसमाश्रयम् ॥ ७४ ॥

परिचयावस्थामाह सार्धद्वाभ्याम्—तृतीयायामिति । तृतीयायां परिचयावस्थायां विहायोमर्दलध्वनिर्विहायसि भ्रूमध्याकाशे मर्दलस्य वाद्यविशेषस्य ध्वनिरिव ध्वनिर्विज्ञेयो विशेषेण ज्ञानार्हो भवति । तदा तस्यामवस्थायां सर्वसिद्धिसमाश्रयं सर्वासां सिद्धीनामणिमादीनां समाश्रयं स्थानम् । तत्र संयमादणिमादिप्राप्तेः महाशून्यं भ्रूमध्याकाशं याति गच्छति प्राण इति शेषः ॥ ७४ ॥

चित्तानन्दं तदा जित्वा सहजानन्दसंभवः ।
दोषदुःखजराव्याधिक्षुधानिद्राविवर्जितः ॥ ७५ ॥

चित्तानन्दमिति । चित्तानन्दं नादविषयान्तःकरणवृत्तिजन्यं सुखं जित्वाभिभूय सहजानन्दसंभवः सहजानन्दः स्वाभाविकमात्मसुखं तस्य संभव आविर्भावः सः, दोषा वातपित्तकफा दुःखं तज्जन्या वेदना आध्यात्मिकापि च जरा

वृद्धावस्था व्याधिर्ज्वरादिः क्षुधा बुभुक्षा निद्रा स्वाप एताभिर्विवर्जितो रहितस्तदा योगी भवतीति ॥ ७५ ॥

रुद्रग्रन्थिं यदा भित्त्वा शर्वपीठगतोऽनिलः ।
निष्पत्तौ वैणवः शब्दः क्वणद्वीणाक्वणो भवेत् ॥ ७६ ॥

तदा, कदेत्यपेक्षायामाह—रुद्रेति । यदा रुद्रग्रन्थिं भित्त्वा, आज्ञाचक्रे रुद्रग्रन्थिः शर्वस्येश्वरस्य पीठं स्थानं भ्रूमध्यं तत्र गतः प्राप्तोऽनिलः प्राणो भवति, तदा निष्पत्त्यवस्थामाह—निष्पत्ताविति । निष्पत्तौ निष्पत्त्यवस्थायाम् । ब्रह्मरन्ध्रे गते प्राणे निष्पत्त्यवस्था भवति । वैणवः वेणोरयं वैणवो वंशसंबन्धी शब्दो निनादः क्वणन्ती शब्दायमाना या वीणा तस्याः क्वणः शब्दो भवेत् ॥ ७६ ॥

एकीभूतं तदा चित्तं राजयोगाभिधानकम् ।
सृष्टिसंहारकर्तासौ योगीश्वरसमो भवेत् ॥ ७७ ॥

तदा तस्यामवस्थायां चित्तमन्तःकरणमेकीभूतमेकविषयीभूतम् । विषयविषयिणोरभेदोपचारात् । तद्राजयोगाभिधानकं राजयोग इत्यभिधानं यस्य तद्राजयोगाभिधानकं चित्तस्यैकाग्रतैव राजयोग इत्यर्थः । सृष्टिसंहारेति । असौ नादानुसंधानपरो योगी सृष्टिसंहारकर्ता सृष्टिं संहारं च करोतीति तादृशः । अत एवेश्वरसम ईश्वरतुल्यो भवेत् ॥ ७७ ॥

अस्तु वा मास्तु वा मुक्तिरत्रैवाखण्डितं सुखम् ।
लयोद्भवमिदं सौख्यं राजयोगादवाप्यते ॥ ७८ ॥
राजयोगमजानन्तः केवलं हठकर्मिणः ।
एतानभ्यासिनो मन्ये प्रयासफलवर्जितान् ॥ ७९ ॥

अस्तु वेति । राजयोगमिति । उभौ प्राग् व्याख्यातौ ॥ ७८-७९ ॥

उन्मन्यवाप्तये शीघ्रं भ्रूध्यानं मम संमतम् ।
राजयोगपदं प्राप्तुं सुखोपायोऽल्पचेतसाम् ।
सद्यः प्रत्ययसंधायी जायते नादजो लयः ॥ ८० ॥

उन्मन्यवाप्तय इति । शीघ्रं त्वरितमुन्मन्या उन्मन्यवस्थाया अवाप्तये प्राप्त्यर्थं भ्रूध्यानं भ्रुवोर्ध्यानं भ्रूमध्ये ध्यानं मम स्वात्मारामस्य संमतम् । राजयोगो योगानां राजा तदेव पदं राजयोगपदं तुर्यावस्थाख्यं प्राप्तुं लब्धुं पूर्वोक्तभ्रूध्यानरूपः सुखोपायः सुखसाध्य उपायः सुखोपायः अल्पचेतसामल्पबुद्धीनामपि । किमुतान्येषामित्यभिप्रायः । नादजः नादाज्जातो लयश्चित्तविलयः सद्यः शीघ्रं प्रत्ययं प्रतीतिं संदधातीति प्रत्ययसंधायी प्रतीतिकरो जायते प्रादुर्भवति ॥ ८० ॥

नादानुसंधानसमाधिभाजां योगीश्वराणां हृदि वर्धमानम् ।
आनन्दमेकं वचसामगम्यं जानाति तं श्रीगुरुनाथ एकः ॥ ८१ ॥

नादानुसंधानेति । नादस्यानाहतध्वनेरनुसंधानमनुचिन्तनं तेन समाधिश्चित्तैकाग्र्यं तं भजन्तीति नादानुसंधानसमाधिभाजस्तेषाम् । योगिषु योगयुक्तेष्वीश्वराः समर्थास्तेषाम् । हृदि हृदये वर्धत इति वर्धमानस्तं वर्धमानम् । वचसां वाचामगम्यम् इदमिति वक्तुमशक्यं तं योगशास्त्रप्रसिद्धमेकं मुख्यमानन्दमाह्लादमेकोऽनन्यः श्रीगुरुनाथः श्रीमान् गुरुरेव नाथो जानाति वेत्ति । एतेन नादानुसंधानानन्दो गुरुगम्य एवेति सूचितम् ॥ ८१ ॥

कर्णौ पिधाय हस्ताभ्यां यं शृणोति ध्वनिं मुनिः ।
तत्र चित्तं स्थिरीकुर्याद् यावत् स्थिरपदं व्रजेत् ॥ ८२ ॥

नादानुसंधानात् प्रत्याहारादिक्रमेण समाधिमाह—कर्णावित्यादिभिः । मुनिर्मननशीलो योगी हस्ताभ्यामित्यनेन हस्ताङ्गुष्ठौ लक्ष्येते । ताभ्यां कर्णौ

श्रोत्रे पिधाय । हस्ताङ्गुष्ठौ श्रोत्रविवरयोः कृत्वेत्यर्थः । यं ध्वनिमनाहतनिःस्वनं शृणोत्याकर्णयति तत्र तस्मिन् ध्वनौ चित्तं स्थिरीकुर्यादस्थिरं स्थिरं संपद्यमानं कुर्यात् । यावत् स्थिरं पदं स्थिरपदं तुर्याख्यं गच्छेत् । तदुक्तम् । 'तुर्यावस्थाचिदभिव्यञ्जकनादस्य वेदनं प्रोक्तम्' इति नादानुसंधानेन वायुस्थैर्यमणिमादयोऽपि भवन्ति । उक्तं च त्रिपुरासारसमुच्चये—

'विजितो भवतीह तेन वायुः सहजो यस्य समुत्थितः प्रणादः ।
अणिमादिगुणा भवन्ति तस्यामितपुण्यं च महागुणोदयस्य ॥
सुरराजतनूजवैरिरन्ध्रे विनिरुध्य स्वकराङ्गुलिद्वयेन ।
जलधेरिव धीरनादमन्तः प्रसरन्तं सहसा शृणोति मर्त्यः ॥' इति ।

सुरराज इन्द्रस्तस्य तनूजोऽर्जुनस्तस्य वैरी कर्णस्तद्रन्ध्रे । स्पष्टमन्यत् ॥ ८२ ॥

अभ्यस्यमानो नादोऽयं बाह्यमावृणुते ध्वनिम् ।
पक्षाद् विक्षेपमखिलं जित्वा योगी सुखी भवेत् ॥ ८३ ॥

अभ्यस्यमान इति । अभ्यस्यमानोऽनुसंधीयमानोऽयं नादोऽनाहताख्यो बाह्यं ध्वनिं बहिर्भवं शब्दमावृणुते श्रुत्योरविषयं करोति । योगी नादाभ्यासी पक्षान्मासार्धादखिलं सर्वं विक्षेपं चित्तचाञ्चल्यं जित्वाऽभिभूय सुखी स्वानन्दी भवेत् ॥ ८३ ॥

श्रूयते प्रथमाभ्यासे नादो नानाविधो महान् ।
ततोऽभ्यासे वर्धमाने श्रूयते सूक्ष्मसूक्ष्मकः ॥ ८४ ॥

श्रूयत इति । प्रथमाभ्यासे पूर्वाभ्यासे नानाविधोऽनेकविधो महान् जलधिजीमूतभेर्यादिसदृशो नादोऽनाहतस्वनः श्रूयते आकर्ण्यते । ततोऽनन्तर-

मभ्यासे नादानुसंधानाभ्यासे वर्धमाने सति सूक्ष्मसूक्ष्मकः सूक्ष्मः सूक्ष्म एव श्रूयते श्रवणविषयो भवति ॥ ८४ ॥

आदौ जलधिजीमूतभेरीझर्झरसंभवाः ।
मध्ये मर्दलशङ्खोत्था घण्टाकाहलजास्तथा ॥ ८५ ॥

नानाविधं नादमाह द्वाभ्याम्—आदाविति । आदौ वायोर्ब्रह्मरन्ध्रगमनसमये जलधिः समुद्रो जीमूतो मेघो भेरी वाद्यविशेषः, 'भेरी स्त्री दुन्दुभिः पुमान्' इत्यमरः (I. 8. 6)। झर्झरो वाद्यविशेषः ।

'वाद्यप्रभेदा डमरुमड्डुडिण्डिमझर्झराः ।
मर्दलः पणवो ऽन्येऽपि—' इत्यमरः (I. 8. 8)

जलधिप्रमुखेभ्यः संभव इव संभवो येषां ते तथा मध्ये ब्रह्मरन्ध्रे वायोः स्थैर्यानन्तरं मर्दलो वाद्यविशेषः शङ्खो जलजस्ताभ्यामुत्था इव मर्दलशङ्खोत्थाः । घण्टाकाहलौ वाद्यविशेषौ ताभ्यां जाता इव घण्टाकाहलजाः ॥ ८५ ॥

अन्ते तु किंकिणीवंशवीणाभ्रमरनिःस्वनाः ।
इति नानाविधा नादाः श्रूयन्ते देहमध्यगाः ॥ ८६ ॥

अन्ते त्विति । अन्ते तु प्राणस्य ब्रह्मरन्ध्रे बहुस्थैर्यानन्तरं तु किंकिणी क्षुद्रघण्टिका वंशो वेणुः वीणा तन्त्री भ्रमरो मधुपः तेषां निःस्वना इव निःस्वनाः इति पूर्वोक्ता नानाविधा अनेकप्रकारका देहस्य मध्ये गताः प्राप्ताः श्रूयन्ते ॥ ८६ ॥

महति श्रूयमाणेऽपि मेघभेर्यादिके ध्वनौ ।
तत्र सूक्ष्मात् सूक्ष्मतरं नादमेव परामृशेत् ॥ ८७ ॥

महतीति। मेघश्च भेरी च ते आदी यस्य स मेघभेर्यादिकस्तस्मिन्। मेघभेरीशब्दौ तज्जन्यनिर्घोषपरौ। महति बृहति ध्वनौ निनादे श्रूयमाणे आकर्ण्यमाने सत्यपि तत्र तेषु नादेषु सूक्ष्मात् सूक्ष्मतरमतिसूक्ष्मं नादमेव परामृशेत् चिन्तयेत्। सूक्ष्मस्य नादस्य चिरस्थायित्वात् तत्रासक्तं चित्तं चिरं स्थिरीभवेदिति भावः॥ ८७॥

घनमुत्सृज्य वा सूक्ष्मे सूक्ष्ममुत्सृज्य वा घने।
रममाणमपि क्षिप्तं मनो नान्यत्र चालयेत्॥ ८८॥

घनमिति। घनं महान्तं नादं मेघभेर्यादिकमुत्सृज्य त्यक्त्वा सूक्ष्मे किंकिणीभ्रमरादिस्वने वा सूक्ष्ममुत्सृज्य घने वा नादे रममाणं घन-सूक्ष्मान्यतरनादग्रहणपरित्यागाभ्यां क्रीडन्तमपि क्षिप्तं रजसात्यन्तचञ्चलं मनोऽन्यत्र विषयान्तरे न चालयेन्न प्रेरयेत्। क्षिप्तं मनो विषयान्तरासक्तं न समाधीयते, नादेष्वेव रममाणं तु समाधीयत इति भावः॥ ८८॥

यत्रकुत्रापि वा नादे लगति प्रथमं मनः।
तत्रैव सुस्थिरीभूय तेन सार्धं विलीयते॥ ८९॥

यत्रेति। वा अथवा यत्रकुत्रापि नादे यस्मिन्कस्मिंश्चिद्घने सूक्ष्मे वा नादे प्रथमं पूर्वं मनो लगति लग्नं भवति तत्रैव तस्मिन्नेव नादे सुस्थिरीभूय सम्यक् स्थिरं भूत्वा तेन नादेन सार्धं साकं विलीयते लीनं भवतीत्यर्थः। अत्र पूर्ववाक्येन प्रत्याहारो द्वितीयेन धारणा तृतीयेन ध्यानद्वारा समाधिरुक्तः॥ ८९॥

मकरन्दं पिबन् भृङ्गो गन्धं नापेक्षते यथा।
नादासक्तं तथा चित्तं विषयान् नहि काङ्क्षते॥ ९०॥

मकरन्दमिति । मकरन्दं पुष्परसं पिबन् धयन् भृङ्गो भ्रमरो गन्धं यथा नापेक्षते नेच्छति तथा नादासक्तं नाद आसक्तं चित्तमन्तःकरणं विषयान् विसिन्वन्त्यवबध्नन्ति प्रमातारं स्वसङ्गेनेति विषयाः स्रक्चन्दनवनितादयस्तान् न काङ्क्षते नेच्छति । हीति निश्चये ॥ ९० ॥

मनोमत्तगजेन्द्रस्य विषयोद्यानचारिणः ।
समर्थोऽयं नियमने निनादनिशिताङ्कुशः ॥ ९१ ॥

मन इति । विषयः शब्दादिरेवोद्यानं वनं तत्र चरतीति विषयोद्यानचारी तस्य मन एव मत्तगजेन्द्रो दुर्निवारत्वात् । तस्य निनाद एवानाहतध्वनिरेव निशिताङ्कुशः तीक्ष्णाङ्कुशः नियमने परावर्तने समर्थः शक्तः । एतैःश्लोकैः इन्द्रियाणां विषयेभ्यः प्रत्याहरणं प्रत्याहारः—

'चरतां चक्षुरादीनां विषयेषु यथाक्रमम् ।
यत्प्रत्याहरणं तेषां प्रत्याहारः प्रकीर्तितः ॥'

इत्युक्तलक्षणः प्रत्याहारः प्रोक्तः ॥ ९१ ॥

बद्धं तु नादबन्धेन मनः संत्यक्तचापलम् ।
प्रयाति सुतरां स्थैर्यं छिन्नपक्षः खगो यथा ॥ ९२ ॥

बद्धं त्विति । नाद एव बन्धः बध्यतेऽनेनेति बन्धः बन्धनसाधनं तेन स्वशक्त्या स्वाधीनकरणेन बद्धं बन्धनमिव प्राप्तम् । नादधारणादावासक्तमित्यर्थः । अतएव सम्यक् त्यक्तं चापलं क्षणे क्षणे विषयग्रहणपरित्यागरूपं येन तत्तथा मनः सुतरां स्थैर्यं प्रयाति नितरां धारणामेति । तत्र दृष्टान्तमाह । छिन्नौ पक्षौ यस्य तादृशः खे गच्छतीति खगः पक्षी यथा । एतेन—

'प्राणायामेन पवनं प्रत्याहारेण चेन्द्रियम् ।
वशीकृत्य ततः कुर्याच्चित्तस्थानं शुभाश्रये ॥'

शुभाश्रये चित्तस्थापनं धारणेत्युक्तलक्षणा धारणा प्रोक्ता ॥ ९२ ॥

सर्वचिन्तां परित्यज्य सावधानेन चेतसा ।
नाद एवानुसंधेयो योगसाम्राज्यमिच्छता ॥ ९३ ॥

सर्वचिन्तामिति । सर्वेषां बाह्याभ्यन्तरविषयाणां या चिन्ता चिन्तनं तां परित्यज्य त्यक्त्वा सावधानेनैकाग्रेण चेतसा योगानां साम्राज्यं सम्राजो भावः । योगशब्दोऽर्श आद्यजन्तः । राजयोगित्वमिति यावत् । इच्छता वाञ्छता पुंसा नाद एवानाहतध्वनिरेवानुसंधेयोऽनुचिन्तनीयः । नादाकारवृत्तिप्रवाहः कर्तव्य इत्यर्थः । एतेन—

'तद्रूपप्रत्ययैकाग्र्यसंततिश्चान्यनिस्पृहा ।
तद्ध्यानं प्रथमैरङ्गैः षड्भिर्निष्पाद्यते नृप ॥'

तत्र 'प्रत्ययैकतानता ध्यानम्' (*Yo. Sū.*, III. 2) इत्युक्तलक्षणं ध्यानमुक्तम् ॥ ९३ ॥

नादोऽन्तरङ्गसारङ्गबन्धने वागुरायते ।
अन्तरङ्गकुरङ्गस्य वधे व्याधायतेऽपि च ॥ ९४ ॥

नादोऽन्तरङ्गेति । नादः अन्तरङ्गं मन एव सारङ्गो मृगस्तस्य बन्धने चाञ्चल्यहरणे वागुरायते वागुरेवाचरति । वागुरा जालम् । यथा वागुरा बन्धनेन सारङ्गस्य चाञ्चल्यं हरति तथा नादोऽन्तरङ्गस्य स्वशक्त्या चाञ्चल्यं हरतीत्यर्थः । अन्तरङ्गं मन एव कुरङ्गो हरिणस्तस्य वधे नानावृत्त्युत्पादनापनयनमेव मनसो वधस्तस्मिन् व्याधायते व्याध इवाचरति । यथा व्याधो वागुराबद्धं मृगं हन्ति एवं नादोऽपि स्वासक्तं मनो हन्तीत्यर्थः ॥ ९४ ॥

अन्तरङ्गस्य यमिनो वाजिनः परिघायते ।
नादोपास्तिरतो नित्यमवधार्या हि योगिना ॥ ९५ ॥

अन्तरङ्गस्येति । यमिनो योगिनोऽन्तरङ्गं मनस्तस्य चपलत्वाद् वाजिनोऽश्वस्य परिघायते वाजिशालाद्वारपरिघ इवाचरति, नाद इति शेषः । यथा वाजिशालापरिघो वाजिनोऽन्यत्र गतिं रुणद्धि तथा नादोऽन्तरङ्गस्येत्यर्थः । अन्तःकरणाद् योगिना नादस्योपास्तिरुपासना नित्यं प्रत्यहमवधार्यावधारणीया । हीति निश्चयेऽव्ययम् ॥ ९५ ॥

बद्धं विमुक्तचाश्चल्यं नादगन्धकजारणात् ।
मनःपारदमाप्नोति निरालम्बाख्यखेऽटनम् ॥ ९६ ॥

बद्धमिति । नाद एव गन्धक उपधातुविशेषस्तेन जारणं जारणीकरणं नादगन्धकसंबन्धेन चाञ्चल्यहरणं तस्माद्बद्धं नादैकासक्तं पक्षे गुटिकाकृतिं प्राप्तम् अत एव विमुक्तं त्यक्तं चाञ्चल्यमनेकविषयाकारपरिणामरूपं येन । पक्षे विमुक्तलौल्यं मनःपारदं मन एव पारदं चञ्चलं निरालम्बं ब्रह्म तदेवाख्या यस्य तन्निरालम्बाख्यं तदेव खमपरिच्छिन्नत्वात् तस्मिन्नटनं गमनं तदाकारवृत्तिप्रवाहम् । पक्षे आकाशगमनं प्राप्नोति । यथा बद्धं पारदमाकाशगमनं करोति एवं बद्धं मनो ब्रह्माकारवृत्तिप्रवाहमविच्छिन्नं करोतीत्यर्थः ॥ ९६ ॥

नादश्रवणतः क्षिप्रमन्तरङ्गभुजङ्गमः ।
विस्मृत्य सर्वमेकाग्रः कुत्रचिन्नहि धावति ॥ ९७ ॥

नादेति । नादस्यानाहतस्वनस्य श्रवणतः श्रवणात् क्षिप्रं द्रुतमन्तरङ्गं मन एव भुजङ्गमः सर्पश्चपलत्वान्नादप्रियत्वाच्च भुजङ्गमेन रूपकं मनसः । सर्वं विश्वं विस्मृत्य विस्मृतिविषयं कृत्वैकाग्रो नादाकारवृत्तिप्रवाहवान् सन् कुत्रापि विषयान्तरे नहि धावति नैव धावनं करोति । ध्यानोत्तरैः श्लोकैः—

'तस्यैव कल्पनाहीनं स्वरूपग्रहणं हि यत् ।
मनसा ध्याननिष्पाद्यं समाधिः सोऽभिधीयते ॥'

इति विष्णुपुराणोक्तलक्षणः (VI. 7. 92) 'तदेवार्थमात्रनिर्भासं स्वरूपशून्यमिव समाधिः' (III. 3) इति पातञ्जलसूत्रोक्तलक्षणश्च संप्रज्ञातलक्षणः समाधिरुक्तः ॥ ९७ ॥

काष्ठे प्रवर्तितो वह्निः काष्ठेन सह शाम्यति ।
नादे प्रवर्तितं चित्तं नादेन सह लीयते ॥ ९८ ॥

काष्ठ इति । काष्ठे दारुणि प्रवर्तितः प्रज्वालितो वह्निः काष्ठेन सह शाम्यति ज्वालारूपं परित्यज्य तन्मात्ररूपेणावतिष्ठते यथा तथा नादे प्रवर्तितं चित्तं नादेन सह लीयते । राजसतामसवृत्तिनाशात् सत्त्वमात्रावशेषं संस्कारशेषं च भवति । तत्र च मैत्रायणीयमन्त्रः (VI. 1)—

'यथा निरिन्धनो वह्निः स्वयोनावुपशाम्यति ।
तथा वृत्तिक्षयाच्चित्तं स्वयोनावुपशाम्यति ॥' इति ॥ ९८ ॥

घण्टादिनादसक्तस्तब्धान्तःकरणहरिणस्य ।
प्रहरणमपि सुकरं स्याच्छरसंधानप्रवीणश्चेत् ॥ ९९ ॥

घण्टादीति । घण्टा आदिर्येषां शङ्खमर्दलझर्झरदुन्दुभिजीमूतादीनां ते घण्टादयस्तेषां नादास्तेषु सक्तः । अत एव स्तब्धो निश्चलो योऽन्तःकरणमेव हरिणो मृगस्तस्य प्रहरणं नानावृत्तिप्रतिबन्धनमन्तःकरणपक्षे । हरिणपक्षे तु प्रहरणं हननमपि शरवद् द्रुतगामिनो वायोः संधानं सुषुम्नामार्गेण ब्रह्मरन्ध्रे निरोधनम्, पक्षे शरस्य बाणस्य संधानं धनुषि योजनं तस्मिन् प्रवीणः कुशलश्चेत् सुकरं सुखेन कर्तुं शक्यं स्यात् ॥ ९९ ॥

अनाहतस्य शब्दस्य ध्वनिर्य उपलभ्यते।
ध्वनेरन्तर्गतं ज्ञेयं ज्ञेयस्यान्तर्गतं मनः।
मनस्तत्र लयं याति तद्विष्णोः परमं पदम् ॥ १०० ॥

अनाहतस्येति। अनाहतस्य शब्दस्यानाहतस्वनस्य यो ध्वनिर्निर्ह्लाद उपलभ्यते श्रूयते तस्य ध्वनेरन्तर्गतं ज्ञेयं ज्योतिः स्वप्रकाशचैतन्यं ज्ञेयस्यान्तर्गतं ज्ञेयाकारतामापन्नं मनोऽन्तःकरणं तत्र ज्ञेये मनो विलयं याति परवैराग्येण सकलवृत्तिशून्यं संस्कारशेषं भवति। तद्विष्णोर्विभोरात्मनः परममन्तःकरणवृत्त्यु-पाधिराहित्यान्निरुपाधिकं पद्यते गम्यते योगिभिरिति पदं स्वरूपम् ॥ १०० ॥

तावदाकाशसंकल्पो यावच्छब्दः प्रवर्तते।
निःशब्दं तत्परं ब्रह्म परमात्मेति गीयते ॥ १०१ ॥

तावदिति। यावच्छब्दोऽनाहतध्वनिः प्रवर्तते श्रूयते तावदाकाशस्य सम्यक्कल्पनं भवति। शब्दस्याकाशगुणत्वाद् गुणगुणिनोरभेदाद्वा मनसा सह शब्दस्य विलयान्निःशब्दं शब्दरहितं यत्परं ब्रह्म परब्रह्मशब्दवाच्यं परामात्मेति गीयते परमात्मशब्देन स उच्यते। सर्ववृत्तिविलये यः स्वरूपेणावस्थितः स एव परब्रह्मपरमात्मशब्दाभ्यामुच्यत इति भावः ॥ १०१ ॥

यत्किंचिन्नादरूपेण श्रूयते शक्तिरेव सा।
यस्तत्त्वान्तो निराकारः स एव परमेश्वरः ॥ १०२ ॥

इति नादानुसंधानम्

यत्किंचिदिति। नादरूपेणानाहतध्वनिरूपेण यत्किंचिच्छ्रूयते आकर्ण्यते सा शक्तिरेव यस्तत्त्वान्तस्तत्त्वानामन्तो लयो यस्मिन् सः तथा निराकार आकार-रहितः स एव परमेश्वरः सर्ववृत्तिक्षये स्वरूपावस्थितो यः स आत्मेत्यर्थः।

'काष्ठे प्रवर्तितो वह्निः' (IV. 98) इत्यादिभिः श्लोकैः राजयोगापरपर्यायोऽसंप्रज्ञातः समाधिरुक्तः ॥ १०२ ॥

सर्वे हठलयोपाया राजयोगस्य सिद्धये ।
राजयोगसमारूढः पुरुषः कालवञ्चकः ॥ १०३ ॥

सर्वे इति । हठश्च लयश्च हठलयौ तयोरुपाया हठलयोपाया हठोपाया आसनकुम्भकमुद्रारूपा लयोपाया नादानुसंधानशांभवीमुद्रादयः । राजयोगस्य मनसः सर्ववृत्तिनिरोधलक्षणस्य सिद्धये निष्पत्तये प्रोक्ता इति शेषः । राजयोगं समारूढः सम्यगारूढः प्राप्तवान् यः पुरुषः स कालवञ्चकः कालं मृत्युं वञ्चयति जयतीति तादृशः स्यादिति शेषः ॥ १०३ ॥

तत्त्वं बीजं हठः क्षेत्रमौदासीन्यं जलं त्रिभिः ।
उन्मनी कल्पलतिका सद्य एव प्रवर्तते ॥ १०४ ॥

तत्त्वमिति । तत्त्वं चित्तं बीजं बीजवदुन्मन्यवस्थाङ्कुराकारेण परिणममानत्वात् । हठः प्राणापानयोरैक्यलक्षणः प्राणायामः क्षेत्रं क्षेत्र इव प्राणायामे उन्मनीकल्पलतिकोत्पत्तेः औदासीन्यं परवैराग्यं जलं तस्या उत्पत्तिकारणत्वात् । 'परवैराग्यहेतुकः संस्कारविशेषश्चित्तस्यासंप्रज्ञातः' इति तल्लक्षणात् । एतैस्त्रिभिरुन्मन्यसंप्रज्ञातावस्था सैव कल्पलतिका सकलेष्टसाधनत्वात् सद्य एव शीघ्रमेव प्रवर्तते प्रवृत्ता भवति उत्पन्ना भवति ॥ १०४ ॥

सदा नादानुसंधानात् क्षीयन्ते पापसंचयाः ।
निरञ्जने विलीयेते निश्चितं चित्तमारुतौ ॥ १०५ ॥

सदेति । सदा सर्वदा नादानुसंधानान्नादानुचिन्तनात् पापसंचयाः पापसमूहाः क्षीयन्ते नश्यन्ति । निरञ्जने निर्गुणे चैतन्ये निश्चितं ध्रुवं चित्तमारुतौ मनःप्राणौ विलीयेते विलीनौ भवतः ॥ १०५ ॥

शङ्खदुन्दुभिनादं च न श्रृणोति कदाचन ।
काष्ठवज्जायते देह उन्मन्यावस्थया ध्रुवम् ॥ १०६ ॥

उन्मन्यवस्थां प्राप्तस्य योगिनः स्थितिमाहाष्टभिः—शङ्खदुन्दुभीति । शङ्खो जलजो दुन्दुभिर्वाद्यविशेषस्तयोर्नादं घोषं कदाचन कस्मिंश्चिदपि समये न श्रृणोति । शङ्खदुन्दुभीत्युपलक्षणं नादमात्रस्य । उन्मन्यावस्थया देहो ध्रुवं काष्ठवज्जायते । निश्चेष्टत्वादित्यर्थः ॥ १०६ ॥

सर्वावस्थाविनिर्मुक्तः सर्वचिन्ताविवर्जितः ।
मृतवत् तिष्ठते योगी स मुक्तो नात्र संशयः ॥ १०७ ॥

जाग्रत्स्वप्नसुषुप्तिमूर्च्छामरणलक्षणाः पञ्च व्युत्थानावस्थास्ताभिर्विशेषेण मुक्तो रहितः सर्वा याश्चिन्ताः स्मृतयस्ताभिर्विवर्जितो विरहितो यः योगः सकलवृत्तिनिरोधोऽस्यास्तीति योगी तुर्यावस्थावान् स मुक्तो जीवन्नेव मुक्तः । सकलवृत्तिनिरोधे आत्मनः स्वरूपावस्थानात् । तदुक्तं पातञ्जले सूत्रे 'तदा द्रष्टुः स्वरूपेऽवस्थानम्' (1. 3) इति । स्पष्टमन्यत् ॥ १०७ ॥

खाद्यते न च कालेन बाध्यते न च कर्मणा ।
साध्यते न स केनापि योगी युक्तः समाधिना ॥ १०८ ॥

खाद्यत इति । समाधिना युक्तो योगी कालेन मृत्युना न खाद्यते न भक्ष्यते न हन्यत इत्यर्थः । कर्मणा कृतेन शुभेनाशुभेन वा न बाध्यते जन्ममरणादिजननेन न क्लेश्यते । तथा च समाधिप्रकरणे पातञ्जलसूत्रम्—'ततः क्लेशकर्मनिवृत्तिः' (IV. 30) इति । केनापि पुरुषान्तरेण यन्त्रमन्त्रादिना वा न साध्यते साधयितुं न शक्यते ॥ १०८ ॥

न गन्धं न रसं रूपं न च स्पर्शं न निःस्वनम् ।
नात्मानं न परं वेत्ति योगी युक्तः समाधिना ॥ १०९ ॥

न गन्धमिति । समाधिना युक्तो योगी न गन्धं सुरभिमसुरभिं वा न रसं मधुराम्ललवणकटुकषायतिक्तभेदात् षड्विधं न रूपं शुक्लनीलपीतरक्तहरितकपिशचित्रभेदात् सप्तविधं न स्पर्शं शीतमुष्णमनुष्णाशीतं वा न निःस्वनं शङ्खदुन्दुभिजलधिजीमूतादिनिनादं बाह्यमाभ्यन्तरं वा न आत्मानं देहं न परं पुरुषान्तरं वेत्तीति सर्वत्रान्वेति । 'आत्मा देहे धृतौ जीवे स्वभावे परमात्मनि' इति वैजयन्ती (p. 214, V: 6) ॥ १०९ ॥

चित्तं न सुप्तं नोजाग्रत्स्मृतिविस्मृतिवर्जितम् ।
न चास्तमेति नोदेति यस्यासौ मुक्त एव सः ॥ ११० ॥

चित्तमिति । यस्य योगिनश्चित्तमन्तःकरणं न सुप्तम् । आवरकस्य तमसोऽभावात् त्रिगुणेऽन्तःकरणे यदा सत्त्वरजसी अभिभूय समस्तकरणावरकं तम आविर्भवति तदान्तःकरणस्य विषयाकारपरिणामाभावात् तत्सुप्तमित्युच्यते । नो जाग्रद् इन्द्रियैरर्थग्रहणाभावात् । स्मृतिश्च विस्मृतिश्च स्मृतिविस्मृती ताभ्यां वर्जितम् । वृत्तिसामान्याभावादुद्बोधकाभावाच्च स्मृतिवर्जितम् । स्मृत्यनुकूलसंस्काराभावाभावाद्विस्मृतिवर्जितम् । न चास्तं नाशमेति प्राप्नोति । संस्कारशेषस्य चित्तस्य सत्त्वात् । नोदेत्युद्भवति । वृत्त्यनुत्पादनात् सोऽसौ मुक्त एव जीवन्मुक्त एव ॥ ११० ॥

न विजानाति शीतोष्णं न दुःख न सुखं तथा ।
न मानं नापमानं च योगी युक्तः समाधिना ॥ १११ ॥

न विजानातीति । समाधिना युक्तो योगी शीतं च उष्णं च शीतोष्णम् । समाहारद्वन्द्वः । शीतमुष्णं वा पदार्थं न, दुःखं दुःखजनकं परकृतं

ताडनादिकं न, सुखं सुखसाधनं सुरभिचन्दनाद्यनुलेपनादिकं न। तथा चार्थे। मानं परकृतं सत्कारं न अपमानमनादरं च न, विजानातीति क्रियापदं प्रतिवाक्यमन्वेति ॥ १११ ॥

स्वस्थो जाग्रदवस्थायां सुप्तवद्योऽवतिष्ठते।
निःश्वासोच्छ्वासहीनश्च निश्चितं मुक्त एव सः ॥ ११२ ॥

स्वस्थ इति। स्वस्थः प्रसन्नेन्द्रियान्तःकरणः। एतेन तन्द्रामूर्च्छादिव्यावृत्तिः। जाग्रदवस्थायामित्यनेन स्वप्नसुषुप्त्योर्निवृत्तिः। सुप्तवत् सुप्तेन तुल्यं कायेन्द्रियव्यापारशून्यो यो योगी अवतिष्ठते स्थितो भवति। 'समवप्रविभ्यः स्थः (*Pāṇ*., 1. 3. 22) इत्यात्मनेपदम्। निश्वासोच्छ्वासहीनः बाह्यवायोः कोष्ठे ग्रहणं निश्वासः कोष्ठस्थितस्य वायोर्बहिर्निःसारणमुच्छ्वासस्ताभ्यां हीनश्चावतिष्ठत इत्यत्रापि संबध्यते। स निश्चितं निःसंदिग्धं मुक्त एव जीवन्मुक्त एव तत्स्वरूपमुक्तं दत्तात्रेयेण (*Yogatat. Up*., 105-6)—

'निर्गुणध्यानसंपन्नः समाधिं च ततोऽभ्यसेत्।
दिनद्वादशकेनैव समाधिं समवाप्नुयात्।
वायुं निरुध्य मेधावी जीवन्मुक्तो भवेद् ध्रुवम् ॥' इति ॥ ११२ ॥

अवध्यः सर्वशस्त्राणामशक्यः सर्वदेहिनाम्।
अग्राह्यो मन्त्रयन्त्राणां योगी युक्तः समाधिना ॥ ११३ ॥

अवध्य इति। समाधिना युक्तो योगी। सर्वशस्त्राणामिति संबन्धसामान्ये षष्ठी। सर्वशस्त्रैरित्यर्थः। अवध्यो हन्तुमशक्य इत्यर्थः। सर्वदेहिनामित्यत्रापि संबन्धमात्रविवक्षायां षष्ठी। अशक्यः सर्वदेहिभिः बलेन शक्यो न भवतीत्यर्थः। मन्त्रयन्त्राणां वशीकरणमारणोच्चाटनादिफलैर्मन्त्रयन्त्रैरग्राह्यः

वशीकर्तुमशक्यः। एवं प्राप्तयोगस्य योगिनो विघ्ना बहवः समायान्ति। तन्निवारणार्थं तज्ज्ञानस्यापेक्षितत्वात् तेऽपि प्रदर्श्यन्ते। दत्तात्रेयः—

'आलस्यं प्रथमो विघ्नो द्वितीयस्तु प्रकथ्यते।
पूर्वोक्तधूर्तगोष्ठी च तृतीयो मन्त्रसाधनम्।
चतुर्थो धातुवादः स्यादिति योगविदो विदुः॥' इति।

मार्कण्डेयपुराणे (40. 1-6)—

'उपसर्गाः प्रवर्तन्ते दृष्टा ह्यात्मनि योगिनः।
ये तांस्ते संप्रवक्ष्यामि समासेन निबोध मे॥
काम्याः क्रियास्तथा कामान् मनुष्यो योऽभिवाञ्छति।
स्त्रियो दानफलं विद्यां मायां कुप्यं धनं वसु॥
देवत्वममरेशत्वं रसायनचयःक्रियाः।
मरुप्रपतनं यज्ञं जलाग्न्यावेशनं तथा॥
श्राद्धानां सर्वदानानां फलानि नियमांस्तथा।
तथोपवासात् पूर्ताच्च देवताभ्यर्चनादपि॥
तेभ्यस्तेभ्यश्च कर्मभ्य उपसृष्टोऽभिवाञ्छति।
चित्तमित्थं वर्तमानं यत्नाद् योगी निवर्तयेत्।
ब्रह्मसङ्गि मनः कुर्वन्नुपसर्गात् प्रमुच्यते॥' इति।

स्कन्दपुराणे—

'यदैभिरन्तरायैर्न क्षिप्यतेऽस्य हि मानसम्।
तदाग्रे तमवाप्नोति परं ब्रह्मातिदुर्लभम्॥'

योगभास्करे—

'सात्विकीं धृतिमालम्ब्य योगी सत्वेन सुस्थिरः।
निर्गुणं मनसा ध्यायन्नुपसर्गैः प्रमुच्यते॥

एवं योगमुपासीनः शक्रादिपदनिस्पृहः ।
सिद्धयादिवासनात्यागी जीवन्मुक्तो भवेन्मुनिः ॥' इति ।
'विस्तरस्य भिया नोक्ताः सन्ति विघ्ना ह्यनेकशः ।
ध्यानेन विष्णुहरयोर्वारणीया हि योगिना ॥' इति ॥ ११३ ॥

यावन्नैव प्रविशति चरन्मारुतो मध्यमार्गे
यावद् बिन्दुर्न भवति दृढः प्राणवातप्रबन्धात् ।
यावद् ध्याने सहजसदृशं जायते नैव तत्त्वं
तावज्ज्ञानं वदति तदिदं दम्भमिथ्याप्रलापः ॥ ११४ ॥

इति श्रीसहजानन्दसंतानचिन्तामणिस्वात्मारामयोगीन्द्रविरचितायां
हठयोगप्रदीपिकायां समाधिलक्षणं नाम चतुर्थोपदेशः

अयोगिनां ज्ञानं निराकुर्वन् योगिनामेव ज्ञानं भवतीत्याह—यावदिति । मध्यमार्गे सुषुम्नायां चरन् गच्छन् मारुतः प्राणवायुः यावत् यावत्कालपर्यन्तं न प्रविशति प्रकर्षेण ब्रह्मरन्ध्रपर्यन्तं न विशति । ब्रह्मरन्ध्रं गतस्य स्थैर्याद् ब्रह्मरन्ध्रं गत्वा न स्थिरो भवतीत्यर्थः । सुषुम्नायामसंचरन् वायुरसिद्ध इत्युच्यते । तदुक्तममृतसिद्धौ—

'यावद्धि मार्गगो वायुर्निश्चलो नैव मध्यगः ।
असिद्धं तं विजानीयाद् वायुं कर्मवशानुगम् ॥'

इति । प्राणयति जीवयतीति प्राणः स चासौ वातश्च प्राणवातः तस्य प्रबन्धात् कुम्भकेन स्थिरीकरणाद्बिन्दुर्वीर्यं दृढः स्थिरो न भवति प्राणवातस्थैर्ये बिन्दुस्थैर्यमुक्तमत्रैव प्राक् ।

'मनःस्थैर्ये स्थिरो वायुस्ततो बिन्दुः स्थिरो भवेत् ।' (IV. 28)

इति । तदभावे त्वसिद्धस्त्वं योगिनः । उक्तममृतसिद्धौ—

'तावद् बद्धोऽप्यसिद्धोऽसौ नरः सांसारिको मतः ।
यावद् भवति देहस्थो रसेन्द्रो ब्रह्मरूपकः ॥
असिद्धं तं विजानीयान्नरमब्रह्मचारिणम् ।
जरामरणसंकीर्णं सर्वक्लेशसमाश्रयम् ॥'

इति । यावत् तत्त्वं चित्तं ध्याने ध्येयचिन्तने सहजसदृशं स्वाभाविकध्येयाकारवृत्तिप्रवाहवन्नैव जायते नैव भवति, प्राणवातप्रबन्धादिति देहलीदीपन्यायेनात्रापि संबध्यते । वायुस्थैर्ये चित्तस्थैर्यमुक्तममृतसिद्धौ—

'यदासौ म्रियते वायुर्मध्यमां मध्ययोगतः ।
तदा बिन्दुश्च चित्तं च म्रियते वायुना सह ॥'

तदभावेऽप्यसिद्धत्वमुक्तममृतसिद्धौ—

'यावत् प्रस्यन्दते चित्तं बाह्याभ्यन्तरवस्तुषु ।
असिद्धं तद्विजानीयाच्चित्तं कर्मगुणान्वितम् ॥'

इति । तावच्चज्ज्ञानं शाब्दं वदति कश्चित् तदिदं ज्ञानकथनं दम्भमिथ्याप्रलापः दम्भेन ज्ञानकथनेनाहं लोके पूज्यो भविष्यामीति धिया मिथ्याप्रलापो मिथ्याभाषणं दम्भपूर्वकं मिथ्याभाषणमित्यर्थः । प्राणबिन्दुचित्तानां जयाभावे ज्ञानस्याभावात् संसृतिर्दुर्वारा । तदुक्तममृतसिद्धौ—

'चलत्येष यदा वायुस्तदा बिन्दुश्चलः स्मृतः ।
बिन्दुश्चलति यस्याङ्गे चित्तं तस्यैव चञ्चलम् ॥
चले बिन्दौ चले चित्ते चले वायौ च सर्वदा ।
जायते म्रियते लोकः सत्यं सत्यमिदं वचः ॥'

इति । योगबीजेऽप्युक्तम्—

'चित्तं प्रनष्ट यदि भासते वै तत्र प्रतीतो मरुतोऽपि नाशः ।
न वा यदि स्यान्न तु तस्य शास्त्रं नात्मप्रतीतिर्न गुरुर्न मोक्षः ॥'

इति । एतेन प्राणबिन्दुमनसां जये तु ज्ञानद्वारा योगिनो मुक्तिः स्यादेवेति सूचितम् । तदुक्तममृतसिद्धौ ।

'यामवस्थां व्रजेद् वायुर्बिंदुस्तामधिगच्छति ।
यथाहि साध्यते वायुस्तथा बिन्दुप्रसाधनम् ॥
मूर्च्छितो हरति व्याधिं वृद्धः खेचरतां नयेत् ।
सर्वसिद्धिकरो लीनो निश्चलो मुक्तिदायकः ।
यथावस्था भवेद् बिन्दोश्चित्तावस्था तथा तथा ॥'

इति । ननु—

'योगास्त्रयो मया प्रोक्ता नृणां श्रेयोविधित्सया ।
ज्ञानं कर्म च भक्तिश्च नोपायोऽन्योऽस्ति कुत्रचित् ॥'
(*Bhāg.*, XI. 20. 6)

इति भगवदुक्तास्त्रयो मोक्षोपायास्तेषु सत्सु कथं योग एव मोक्षोपायत्वेनोक्त इति चेन्न; तेषां योगाङ्गेष्वन्तर्भावात् । तथाहि—'आत्मा वा अरे द्रष्टव्यः श्रोतव्यो मन्तव्यो निदिध्यासितव्यः' (*Bṛh.*, II. 4. 5) इति श्रुत्या परमपुरुषार्थसाधनात्मसाक्षात्कारहेतुतया श्रवणमनननिदिध्यासनान्युक्तानि । तत्र श्रवणमनने नियमान्तर्गते स्वाध्यायेऽन्तर्भवतः । स्वाध्यायश्च मोक्षशास्त्राणामध्ययनम् । स च तात्पर्यार्थनिर्णयपर्यवसायी ग्राह्यः । तात्पर्यार्थनिर्णयश्च श्रवणमननाभ्यां भवतीति श्रवणमननयोः स्वाध्यायेऽन्तर्भावः । नियमविवरणे

याज्ञवल्क्येन—'सिद्धान्तश्रवणं प्रोक्तं वेदान्तश्रवणं बुधैः' (II. 8) इति स्पष्टमेव श्रवणस्य नियमान्तर्गतिरुक्ता।

'अधीत्य वेदं सूत्रं वा पुराणं सेतिहासकम्।
पदेष्वध्ययनं यच्च सदाभ्यासो जपः स्मृतः॥' (*Yy.*, II. 13)

इति युक्तिभिरनवरतमनुचिन्तनलक्षणस्य सदाभ्यासरूपस्य मननस्यापि नियमान्तर्गतिरुक्ता। विजातीयप्रत्ययनिरोधपूर्वकसजातीयप्रत्ययप्रवाहरूपस्य निदिध्यासनस्य उक्तलक्षणे ध्यानेऽन्तर्भावः। तस्यापि तत्परिपाकरूपसमाधिनात्मसाक्षात्कारद्वारा मोक्षहेतुत्वमीश्वरार्पणबुध्या निष्कामकर्मानुष्ठानलक्षणस्य कर्मयोगस्य 'तपः स्वाध्यायेश्वरप्रणिधानानि क्रियायोगः' (II. 1) इति पतञ्जलिप्रोक्ते नियमान्तर्गते क्रियायोगेऽन्तर्भावः। तत्र तप उक्तमीश्वरगीतायाम्—

'उपवासपराकादिकृच्छ्रचान्द्रायणादिभिः।
शरीरशोषणं प्राहुस्तापसास्तप उत्तमम्॥'

इति। स्वाध्यायोऽपि तत्रोक्तः।

'वेदान्तशतरुद्रीयप्रणवादिजपं बुधाः।
सत्त्वशुद्धिकरं पुंसां स्वाध्यायं परिचक्षते॥'

इति। ईश्वरप्रणिधानं च तत्रोक्तम्—

'स्तुतिस्मरणपूजाभिर्वाङ्मनःकायकर्मभिः।
सुनिश्चला भवेद्भक्तिरेतदीश्वरपूजनम्॥'

इति। क्रियायोगश्च परंपरया समाधिनात्मसाक्षात्कारद्वारैव मोक्षहेतुरिति समाधिभावनार्थः। 'क्लेशतनूकरणार्थश्च' (II. 1) इत्युत्तरसूत्रेण स्पष्टीकृतं

पतञ्जलिना । भज्यते सेव्यते भगवदाकारमन्तःकरणं क्रियतेऽनयेति भक्तिरिति करणव्युत्पत्त्या

'श्रवणं कीर्तनं विष्णोः स्मरणं पादसेवनम् ।
अर्चनं वन्दनं दास्यं सख्यमात्मनिवेदनम् ॥'

(*Bhāg*., VII. 5. 23)

इति नवधोक्ता साधनभक्तिरभिधीयते । तस्या ईश्वरप्रणिधानरूपे नियमेऽन्तर्भावः । तस्याश्च समाधिहेतुत्वं चोक्तं पतञ्जलिना । 'ईश्वरप्रणिधानाद्वा' (1. 23) इति । ईश्वरविषयकात् प्रणिधानाद् भक्तिविशेषात् समाधिलाभः समाधिफलं भवतीति सूत्रार्थः । भजनमन्तःकरणस्य भगवदाकारतारूपं भक्तिरिति भावव्युत्पत्त्या फलभूता भक्तिरभिधीयते । सैव प्रेमभक्तिरित्युच्यते । तल्लक्षणमुक्तं नारायणतीर्थैः—'प्रेमभक्तियोगस्तु ईश्वरचरणारविन्दविषयकैकान्तिकात्यन्तिकप्रेमप्रवाहोऽविच्छिन्नः' इति । मधुसूदनसरस्वतीभिस्तु (*Bh. Ra*., p. 11) 'द्रवीभावपूर्विका मनसो भगवदाकारतारूपा सविकल्पकवृत्तिर्भक्तिः' इति । तस्यास्तु 'श्रद्धाभक्तिध्यानयोगादवेहि' (*Kai. Up*., 2) इति श्रुतेः । 'भक्त्या मामभिजानाति' (*BG*., XVIII. 55) इति स्मृतेश्च । आत्मसाक्षात्कारद्वारा मोक्षहेतुत्वम् । भक्तास्तु सुखस्यैव पुरुषार्थत्वाद् दुःखासंभिन्ननिरतिशयसुखधारारूपा प्रेमभक्तिरेव पुरुषार्थ इत्याहुः । तस्यास्तु संप्रज्ञातसमाधावन्तर्भावः । एवं च अष्टाङ्गयोगातिरिक्तं किमपि परमपुरुषार्थसाधनं नास्तीति सिद्धम् ॥ ११४ ॥

'ग्राह्यमेव विदुषां हितं यतो भाषणं मम यदप्यसंस्कृतम् ।
रक्ष गच्छति पयो ऽनलाहितं ह्यम्ब इत्यभिहितं शिशोर्यथा ॥' १ ॥
'सदर्थद्योतनकरी तमस्तोमविनाशिनी ।
ब्रह्मानन्देन ज्योत्स्नेयं शिवाङ्घ्रियुगलेऽर्पिता ॥' २ ॥

इति श्रीहठयोगप्रदीपिकाव्याख्यायां ब्रह्मानन्दकृतायां ज्योत्स्नाभिधायां समाधिनिरूपणं नाम चतुर्थोपदेशः

HAṬHAYOGAPRADĪPIKĀ

ENGLISH TRANSLATION

HAṬHAYOGAPRADĪPIKĀ

FIRST CHAPTER

1. I SALUTE the primeval Lord [Śiva], who taught [Pārvatī] the Haṭhayoga-vidyā, which is as a stairway for those who wish to attain the lofty Rāja-yoga.

Commentary

Nearly every work on Yoga and the Tantra-s is in the form of an exposition by Śiva, the great Yogin, to his consort Pārvatī. The word *haṭha* is composed of the syllables *ha* and *ṭha*, meaning the Sun and the Moon, i.e. Prāṇa and Apāna. Their *yoga* or union, i.e. Prāṇāyāma, is called Haṭha-yoga. In this stanza and throughout the work, it is stated that Haṭha-yoga is only a means to Rāja-yoga. 'There can be no Rāja-yoga without Haṭha-yoga and *vice versa*' (II. 76 below).

2. Svātmārāma Yogin, having saluted his Lord and Guru, teaches the Haṭha-vidyā solely for the attainment of Rāja-yoga.

By using the word 'solely' it is made plain that the object of practising Haṭha-yoga is to prepare for Rāja-yoga, and not to obtain the *siddhi-s* (psychical powers). These powers are only incidental and secondary. The course of Haṭha-yoga is meant to give complete control over the bodily organs and the mind, so that the Yogin might keep good health and not be troubled during the ensuing course of Rāja-yoga, which will lead him to Kaivalya or final emancipation.

3. To those who wander in the darkness of conflicting doctrines, being ignorant of Rāja-yoga, the most compassionate Svātmārāma Yogin offers the light of Haṭha-vidyā.

Here the author says that it is impossible to obtain Rāja-vidyā by any other means than the Haṭha-vidyā, that is through Mantra-yoga, Laya-yoga, contemplation on the images of the various deities, etc. The name of the author, Svātmārāma Yogin, is very suggestive. It means one who delights in communion with his higher Self. This represents the last of the seven stages of knowledge (*jñāna*): 'The Brahmavariṣṭha is one who sports and delights in his higher Self.' The seven stages are thus described in the *Yoga-vāsiṣṭha*, one of the most authoritative works on Yoga: One who has rightly distinguished between the permanent and the impermanent; who has cultivated a feeling of dislike towards worldly pleasures; who, having acquired full mastery over his organs, physical and mental, feels a deep yearning to free himself from this cycle of existence, has attained the first stage: *śubhecchā*, or a longing for the Truth. He who has pondered over what he has read and heard and has realized it in his life has attained the second stage: *vicāraṇā* or Right Inquiry. When the mind, having abandoned the many, remains steadily fixed on the One, he has attained the third stage: *tanumānasā* or the attenuation of mental activities. Till now he is a *sādhaka* or practitioner. Having reduced his mind by the three previous stages to a state of pure *sattva*, when he cognizes directly in himself the truth, 'I am Brahman', he is on the fourth stage: *sattvāpatti* or attainment of the state of *sattva*. Here the Yogin is called knower of Brahman (*brahmavid*). Till now he was practising Saṃprajñāta Samādhi, or contemplation in which consciousness of duality still lingers. The three remaining stages form the Asaṃprajñāta Samādhi, i.e. having no consciousness of the triad: knower, knowledge and the known. When the Yogin is unaffected by the *siddhi-s* that manifest themselves at this stage, he attains the stage called *asaṃsakti* (being unaffected by anything). The

Yogin is now called *brahmavidvara*. Till now he goes about performing all the necessary duties of his own will. When he sees nothing but Brahman everywhere, that stage is called *parārthābhāvinī*, i.e. where the external things do not appear to exist. Here the Yogin performs his functions prompted by another. He is called *brahmavariṣṭha* when he has attained the seventh and last stage during which he neither performs his daily duties on his own or prompted by others, but remains in a state of perpetual Samādhi. The author of this work is said to have attained this stage as his name Svātmārāma shows.

4. Matsyendra, Gorakṣa and others knew well the Haṭha-vidyā. The Yogin Svātmārāma learnt it by their favour.

5-9. Śiva, Matsyendra, Śābara, Ānandabhairava, Cauraṅgī, Mīna, Gorakṣa, Virūpākṣa, Bileśaya, Manthāna, Bhairava, Siddhi, Buddha, Kanthaḍi, Koraṇṭaka, Surānanda, Siddhapāda, Carpaṭi, Kānerī, Pūjyapāda, Nityanātha, Nirañjana, Kapālin, Bindunātha, Kākacaṇḍīśvara, Allāma, Prabhudeva, Ghoḍācolin, Tiṇṭiṇi, Bhānukin, Nāradeva, Khaṇḍa, Kāpālika and many other great Siddha-s, having conquered time by the power of Haṭha-yoga move about the universe.

10. The Haṭha-yoga is a sheltering monastery for those scorched by all the [three] types of pain (*tāpa*). To those engaged in the practice of every kind of Yoga, Haṭha-yoga is like the tortoise that supports [the world].

The three types of pain are *ādhyātmika*, *ādhidaivika* and *ādhibhautika*. *Ādhyātmika* is of two kinds: bodily and mental; the *ādhidaivika* are those sufferings caused by planetary influences;

and the *ādhibhautika*, those caused by creatures like tigers, serpents, etc.

11. The Yogin desirous of obtaining *siddhi* should keep the Haṭha-yoga very secret. For it is potent when kept secret and ineffective when [injudiciously] revealed.

In this book, the author describes these processes in detail, but still he says that the Yogin should keep them secret. So it is plain that everything is not revealed and the most important processes are to be learnt direct from the Guru. It follows that he who begins to practise Haṭha-yoga after a theoretical study of it and without a Guru will come to harm. The *adhikārin* or candidate should have the following qualifications: He should perform his duties, and be free of personal motives and attachments. He should have perfected himself in Yama and Niyama, to be described later, and cultivated the intellect. He should have conquered anger. He should be entirely devoted to his Guru and the Brahmavidyā. No wonder that the Masters refuse to admit all candidates indiscriminately and say that an adept is the rare efflorescence of an age.

Siddhi refers either to the eight *siddhi-s* or psychical powers, or to Kaivalya or Nirvāṇa, which is the attainment of spiritual perfection. The eight *siddhi-s* are: *aṇiman*, the power to assume a minute form; *mahiman*, the power to assume an extensive form; *gariman*, the power to become weighty; *laghiman*, the power to become light; *prāpti*, the power to reach the proximity of even distant objects; *prākāmya*, the power to obtain what is desired; *īśitā*, the power to shape anything as desired; and *vaśitva*, the power to control anything.

12. He who practises Haṭha-yoga should live alone in a small *maṭha* (monastery) situated in a place free from rocks, water and fire to the extent of a bow's

length and in a virtuous, well-ruled kingdom, which is prosperous and free of disturbances.

'Free from rocks, water and fire'—These are considerations not to be passed over lightly by anyone who wishes to pursue the arduous course of Yoga. By 'water' is meant here dampness or wetness.

13. The *maṭha* should have a small door, and should be without any windows; it should be level and without any holes; it should be neither too high, too low, nor too long. It should be very clean, being well smeared with cowdung and free from all insects. Outside, it should be attractive with a small hall (*maṇḍapa*), a raised seat and a well, and surrounded by a wall. These are the characteristics of a *yoga-maṭha* as laid down by the Siddha-s who have practised Haṭha-yoga.

If it is very high there will be great difficulty in getting up; and if very long the eye will wander far. Nandikeśvara adds to this, 'The monastery should be surrounded by flower gardens and groves so that the eye of the Yogin resting upon them might become calm. On the walls of his room should be drawn pictures of the cycles of existence and the attendant miseries. There should be depicted a burning ground and the *naraka-s*, i.e. the hells or places of purification after death, so that the mind of the Yogin will conceive a dislike and distaste for worldly life.'

14. Living in such a monastery [the Yogin], being free in mind of all cares, should practise only Yoga all the time, in the way taught by his Guru.

The necessity of having a Guru by one's side when practising Yoga is here strongly dwelt upon. The *Yogabīja* says: 'He who wants to practise Yoga should have a competent Guru with him.

He should begin Prāṇāyāma only with the guidance of his Guru.' The work called *Rāja-yoga* also states: 'Kaivalya is not to be got by any amount of study of the Veda-s, Śāstra-s and Tantra-s, without the guidance of a Guru.' In the *Skanda-purāṇa* it is said: 'The eight stages of Yoga are to be learnt only from a competent Guru.' And Sureśvarācārya declares that only through the Guru can the eightfold Yoga be learnt. The *śruti* says: 'The Mahātman-s reveal those things only to him who has a deep devotion towards his Guru as well as to God. Only he who has an Ācārya or Guru knows.' The various standard books on Yoga are, I think, meant not so much for beginners and students, as for Guru-s to use as guide-books to regulate their pupils' training. In Haṭha-yoga, where a mistake may end in death or insanity, it is absolutely necessary to have a Guru, who has passed successfully through the course, who can see clearly through the system, and observe the effects of the various processes and modify them accordingly.

15. Yoga fails by the six [causes]—over-eating, over-exertion, excessive talk, the observance of [unsuitable] disciplines, promiscuous company and unsteadiness.

The disciplines referred to are bathing in cold water early in the morning, eating only at night and fasting frequently.

16. Yoga succeeds by the six [qualifications]—zeal, bold determination, courage, true knowledge, firmness [of belief in the words of the Guru] and renunciation of the company of [unsuitable] people.

[To do no harm, to speak the truth, to refrain from taking what belongs to another, to preserve continence, to practise forbearance, to have fortitude, to be merciful, to be straightforward, to be moderate in diet and to be pure—these ten constitute Yama.]

found in another version of text

All these aspects of Yama refer to deed, word and thought.

[Austerity (*tapas*), contentment, belief in God, charity, worship of God, listening to the exposition of [Vedāntic] doctrines, modesty, a discerning mind, *japa* (repeating prayers) and sacrifice (*huta*)—these ten constitute Niyama, the experts in Yoga say.]

These are clearly explained in the *Śāṇḍilya-upaniṣad* thus: *Tapas* is the austerity of the body by the observance of fasts, etc. *Saṃtoṣa* means contentment with what one obtains unasked. *Āstikya* means a faith in the teaching of the Veda. *Dāna* means giving with devotion what one has lawfully acquired. On this point the *Bhagavad-gītā* says (XVII. 20): *Sāttvikadāna* or charity consists in giving gifts to a worthy person who does nothing in return, in a proper place and time, simply as a matter of duty. *Īśvarapūjā* means worshipping with a calm and clear mind Viṣṇu or Rudra. *Siddhāntaśravaṇa* means the study of Vedānta. Modesty means a repugnance to doing a thing prohibited by the Veda-s and Śāstra-s. Discerning mind (*mati*) means devotion to the courses laid down in the Veda-s. *Japa* is practising the *mantra-s* that are not prohibited by the Veda-s, as taught by the Guru. It is of two sorts: audible and internal. Internal *japa* is repeating the *mantra-s* mentally. The course of development here laid down would seem to everyone the most natural and at the same time the most effectual. The attainment of Yama and Niyama comprises all the active and the passive virtues. The four *sādhana-s*, or the necessary qualifications of a *śiṣya* or disciple, namely discrimination between the permanent and the impermanent; perfect indifference to the objects of desire from the lowest forms of earthly life to that of the Demiurgos; the attainment of the sixfold qualities; and the intense desire for and incessant striving after liberation—all these are included in the first two stages of Yoga. By these means the mind is naturally weaned away from any attachment to worldly objects, and consequently is in a fair way to succeed in concentration. The Āsana-s and Prāṇāyāma come at the right time and remove any disturbing element arising from the body and its proclivities. The way to the higher path is now smooth and easy. But the ground is hard to tread and very few have the courage to go through it or the patience to persevere under repeated failures; so that nearly ninety-nine out of a hundred practitioners are frightened by the outlook and begin at the easiest and most practical point, i.e. Āsana and Prāṇāyāma. They imagine that the great and stupendous results laid down will follow the easiest physical processes in an inconceivably short time and take to them with avidity for some months. But not finding even a shadow of the glorious powers prophesied, they give up the whole effort. These escape lightly. But many commit serious mistakes in the processes and end their lives as maniacs or suicides. These do not realize the important fact that the tremendous powers are promised as a result of a course of Prāṇāyāma, only when it is practised by one who has perfected in himself the moral and the spiritual qualities included under Yama and Niyama. This point is beautifully brought out in the *Yoga-vāsiṣṭha* in the following story:

A *saṃnyāsin* retired into the jungle and practised Prāṇāyāma for many years, but without realizing any of the powers foretold. He then went to a sage and reverently asked him to teach him Yoga. The sage told him to remain with him, and for the first two years met all his pupil's eager solicitations for instructions with 'Wait'. Gradually, the *saṃnyāsin* grew accustomed to the situation and forgot to trouble his master any more for instruction. At the end of twelve years, the *ṛṣi* one day called to him his pupil and asked him to pronounce the syllable *Oṃ*. When the *saṃnyāsin* came to the first letter, Recaka, or the process by which the air in the lungs is exhaled, set in naturally. When he finished the second letter, Pūraka, or the process of inhalation, set in. At the end of the third letter, Kumbhaka, or the process of retention, started. As a spark of fire catches in a field of sun-dried grass and the whole is in flame in a few minutes, so the pronunciation of the sacred syllable roused into activity the spiritual faculties that lay dormant hitherto in the pupil, and in a short time he had passed the initial stages of Pratyāhāra, Dhāraṇā and Dhyāna, and settled into the pure and elevated state of Samādhi.

Our interest in the story lies in the fact that the sage patiently waited for the natural unfoldment of the pupil's spiritual tendencies and the purifying of his nature through his association and surroundings. He chose the right time and seeing into the nature of the pupil as into a glass, brought about in a simple way results psychical and spiritual, that persons, unacquainted with the rationale of Yoga and without the guidance of a Master, labour years to obtain. If these were understood and their importance fully realized, there would be fewer victims and failures.

17. Āsana-s are treated of in the first place as they form the first stage of Haṭha-yoga. Āsana-s make one firm, free from maladies and light of limb.

Āsana is said to make one firm because it kills out the Rajoguṇa that causes fickleness of the mind. By removing diseases it facilitates concentration; for Patañjali says: 'Disease, dullness, doubt, inattention, sloth, worldly-mindedness, false notions, missing the essential and instability are the causes of the distraction of the mind and they are the obstacles.' Heaviness of body arises from a preponderance of Tamas, and Āsana-s remove this. Though it is impossible to explain clearly and realize the important truths that underlie the various Āsana-s, till the human system is understood in all its intricacy and detail, still it can be said that the various postures bring about many important results, physical and otherwise. For example, during some of them, various nerve centres are activized; these effectively help to control the irregularities in the body and what is more wonderful, but not less true, is the purification of our mental nature, i.e. the suppression of some of our animal passions. Several diseases brought on by an excess of or irregularity in the humours of the body—wind, bile and phlegm—are removed by the Āsana-s. Physiologists will find here a vast field for their researches.

18. I proceed to describe some of the Āsana-s accepted by such sages as Vasiṣṭha and Yogin-s such as Matsyendra.

Vasiṣṭha and Matsyendra were both Dhyānin-s and Yogin-s. But the former leaned more to Dhyāna and the latter to Yoga.

19. Having correctly placed both soles of the feet between the thighs and the knees, one should sit balanced and straight-bodied. This is called SVASTIKĀSANA.

20. Place the right ankle next to the left buttock and the left [ankle] next to the right [buttock]. This is GOMUKHĀSANA, and resembles the face of a cow.

21. Place one [the right] foot firmly on the other [left] thigh and the [right] thigh on the other [left] foot. This is called VĪRĀSANA.

22. Press the anus firmly with the ankles in opposite directions and sit well poised. This is KŪRMĀSANA according to the Yogin-s.

23. Assuming the Padmāsana, insert the hands between the thighs and the knees; planting them firmly on the ground, rise in the air [supported by the hands]. This is KUKKUṬĀSANA.

24. Assuming the Kukkuṭāsana posture (*bandha*), wind the arms around the neck and lie on the back like a tortoise. This is called UTTĀNA KŪRMĀSANA.

25. Taking hold of the toes with the hands [keep one arm stretched in front and] draw [the other] up to the ear as if drawing a bow. This is called DHANURĀSANA.

26. Place the right foot at the base of the left thigh, and the left foot outside the right knee. Take hold [of the right foot by the left hand and the left

foot by the right hand] and remain with the body turned around [to the left]. This is the Āsana described by Matsyendra.

27. This MATSYENDRĀSANA, [which increases appetite by] fanning the gastric fire, is a weapon which destroys all the terrible diseases of the body; with [daily] practice it arouses the Kuṇḍalinī and makes the Moon steady in men.

Above the root of the palate, the Moon is said to be located, ever dropping cool, ambrosial nectar that is wasted by mixing with the gastric fire. But this Āsana prevents it.

There is a curious story told of Matsyendra, who is said to be the pupil of Ādinātha or Śiva. Once, Śiva went to a lonely island and, finding it uninhabited, taught his wife Pārvatī, the mysteries of Yoga. A fish that happened to approach the shore heard everything and remained motionless, with its mind concentrated. Ādinātha perceived that the fish had learnt the Yoga and, being extremely merciful, sprinkled water upon him. Immediately, he became a Siddha possessing a divine body and was called Matsyendra.

This is deeply symbolical and suggestive. Compare the story of the Matsya Avatāra and the fish to whose horn the Hindu ark of Vaivasvata was tied during the flood. For some valuable hints towards the elucidation of this, see the article by Madame Blavatsky on 'Lamas and Druses' in *The Theosophist*, June 1881, p. 196 footnote.

28. Stretch out both the legs on the ground without bending them, and having taken hold of the toes of the feet with the hands, place the forehead upon the knees and rest thus. This is PAŚCIMATĀNĀSANA.

29. This most excellent of all Āsana-s, Paścimatāna, makes the breath flow through the Suṣumnā,

stimulates the gastric fire, makes the loins lean and removes all the diseases of men.

30. Plant the hands firmly on the ground and support on the elbows the sides of the navel, [the body] raised in an elevated posture in the air like a rod [i.e. straight and stiff, the feet above the ground on a level with the head]. This position they call MĀYŪRA.

This posture resembles the plant balance in the modern course of gymnastics on the parallel bars.

31. The Mayūrāsana cures quickly all diseases like Gulma (enlargement of the glands), Udara (dropsy and other stomach diseases), etc. and overcomes the imbalance of the humours [namely *vāta*, *pitta*, and *kapha*]. It reduces to ashes [i.e. enables digestion of] all food indiscriminately taken, kindles the gastric fire and causes to be digested [even] the Kālakūṭa [a terrible poison].

During the churning of the Ocean by the gods and the Asura-s, the first thing that came out was the poison Kālakūṭa or Hālāhala. It began to burn the three worlds and no god could be persuaded to hold it. At last Śiva swallowed it, but ere it went down his throat Pārvatī held it firmly. So, it remained for ever there and Śiva's throat became dark blue. Hence his name Kālakaṇṭha or Nīlakaṇṭha, i.e. blue-throated. This may reveal some great cosmic mystery.

32. Lying on the back on the ground [at full length] like a corpse is ŚAVĀSANA. Śavāsana removes fatigue [caused by the other Āsana-s] and induces repose of mind.

33. The Āsana-s propounded by Śiva are eighty-four in number. Of those I shall describe four which are the quintessence.

Gorakṣa says: 'There are as many Āsana-s as there are varieties of beings. Śiva has enumerated eighty-four lakhs and he only knows them.' Of these he selected eighty-four; among these, four are the most important and useful.

34. These four, Siddha, Padma, Siṃha and Bhadra [Āsana-s] are the most excellent. Of these [four] the most comfortable, Siddhāsana, can always be assumed.

35. The SIDDHĀSANA [is now described]: Press the perineum with the base of the [left] heel and place the [other] foot firmly above the penis [or pubis]. Keep the chin steadily on the breast. Remain motionless with the sense-organs under control and with steady vision look at the spot between the eyebrows. This is called Siddhāsana; it throws open the door to emancipation.

36. According to another view, placing the left ankle above the penis and keeping the other ankle above it, is Siddhāsana.

The Siddhāsana described in the previous verse is practised by the followers of Matsyendra. The one now described is preferred by other Yogin-s.

37. Some say this is Siddhāsana, others know it as VAJRĀSANA; some call it MUKTĀSANA and others speak of it as GUPTĀSANA.

The posture described first is called Siddhāsana. The same, when assumed with the right heel against the perineum and the left foot above the penis, is Vajrāsana. The Muktāsana consists in placing one heel under the perineum and the other heel above it. Guptāsana is described in verse 36 above.

38. The Siddha-s know that as among Yama-s a moderate diet is the most important, and among Niyama-s, harmlessness, so among all the Āsana-s is the Siddhāsana.

39. Of the eighty-four postures, one should always practise Siddhāsana. It purifies the 72,000 Nāḍī-s.

40. The Yogin who, contemplating the Self and following a moderate diet, continually practises the Siddhāsana during twelve years, obtains fulfilment.

41. When the Siddhāsana is mastered, of what use are the various other Āsana-s? When the vital breath is well restrained by the practice of Kevala Kumbhaka, the Unmanī-avasthā, which gives delight, arises of its own without effort.

42. When there is complete mastery of the Siddhāsana alone, the three Bandha-s follow without effort and naturally.

The Bandha-s are Mūla-bandha, Uḍḍiyāna-bandha and Jālaṃdhara-bandha. As these and the Unmanī-avasthā are described later on (III. 55 ff.), they are not explained here.

43. There is no Āsana like the Siddha, no Kumbhaka like the Kevala, no Mudrā like the Khecarī, and no Laya (absorption of the mind) like that of the inner sound (*nāda*).

44. Then the PADMĀSANA [is described]: Place the right foot on the left thigh and the left [foot] on the right thigh, cross the hands behind the back and firmly take hold of the toes [the right toe with the right hand and the left toe with the left]. Place the chin on the breast and look at the tip of the nose. This is called Padmāsana; it destroys the diseases of the self-restrained [Yogin-s].

The secret teaching is that there should always be a space of four *aṅgula-s* or three inches between the chin and the breast.

45, 46. Another view: Place the feet with [the necessary] effort, soles up, on the [opposite] thighs and place the hands, palms facing upwards, between the thighs; direct the eyes to the tip of the nose and place [the tip of] the tongue at the root of the front teeth, and the chin on the chest and slowly raise upwards the Prāṇa [by contracting the anus in the Mūlabandha].

47. This is called Padmāsana; it destroys all diseases. It cannot be attained by ordinary persons. Only the intelligent on the earth attain it.

48. Assuming well the Padmāsana, with the palms one upon the other [on the lap] fix the chin firmly upon the breast and contemplating [Brahman] in the mind (*citta*), repeatedly raise the Apāna upwards [by contracting the anus] and bring the inhaled Prāṇa downwards. By this a man obtains unequalled knowledge through the power of Kuṇḍalinī [which is roused by this process].

By the union of the Prāṇa and the Apāna, the gastric fire is aroused and the serpent Kuṇḍalinī that lies coiled around three and a half times, closing the opening of the Suṣumnā with its mouth, feels this and, straightening itself, begins to move upwards. Then the Prāṇa and the Apāna should be forced through the opening into the Suṣumnā. The process described in this verse is that of the Jālaṃdhara-bandha.

49. The Yogin, seated in the Padmāsana posture, by steadying the breath drawn in through the Nāḍī-s, becomes liberated; there is no doubt about this.

50. Then the SIṂHĀSANA [is described]: Place the ankles below the scrotum, on either side of the perineum, the right ankle on the left side of it, and the left ankle on the right.

51. Place the palms upon the knees, spread out the fingers, and with opened mouth look at the tip of the nose with concentrated mind.

52. This is Siṃhāsana held in great esteem by the highest Yogin-s. This most excellent Āsana facilitates the three Bandha-s.

53. Next the BHADRĀSANA [is described]: Place the ankles below the scrotum on the sides of the perineum, the left ankle on the left and the right ankle on the right [sole to sole].

54. Then hold firmly with the hands the feet, which are on their sides, and remain motionless. This is Bhadrāsana which destroys all diseases. The Yogin-s who have become Siddha-s call this GORAKṢĀSANA.

55. Thus the best of Yogin-s, being free of fatigue in practising Āsana-s and Bandha-s, should practise

purification of the Nāḍī-s, Mudrā-s, etc. and control of breath.

56. Āsana-s, the varieties of Kumbhaka, the positions called Mudrā [i.e. Mahāmudrā, etc.], then concentration upon the *nāda* (inner sound) comprise the sequence of practice in Haṭha-yoga.

57. The Brahmacārin [one devoted to Brahman, who leads a chaste life] who, following a moderate diet, is intent on Yoga, renouncing [the fruits of his actions], becomes a Siddha after a year. There need be no doubt about this.

58. ' Moderate diet ' is defined to mean agreeable and sweet food, leaving one-fourth of the stomach free, eaten [as an offering] to please Śiva.

The Yogin should fill two parts of his stomach with food and the third with water, leaving the fourth free for the passage of air. ' Pleasing Śiva ' means that he should think that the one who eats is Śiva and not himself; as the Śruti-s say: ' The eater is Maheśvara, the great Lord.'

59. The following things are said to be unsalutary [for Yogin-s]: Things that are bitter, sour, pungent, salty, heating, green vegetables [other than those ordained], sour gruel, [sesame or mustard] oil, sesamum, mustard, alcohol, fish, flesh including that of the goat, curds, buttermilk, horse-gram, the fruit of the jujube, oil cakes, asafoetida and garlic.

By ' bitter ', substances such as bitter gourd are meant. Sour such as tamarind; pungent such as chillies; heating such as jaggery, which increase the temperature of the body.

60. Diet of the following nature should be avoided as unhealthy: food that [having been once cooked has grown cold and] is heated again; which is dry [i.e. devoid of fat] or has an excess of salt or sourness; that is bad, or has too much of vegetables [mixed with it].

61. In the beginning, fire, woman [i.e. sex] and journeys should be avoided. For thus Gorakṣa says: ‘Association with bad company, [basking near the] fire [during winter], women and long journeys, bathing early in the morning, fasting, etc. and hard physical activity should be avoided.’

Basking near the fire, sexual intercourse and long journeys to sacred places by foot should be avoided during the early period of practice. After the novice completely masters the practice, he may optionally have recourse to fire during winter, sexual intercourse with his wife during the proper time (as laid down in the Smṛti-s), and journeys by foot to sacred places provided that he is a *gṛhastha* (householder). That this is the view taken by the author is clear from the verse quoted from Gorakṣanātha. Bathing early in the morning brings on cold, and fasting and such other practices tax the body; therefore these should also be avoided. Fasting increases the secretion of bile.

62. The following things are suitable to be taken by the Yogin: Wheat, rice, barley, the grain called Ṣaṣṭika and purified food, milk, ghee, brown sugar, butter, sugar-candy, honey, dry ginger, the vegetable called *paṭolaka*, and the five pot-herbs [called in Sanskrit Jīvantī, Vāstumūlyā, Akṣī, Meghanāda and Punarnavā] green gram and pure water.

63. The Yogin should take nourishing and sweet food mixed with ghee and milk, etc.; it should nourish the *dhātu-s*, and be pleasing and suitable.

The Yogin can use buffalo's milk if he cannot get pure cow's milk. He can take various sorts of cakes that are nutritious and pleasing.

The *dhātu-s* are seven in number. They are chyle, flesh, blood, bones, marrow, fat and semen.

64. Any person who is not lethargic in the pursuit of different forms of Yoga, attains *siddhi* through practice, be he young, old or even very old, sickly or weak.

65. One who is intent on practice will obtain *siddhi*, not one who is idle. *Yoga-siddhi* is not obtained by a mere reading of the Śāstra-s.

66. *Siddhi* is not achieved by wearing the dress [of a Yogin], or by talking about it; practice alone is the cause of success. This is the truth, without doubt.

67. The Āsana-s, the different Kumbhaka-s, and the excellent Karaṇa-s [positions like the Mahāmudrā] are all, in the course of Haṭha-yoga, to be practised till the fruit of Rāja-yoga is obtained.

———

SECOND CHAPTER

1. The Yogin having perfected himself in the Āsana-s, should practise Prāṇāyāma according to the instructions of his Guru, with his senses under control, conforming to a beneficial and moderate diet.

2. When the breath wanders [i.e. is irregular], the mind is unsteady, but when [the breath is] still, so is [the mind] still and the Yogin obtains the power of stillness. Therefore the breath should be restrained.

3. Life is said to exist only so long as there is breath in the body; its [the breath's] departure is death. So one should restrain the breath.

4. When the Nāḍī-s are full of impurities, the breath does not go into the middle [Nāḍī, Suṣumnā]. How then can there be the Unmanī-avasthā? How can there be the attainment of the goal?

5. When all the Nāḍī-s, which are full of impurities, become purified, then only does the Yogin become expert in the control of breath.

6. So control of breath (Prāṇāyāma) should be done daily with a mind in which the *sāttvika* (pure) element prevails, till the Suṣumnā Nāḍī is free from impurities.

In the above verses, ' breath ' does not mean the air taken in and breathed out, but the Prāṇa, i.e. the magnetic current of breath, as it would be otherwise absurd to say that the breath must be made to go to every part of the body like the right toe, etc. as indicated in Yoga practice (See *Kṣurikopaniṣad*, verses 6 ff.)

In the preceding verse, *sāttvika-dhī* means a mind in which the Rājasa and Tāmasa elements, such as unsteadiness, indolence, etc. have been overcome by the worship of Īśvara, earnestness and perseverance.

7. The Yogin assuming the Padmāsana should draw in the Prāṇa through the Moon [i.e. Iḍā or the left nostril] and, having retained it as long as possible, should then exhale it through the Sun [i.e. Piṅgalā or the right nostril].

8. [Again] inhaling the Prāṇa through the Piṅgalā, the interior should be slowly filled [with air]. Performing Kumbhaka as prescribed, it should then be exhaled through Iḍā.

9. Air should be inhaled by the same [nostril] through which exhalation was made. Then having retained the breath to the utmost [till covered with perspiration or till the body shakes], it should be exhaled by the other [nostril], slowly, and never fast [as it will diminish the energy of the body].

10. If the Prāṇa is drawn in by the Iḍā, it is ordained that it should then be exhaled by the other [Piṅgalā]; if drawn in through the Piṅgalā, then having retained it, it should be exhaled through the left [Iḍā]. Those who have perfected themselves in Yama, by continually practising [breath-control] according to these instructions through the right and left channels, have their Nāḍī-s purified in not less than three months.

11. One should practise well Kumbhaka-s four times [a day]—in the early morning, midday, evening and midnight—gradually till they number eighty [each time].

This comes to about 320 Kumbhaka-s daily. But as it might be inconvenient to practise at midnight, it might amount to 240 Kumbhaka-s ordinarily.

12. In the first stage, there is perspiration; in the second, tremor is felt [throughout the body]; and in the highest stage, the Prāṇa goes to the [chief] place [Brahmarandhra]. So one should control the breath.

In the first stage, the Prāṇa is retained for twelve *mātrā-s*; in the second, for twenty-four *mātrā-s*; and in the third, for thirty-six *mātrā-s*. A *mātrā* is defined to be the time taken for circling the knee three times, fillipping the fingers once; others say the time occupied by clapping the hands thrice (as in Aṭatāla); the third definition is the time taken for the breath to go in and come out in the case of a man who is sound asleep. The first stage of Prāṇāyāma has a period of twelve and a half breaths. Six such breaths are called a Pala. The other stages of Yoga—Pratyāhāra, Dhāraṇā, Dhyāna and Samādhi—are only progressions in Prāṇāyāma. When the Prāṇa is restrained for a period of 125 Pala-s, then it goes into the Brahmarandhra. When the Prāṇa stays in the Brahmarandhra for about 25 Pala-s, that is Pratyāhāra. If it remains there 5 *ghaṭikā-s* or two hours, it is Dhāraṇā. If it stays for 60 *ghaṭikā-s* or one day it is Dhyāna. If it is retrained for twelve days it is Samādhi.

13. Rub on the body the perspiration resulting from the fatigue [of Prāṇāyāma]. By this the body derives firmness and lightness.

14. In the early stages of practice, food mixed with milk and ghee is prescribed [as the best diet]. But when practice has advanced, such restrictions need not be observed.

15. As the lion, elephant or tiger is tamed gradually, even so should Prāṇa be brought under control. Else it will kill the practitioner.

16. Through the proper practice of Prāṇāyāma [along with right food and proper Bandha-s] there is freedom from all diseases. By a mistaken course of Yoga, [the practitioner] brings upon himself all diseases.

17. By a wrong course of Prāṇāyāma are produced hiccup, asthma, bronchial diseases, pains in the head, ears and eyes and various other diseases.

18. One should gradually exhale the breath and as gradually inhale it; one should also restrain it gradually. Thus is *siddhi* obtained.

19. When the Nāḍī-s are purified, there are external signs: leanness and brightness of the body are definitely produced.

20. When one is able to restrain the breath as desired, when the [gastric] fire becomes more active, and the *nāda* (inner sound) is heard, there is perfect health, because the Nāḍī-s are purified.

21. One who is flabby and phlegmatic should first [before the practice of Prāṇāyāma] practise the six acts: Others [who do not have these defects] should not practise them, the [three] humours [wind, bile and phlegm] being equally balanced in them.

22. These six acts are named Dhauti, Vasti, Neti, Trāṭaka, Nauli and Kapālabhāti.

23. These six acts that purify the body should be kept secret, as they produce various wonderful results, and [as such] are held in high esteem by great Yogin-s.

24. Here DHAUTI [is described]: Slowly swallow a wet piece of cloth four fingers broad and fifteen spans long according to the instructions of the Guru. Draw it out again. This process is called Dhauti.

A long strip taken from a new muslin cloth would do well. Swallow a span the first day and increase it daily by a span. The cloth should also be a little warm.

25. By the efficacy of Dhauti, bronchial diseases, asthma, Plīha (diseases of the spleen), leprosy [and similar skin diseases] and twenty other diseases brought on by phlegm disappear. There is no doubt about this.

26. Then VASTI [is described]: Seated in water up to the navel in the Utkaṭāsana [resting the body on the toes of the feet, the heels pressing against the buttocks], insert a [small bamboo] tube into the anus and contract the anus [so as to draw the water in, shake it and then expel it]. Such washing is Vasti.

27. By the power of Vasti, Gulma and Plīha (enlargement of glands and spleen), Udara (dropsy or other stomach diseases) and all diseases arising from an excess of wind, bile and phlegm are cured.

The bamboo tube should be six finger breadths long, and a length of four finger breadths should be inserted in the anus. Some practise Vasti without this tube, but it is very dangerous as all the water does not come out and so causes many diseases. The above two processes should not be gone through after a meal, nor should one delay taking food after these.

28. This Jalavasti, when [duly] practised, refines the bodily constitution (*dhātu-s*), sense-organs (*indriya-s*) and the internal organ (*antaḥkaraṇa*); it makes [the body] bright and increases the digestive power; it destroys all the disorders in the constitution.

29. Then NETI [is described]: Insert through a nasal passage a smooth thread of the length of a hand-span [about nine inches] and draw it out through the mouth. This is called Neti by the Siddha-s.

The thread should have no knots. The way to do this is to put one end of the thread into the nose and closing the other nostril with the finger, inhale the breath and exhale it through the mouth. By a repetition of this process the thread gets into the mouth. Then take it and pull it out. One can also pass the thread through one nostril and draw it through the other.

30. This purifies the [region of the] skull and makes the sight capable of perceiving subtle things. Also, Neti soon removes all diseases of the body above the shoulders.

31. Then TRĀṬAKA [is described]: Look with fixed eyes [without winking] at a minute object with concentration till tears are shed. This is called Trāṭaka by the teachers.

32. By Trāṭaka, all diseases of the eyes are removed and sloth, etc. are overcome. It should be carefully kept secret like a golden casket.

33. Then Nauli [is described]: With the shoulders bent down, one should rotate to right and left the stomach with the speed of a fast-circling eddy. This is called Nauli by the Siddha-s.

34. This Nauli, the crown of Haṭha-yoga practice, stimulates the gastric fire if dull, increases the digestive power, produces happiness and destroys all diseases and disorders of the humours.

35. Then Kapālabhāti [is described]: Perform Recaka (exhalation) and Pūraka (inhalation) rapidly like the bellows of a blacksmith. This is called Kapālabhāti, and destroys phlegmatic diseases.

36. Freed from corpulence, phlegmatic disorders, impurities, etc. by [the performance of the above] six acts, one should practise Prāṇāyāma. Then success [in Yoga] is achieved without strain.

37. Some teachers say that all impurities [of the Nāḍī-s] are removed by Prāṇāyāma alone and other acts [the above-mentioned six] are not accepted [by them].

38. Then Gajakaraṇī [is described]: [Yogin-s] draw up the Apāna to the throat and vomit the substances [food, water, etc.] that are in the stomach. [This act] the gradual practice of which brings all the Nāḍī-s under control is called Gajakaraṇī by those who know Haṭha-yoga.

39. Even Brahmā and the other gods devoted themselves to the practice of Prāṇāyāma because of the fear of death. So, one should practise control of breath.

40. So long as the breath is restrained in the body, so long as the mind is calm and steady, so long as the vision is directed to the centre of the eyebrows, why should there be fear of death?

41. When the Nāḍī-cakra has been purified by a properly regulated course of Prāṇāyāma, the breath forces open the mouth of the Suṣumnā and easily enters it.

42. When the breath flows through the Suṣumnā, the mind becomes steady. This steadiness of the mind is the state called Manonmanī [or Unmanī].

43. To attain it, those who know the procedure practise various sorts of Kumbhaka-s. By practice of the various Kumbhaka-s diverse *siddhi-s* are obtained.

As said in the *Bhāgavata-purāṇa*, one obtains, through the practice of Yoga, all those *siddhi-s* that are obtained conjointly by previous *karman*, the use of herbs, religious austerities and *mantra-s*.

44. The different Kumbhaka-s are now [described]: There are eight Kumbhaka-s, namely Sūryabhedana, Ujjāyī, Sītkārī, Śitalī, Bhastrikā, Bhrāmarī, Mūrchā and Plāvinī.

45. At the end of inhalation (Pūraka), the Jālaṃdhara-bandha should be practised. At the end of Kumbhaka and at the beginning of exhalation (Recaka), Uḍḍīyāna-bandha should be practised.

The former Bandha is described in III. 70, and the latter in III. 57.

46. Contracting the throat [in the Jālaṃdhara-bandha], and the anus [in the Mūla-bandha] at the same time, and by drawing back the abdomen [in the Uḍḍīyāna-bandha], the Prāṇa flows through the Suṣumnā (Brahma-nāḍī).

If one has learned from his Guru the Jihvā-bandha, by practising that first and Jālaṃdhara-bandha afterwards, Prāṇāyāma follows easily. But if the Jihvā-bandha is not known, then the procedure given above should be followed. These three Bandha-s are to be learnt from the Guru, for if practised wrongly they bring on various diseases.

47. Raising the Apāna upwards [by contracting the anus] the Prāṇa should be brought downwards from the throat. The Yogin [then] becomes a youth of sixteen, freed from old age.

In this the Mūla-bandha and the Jālaṃdhara-bandha are described; the third, Uḍḍīyāna-bandha is not mentioned as it naturally follows from the above.

48. Then SŪRYABHEDANA [is described]: Assuming an Āsana on a comfortable seat, the Yogin should slowly draw in the air outside through the right Nāḍī (Piṅgalā).

A work on Yoga describes the daily life that a Yogin is expected to lead. He should rise at 4 or 6 o'clock in the morning. Having contemplated his Guru in his mind and his chosen deity in his heart, he should wash and clean his teeth and smear himself with holy ash. Seated on a soft seat in a pleasant *maṭha,* he should salute mentally his Guru. Then he should make Saṃkalpa in this form: In the second half of the life of Ādi Brahmā, that goes on by the order of Viṣṇu, the great Puruṣa, in the Śvetavarāha-kalpa, in the Vaivasvata-manvantara, in the first quarter of the Kali-yuga, in the Jambū-dvīpa, in the Bhārata-varṣa, in the Bharata-khaṇḍa, to the South of Meru, where the Śaka era prevails, in the sixty year cycle beginning with Prabhava, in the year ....in the.........Ayana, in the.........Ṛtu, in the month of........ in the.........half of the month, on the...........day of it, on this holy day, in the........day of the week, in this.........star, when the *yoga-s* are all very propitious by the command of the Lord, for attaining Samādhi and its results, I begin to perform Āsana, Prāṇāyāma, etc. After performing this Saṃkalpa, he should offer salutations to Śeṣa, the King of the Serpents, that he may successfully go through the Āsana-s. He should then practise the Āsana-s and when fatigued, do the Śavāsana. He should practise what is called Viparītakaraṇī before Kumbhaka. Then having performed *ācamana* (sipping water while pronouncing a *mantra*), he should salute the great Yogin-s. He should then assume the Siddhāsana and should perform 10 Prāṇāyāma-s, increasing the number by 5 every day, until he reaches 80. He should first practise Kevala Kumbhaka by the right and left Nāḍī-s. Then follows Sūrya-bhedana, Ujjāyī, Sītkārī, Śītalī and Bhastrikā, and then the others. Then the Mudrā-s should be practised as taught by the Guru. He should after that assume the Padmāsana and practise concentration upon the inner sound (*nāda*). In the end he should offer up all these to Īśvara. Having got up he should bathe in hot water. Then the daily duties should be performed briefly. The same process should be gone through at midday. After that he should take some rest and eat his meal. Then he should take cloves, menthol, or betel-leaf without lime. After the meal he should study the Śāstra-s that treat of liberation or he should hear the Purāṇa-s expounded; or repeat the names of Īśvara. When it is an hour and a half to sunset, he should begin to practise as before and then perform the Saṃdhyāvandana (daily rite of the *dvija*). He should not practise Viparītakaraṇī in the evening and midnight or after a meal. Then he should begin to practise at midnight.

49. [Then] he should practise Kumbhaka, retaining [the breath] to the utmost till it is felt from the hair [on the head] to the ends of the nails [in the toes, i.e. pervading the whole body]. Then he should slowly exhale the air through the left Nāḍī (Iḍā).

50. This excellent Sūryabhedana [Kumbhaka] should again and again be practised, as it purifies the brain, destroys diseases arising from excess of wind, and cures maladies caused by worms [bacteria, etc.].

51. Now Ujjāyī [is described]: Closing the mouth, draw in air slowly through [both] the nostrils till it [the breath] is felt to be sonorous from the throat to the heart.

52. Perform Kumbhaka as before and exhale the air through Iḍā. This removes disorders in the throat caused by phlegm and stimulates the [digestive] fire in the body.

53. It puts an end to the diseases of the Nāḍī-s and the *dhātu-s*, as also dropsy. Walking or standing, [this] Kumbhaka called Ujjāyī should be practised.

54. Then Sītkārī [is described]: Make a hissing sound with the mouth [while inhaling air] and exhale only through the nostril. By the Yoga consisting of repeated practice of this, one becomes a second god of beauty (Kāmadeva).

The hissing sound is made by putting the tongue between the teeth and breathing in.

55. He becomes an object of high regard among the circles of Yoginī-s; he is able to create and destroy;

neither hunger, nor thirst, somnolence or indolence arise [in him].

56. By this practice strength of body is gained, and the lord of Yogin-s, becomes surely free of afflictions of every kind on this earthly sphere.

57. Then Śītalī [is described]: [Protruding the tongue a little outside the lips] inhale air with the tongue [curled up to resemble a bird's beak] and perform Kumbhaka as before. Then the intelligent [practitioner] should slowly exhale the air through the nostrils.

58. This Kumbhaka named Śītalī destroys diseases of the abdomen and spleen and other diseases as also fever, biliousness, hunger, thirst and [the bad effects of] poisons.

59. Then Bhastrikā [is described]: When the two feet are placed upon the [opposite] thighs, that is the Padmāsana which destroys all ill effects (*pāpa-s*).

60, 61. Having assumed the Padmāsana properly, with the neck and abdomen in line, the intelligent [practitioner] should close the mouth and breathe out the air through the nostrils with effort till it is felt to resound in the heart, throat and up to the skull. Then air should be inhaled rapidly till it touches the lotus of the heart.

62, 63. Again, he should exhale in the same manner and inhale thus again and again. Even as the blacksmith works his bellows with speed, he should, with his mind, keep the Prāṇa in his body [constantly] moving [by Recaka and Pūraka]. When tiredness is felt in the body, he should breathe in by the right nostril.

64. After the interior of the body is quickly filled with air, the nose should be closed tightly with the thumb, the ring finger and the little finger.

65. Having performed Kumbhaka as prescribed, the breath should be exhaled through the left nostril. This removes the [disorders arising from] excess of wind, bile, and phlegm, and increases the [digestive] fire in the body.

Bhastrikā Kumbhaka should be thus performed: Press the left nostril with the ring and little fingers and, by the right nostril, inhale and exhale like a pair of bellows. When tired, perform Kumbhaka, inhaling by the right nostril, and exhaling by the left nostril. Then press the right nostril, and inhale and exhale like the bellows through the left nostril, etc. Thus go on alternately till tired. This is one method. The other way of practising it is to close the left nostril, and inhale as much as possible by the right nostril, quickly close that nostril and then exhale gradually through the left nostril. This should be done many times, and when feeling tired one should inhale through the right nostril, perform Kumbhaka, and exhale through the left nostril. Then this should be done for the other nostril.

66. This rouses the Kuṇḍalinī quickly, and is purifying, pleasant and beneficial. It removes the obstructions caused by phlegm, etc. that exist at the mouth of the Suṣumnā.

Sūryabhedana and Ujjāyī generate heat, and Sītkārī and Śītalī are cool. Bhastrikā preserves an equable temperature. Sūryabhedana primarily controls excess of wind, Ujjāyī phlegm, Sītkārī and Śītalī bile, and Bhastrikā, all three.

67. This Kumbhaka called Bhastrikā should be specially practised, as it enables [the breath] to break through the three knots (*granthi-s*) that are firmly placed in the Suṣumnā.

68. Then BHRĀMARĪ [is described]: Breathing in rapidly with a resonance resembling the sound of a [male] bee, exhale slowly [after Kumbhaka], making the humming sound of a female bee. By the Yoga, which consists in practising thus, there arises an indescribable bliss in the hearts of the best among Yogin-s.

69. Then MŪRCHĀ [is described]: At the end of inhalation, very firmly assuming the Jālaṃdhara-bandha, exhale [the breath] slowly. This is called Mūrchā [Kumbhaka], as it reduces the mind to a state of inactivity and confers happiness.

70. Then PLĀVINĪ [is described]: Owing to the air which has been abundantly drawn in, completely filling the interior, [the Yogin] floats easily, even on deep waters, like a lotus leaf.

71. Prāṇāyāma is said to be threefold [consisting of] Recaka, Pūraka and Kumbhaka. Kumbhaka is also known to be of two kinds: Sahita and Kevala.

The first kind of Prāṇāyāma consists in performing Recaka first, i.e. exhaling and stopping inhalation; the second in doing Pūraka first, i.e. inhaling and retaining the breath inside, thus filling the Nāḍī-s; the third consists in inhaling and holding the air as in a pot. (This is the same as the second Prāṇāyāma.) Another type of Kumbhaka consists in stopping the breath, i.e. being without Pūraka and Recaka. The Sahita Kumbhaka is of two sorts: the first type is preceded by Recaka and resembles the first kind of Prāṇāyāma, the second type is preceded by Pūraka and resembles the second kind of Prāṇāyāma. Kevala Kumbhaka is the same as Kumbhaka Prāṇāyāma.

72. As long as one does not achieve Kevala Kumbhaka, one should practise Sahita.

The Sahita should be practised till the Prāṇa enters Suṣumnā, which is known by a peculiar sound being produced in the Suṣumnā. Then he should practise only ten or twenty Sahita Kumbhaka-s and increase the Kevala Kumbhaka-s to eighty.

72-73. Without exhalation or inhalation, when the breath is retained with ease, this sort of Prāṇāyāma is called Kevala Kumbhaka.

73-74. When this Kevala Kumbhaka has been mastered without any exhalation or inhalation, there is nothing unattainable by him in the three worlds.

74-75. He who is fully competent through this Kevala Kumbhaka, through the control of breath, obtains even the stage of Rāja-yoga. There is no doubt about this.

75. Through Kumbhaka, the Kuṇḍalinī is aroused; through arousing Kuṇḍalinī, the Suṣumnā is free of all obstacles, and perfection in Haṭha-yoga is obtained.

76. One cannot obtain perfection in Rāja-yoga without Haṭha-yoga, nor [perfection] in Haṭha-yoga without Rāja-yoga. So both should be practised till perfection [in Rāja-yoga] is obtained.

77. At the end of the retention of breath in Kumbhaka, the mind should be made free of objects. By thus practising, the stage of Rāja-yoga is reached.

78. The signs of [perfection in] Haṭha-yoga are: Slimness of body, brightness in the face, manifestation of the inner sound (*nāda*), very clear eyes, freedom from disease, control over the seminal fluid, stimulation of the [digestive] fire and complete purification of the Nāḍī-s.

THIRD CHAPTER

1. As [Ananta] the Lord of Serpents is the support of the earth with its mountains and forests, so Kuṇḍalinī is the support of all the Yoga practices.

2. When the sleeping Kuṇḍalinī is awakened by the grace of the Guru, then all the lotuses [the *cakra-s* or mystic centres] and knots [*granthi-s*] are pierced.

3. Then Suṣumnā becomes the royal road for Prāṇa. Then the mind remains objectless. Then death is deceived.

4. Suṣumnā, Śūnyapadavī (the great void), Brahmarandhra (the entry to Brahman), Mahāpatha (the great road), Śmaśāna (the burning ground), Śāṃbhavī [appertaining to the auspicious Śaṃbhu) and Madhyamārga (the central path)—these refer to the same thing.

5. Therefore, making every effort, the [various] Mudrā-s should be practised to awaken the powerful goddess (Kuṇḍalinī) who sleeps at the mouth of Suṣumnā [the doorway to the Absolute].

6, 7. Mahā-mudrā, Mahā-bandha, Mahā-vedha, Khecarī, Uḍḍīyāna, Mūla-bandha, Jālaṃdhara-bandha, Viparītakaraṇī, Vajrolī and Śakticālana—these are the ten Mudrā-s. They destroy old age and death.

8. These were expounded by the primeval Lord (Śiva); they are divine and confer the eight *siddhi-s*.

They are favoured by all Siddha-s and are difficult to obtain even by the Deva-s.

9. This should be kept secret like a casket of precious gems. It should not be spoken of to anybody, as in the case of intercourse with a well-born woman.

10. Here MAHĀ-MUDRĀ [is described]: Pressing the perineum with the left heel and stretching out the right leg take firm hold [of the toes of the right foot] with the hands.

11, 12. Contract the throat [in the Jālaṃdhara-bandha] and hold the breath in the upper part [i.e. in the Suṣumnā]. Then the Kuṇḍalinī force becomes at once straight just as a [coiled] snake when struck by a rod straightens itself out like a stick. Then the other two Nāḍī-s [Iḍā and Piṅgalā] become lifeless [because the Prāṇa goes out of them].

13. Then one should breathe out very slowly and never quickly. This has been declared to be Mahāmudrā by the great Siddha-s.

14. [By this] such painful factors as the great *kleśa-s* and death, etc. are vanquished. Therefore, the wisest of men call it the Mahā-mudrā (the great Mudrā).

The *kleśa-s* are five in number, namely *avidyā* (ignorance or illusion), *asmitā* (egoism), *rāga* (attachment), *dveṣa* (repulsion) and *abhiniveśa* (clinging to life). The Mahāmudrā is so called as it seals off (*mudrā*) all pains.

15. After having practised well on the left side, it should be practised then on the right side. When the

number [of times practised on each side] is equal, then [the practice of] the Mudrā should be ended [for the time].

The practice is on the left side when the left leg is bent and the right leg stretched and on the right side when the opposite is done.

16. [For the practitioner of this] there is nothing wholesome or unwholesome. All things of whatever taste, even those which are insipid and even virulent poison, if consumed, are digested as if it were nectar.

17. The maladies of one who practises Mahāmudrā—consumption, leprosy, constipation, abdominal diseases, indigestion, etc.—are overcome.

18. Thus has been described this Mahāmudrā which confers great *siddhi-s* upon men. This should be carefully kept secret and not revealed to any and every body.

19. Then MAHĀ-BANDHA [is described]: Place the heel of the left foot on the perineum and place the right foot upon the left thigh.

20. Having drawn in the breath, and pressing the chin steadily on the breast [in the Jālaṃdhara-bandha], contract the anus [in the Mūla-bandha] and fix the mind on the central Nāḍī (Suṣumnā).

21. Having retained the breath as long as possible, the air should be breathed out slowly. Having practised well on the left side, then practise on the right side.

22. Some are of the view that the contraction of the throat (Jālaṃdhara-bandha) should be avoided

here and that the contraction effected by the tongue pressed against [the root of] the front-teeth (Jihvā-bandha) is preferable.

23. This [Jihvā-bandha in the course of the Māha-bandha] stops the upward course [of the Prāṇa] through all the Nāḍī-s [except the Suṣumnā]. This Mahā-bandha [helps to] confer great *siddhi-s*.

24. This is efficacious in freeing one from the great noose of Time (Yama). It brings about the union of the three streams [i.e. Nāḍī-s: Iḍā, Piṅgalā and Suṣumnā]. It enables the mind to reach Kedāra [the sacred seat of Śiva in the mystic centre between the eyebrows].

25. As a woman endowed with beauty and charm is unfruitful without a husband, so are Mahā-mudrā and Mahā-bandha without the Mahā-vedha.

26. The MAHĀ-VEDHA [is described]: The Yogin, assuming the Mahā-bandha, should draw in the breath with concentrated mind and stop the [upward and downward] course of the Prāṇa, etc. by the Jālaṃdhara-bandha.

27. Placing the two palms straight upon the ground, he should strike [the ground] slowly with the buttocks. [Then] the Prāṇa, leaving the two Nāḍī-s [Iḍā and Piṅgalā] courses through the middle [Suṣumnā].

28. Then takes place the union of the Moon, Sun and Fire (Iḍā, Piṅgalā and Suṣumnā) that surely leads to immortality. There is a death-like state; then the air should be exhaled [slowly].

29. This is Mahāvedha which, with practice, confers great *siddhi-s*. This staves off wrinkles, grey hair and trembling [consequent on old age], and the best of practitioners devote themselves [to it].

30. These three, that ward off old age and death, increase the [gastric] fire and confer *siddhi-s* such as *aṇiman*, should be most carefully kept secret.

31. These are performed in eight different ways, every day at every *yāma* (three-hour period). They confer at all times the fullness of virtue and destroy the accumulation of sin (*pāpa*). Those who are well guided [by the teacher] in these should practise them gradually.

32. The KHECARĪ [is described]: When the tongue is turned back and enters the cavity leading to the skull, and the eyes are fixed between the eyebrows, this is Khecarī-mudrā.

33. By cutting, shaking and stretching, the tongue should be gradually elongated, till it touches the middle of the eyebrows. Then the Khecarī is successfully accomplished.

The procedure for cutting is described in the following verses. Shaking means taking hold of the tongue with the fingers and moving it to left and right. Stretching means taking hold of the tongue and drawing it as one does the udders of a cow in milking it.

34. Taking a smooth, clean knife, very sharp like the leaf of the milkhedge plant, cut to a hair's breadth [the *fraenum* or tender membrane that connects the tongue with the lower part of the mouth].

35. Then rub [the part] with [a compound of] powdered rock salt and Harītakī (yellow myrobalan). Then after seven days, cut [again] to the extent of a hair's breadth.

The compound should be rubbed on both morning and evening. As salt is prohibited in the case of Yogin-s, they substitute the burnt powder of Khadira or the woody cassia. In the text, salt is mentioned on the assumption that the Khecarī-mudrā should be practised before the beginning of the Haṭha-yoga practice. The cutting and medication should be done twice daily for seven days. On the eighth day, the cut should be a little deeper. And so on.

36. He should thus practise, gradually and skilfully every day for six months. In six months the membrane which binds at the root of the tongue is severed.

37. Then turning back the tongue, it should be made to enter the junction of the three [Nāḍī-s, i.e. the cavity in the roof of the palate]. This is the Khecarī-mudrā. It is [also] called VYOMACAKRA.

38. The Yogin who remains even for half a *kṣaṇa* [i.e. for 24 minutes] with his tongue turned upwards is saved from poisons, disease, death and old age.

39. For him who knows the Khecarī-mudrā there is no disease, death, [intellectual] torpor, sleep, hunger, thirst, or clouding of the intellect.

40. He who knows the Khecarī-mudrā is not afflicted by disease; not tainted by *karman*, and not affected by Time.

The repetition of the results of Khecarī-mudrā is to impress upon the reader its importance.

41. This Mudrā is named Khecarī by the Siddha-s, because the mind moves in space [Ākāṣa; in the centre of the eyebrows] and the tongue [also] moves in the Ākāśa [in the cavity above the palate].

Kha means Ākāśa and *carī* means 'to move', hence the word Khecarī.

42. When one has sealed the cavity in the upper part of the palate with the Khecarī-mudrā, his seminal fluid is not emitted even when embraced by a young and passionate woman.

43. Even though the fluid flows and comes down to the genital organ, still arrested by the Yoni-mudrā, it is taken by force upwards.

Yoni-mudrā is another name for Vajrolī-mudrā (III. 83 ff.). As many of these Mudrā-s occur in the latter part of the book, it is necessary to give here a word of caution lest people take them literally. Though these descriptions of the Mudrā-s state that these processes involve intercourse with women still the thing carries on its face its contradiction. We cannot for a moment suppose that the terms women, sexual intercourse and seminal fluid are to be understood literally in the case of Yogin-s who have perfected themselves in Yama and Niyama. Moreover, in the same book it is stated that only after a certain stage in Samādhi is attained, Vajrolī-mudrā, etc. should be practised (IV. 14). So it seems that these refer to some internal mystical processes connected with the development of the mind.

44. The knower of Yoga, who being steady, has the tongue turned upwards and drinks the Soma juice doubtless conquers death in fifteen days.

Above the palate, the Moon is said to be situated and the nectar that flows from it falls down and is consumed by the Sun that is near the navel; but if the flow of the nectar is stopped by closing the aperture in the palate it prevents the decay of the body. Soma means the Moon.

45. In the body of the Yogin which is imbued daily with the nectar from the Moon, even though bitten by [the serpent] Takṣaka, poison does not spread.

Takṣaka, possessing most virulent poison is one of the eight serpent-kings in Pātāla, the greatest of whom is Śeṣa or Ananta.

46. As fire does not go out so long as there is fuel, as a light does not die out so long as there is oil and wick [in the lamp], so also the dweller in the body does not quit the body as long as it is filled by the nectar of the Moon.

47. He may eat daily *gomāṃsa* [lit. the flesh of a cow] and he may drink *amaravāruṇī* [lit. strong liquor]. I consider him to be well born. Others ruin the family.

The words in the text, *gomāṃsa* and *amaravāruṇī*, are explained in the next two verses.

48. By the word *go* is meant the tongue. Its entry [into the cavity] in the palate is *gomāṃsabhakṣaṇa* (eating the flesh of the cow). This destroys the five great sins.

The five great sins are said to be: killing a *brāhmaṇa*, drinking intoxicating liquor, theft, adultery with the wife of a teacher, and associating with anyone guilty of these sins.

49. The nectar which flows from the Moon because of the heat produced by the entry of the tongue, that is *amaravāruṇī*.

The term *vāruṇī* means wine. In the above two stanzas is given an excellent instance of the way in which the Hindu occult writers veil their real meaning under apparently absurd symbols. The principle seems to be this. They thought that the very absurdity of the symbol and its irrelevance to the subject in hand would force the reader to surmise that there was something behind it and so he should look deeper for an explanation of this absurdity. A misconception of this rule seems to have given rise to many absurd interpretations of really occult symbols, and many pernicious practices that propitiate animal tendencies and passions. Examples of this may be multiplied, such as the relations between Kṛṣṇa and Rādhā and the sixteen thousand *gopī-s* or cowherdesses; the five Pāṇḍu brothers marrying one woman, Draupadī; the stories of *ṛṣi-s* marrying wives and begetting children of mature understanding within an inconceivably short time; and the whole mystic terminology of the Tantra-s that has given rise to so many disgusting practices.

50. If the tongue constantly touches the cavity in the palate, making flow the nectar [of the Moon] that tastes salty, pungent and sour, comparable also to milk, honey, and ghee [in taste], all diseases are destroyed, old age is overcome, weapons are warded off, immortality and the eight *siddhi-s* are obtained and the damsels of the demi-gods (*siddha-s*) are attracted.

51. He who, with upturned face and tongue closing the cavity of the palate, contemplates the supreme Power (Kuṇḍalinī), and drinks the clear stream of nectar flowing in waves from the Moon from the head into the sixteen-petalled lotus [in the throat] through the control over Prāṇa, during the Haṭhayoga practice, that Yogin, freed from diseases, lives long with a body soft and beautiful as the lotus stem [at its root].

52. Within the upper part of Meru [i.e. Suṣumnā] in the cavity, which is the fountain-head of the Nāḍī-s, is secreted the nectar. He of pure intellect [Sāttvic in nature, unclouded by Rajas and Tamas] sees therein the Truth [his own Ātman]. From the Moon there flows out the nectar, the essence of the body, and hence death comes to man. Therefore one should practise the beneficial Khecarī-mudrā [to stop its downward flow]. If not, there can be no bodily perfection [endowing the body with beauty, grace, strength and self-control].

53. The cavity is the conjunction of the five streams and confers divine knowledge. In the void of that cavity, untainted [by the effects of *avidyā* or nescience, grief and delusion] the Khecarī-mudrā is firmly lodged.

The streams referred to in the above stanzas are the many Nāḍī-s, Iḍā, Piṅgalā, Suṣumnā, Gāndhārī, etc. which stand for the rivers Gaṅgā, Yamunā, Sarasvatī, Narmadā, etc.

54. There is only one germ of evolution [i.e. *Oṃ*]; there is only one Mudrā, Khecarī; only one deity, not dependent on anything; and only one [spiritual] state, Manonmanī.

As the other things mentioned are the most important of their class, so is Khecarī the best of Mudrā-s.

55. Then the Uḍḍīyāna-bandha [is described]: Uḍḍīyāna-bandha is so called by the Yogin-s, for when it is practised the Prāṇa is arrested and flies through the Suṣumnā.

56. Because through this, the great bird [Prāṇa] flies up incessantly [through the Suṣumnā] it is the Uḍḍīyāna. This Bandha is now explained.

Uḍḍīyāna comes from *ut* and *ḍī* meaning to ' fly up '.

57. The drawing back of the abdomen above [and below] the navel [so that it is drawn against the back of the body and up towards the thorax] is called Uḍḍīyāna-bandha. It is the lion that kills the elephant Death.

In this Bandha, the stomach is compressed within a span. The process seems to be this: By a very strong expiration the lungs are emptied and driven against the upper part of the thorax carrying the diaphragm along with them; and the intestines are pushed up and fill the vacant space.

58. He who constantly practises the Uḍḍīyāna-bandha as taught by the Guru so that it becomes natural, even though he be old, becomes young.

59. He should draw back with effort [the abdomen] above and below the navel, and practise for six months. [Then] he conquers death without doubt.

60. Of all the Bandha-s, the Uḍḍīyāna is the most excellent. When this has been mastered, liberation follows naturally.

When the Uḍḍīyāna-bandha has been mastered, the Prāṇa flows up through the Suṣumnā and reaches the Brahmarandhra. This results in Samādhi and leads to liberation.

61. Then MŪLA-BANDHA [is described]: Pressing the perineum with the heel, contract the anus so as to draw the Apāna upwards. This is Mūla-bandha.

62. By contraction [of the Mūlādhāra] the Apāna, whose course is downwards, is forced to go upwards [through Suṣumnā]. Yogin-s call that Mūla-bandha.

63. Pressing the anus with the heal compress the air forcibly and repeatedly until the breath [Apāna] goes upwards.

64. Through the Mūla-bandha, Prāṇa and Apāna unite with Nāda and *bindu* and confer perfection in Yoga. There is no doubt about this.

The meaning seems to be this: Through the Mūla-bandha, the Prāṇa and Apāna unite and go into the Suṣumnā . Then the inner sound (Nāda) becomes audible and the Prāṇa and Apāna uniting with Nāda go above the heart and join the *bindu*, i.e. the *anusvāra* or the inaudible sound of the point in the sacred syllable *Oṃ*, symbolizing the transcendent Śiva. They then proceed to the head and thus the Yogin obtains perfection. Nāda is the mystical inner sound proceeding from the Anāhatacakra or the cardiac centre.

65. By constant practice of the Mūla-bandha, a union of Prāṇa and Apāna is achieved. Urine and excrement decrease and even the aged become young.

66. When the Apāna rises upwards and reaches the sphere of fire, then the flame of the fire becomes lengthened, being fanned by Apāna.

The sphere of the fire is said to be triangular in shape and is situated in the centre of the body, below the navel. In the case of animals it is rectangular, and circular in the case of birds. The flame of the fire referred to is the gastric fire.

67. When the Apāna and the fire join Prāṇa, which is by nature hot, then the heat in the body is greatly intensified.

68. By reason of that, the Kuṇḍalinī which is asleep, feeling the extreme heat, is awakened, just as a serpent struck by a stick hisses and straightens itself.

69. Then it enters within the Suṣumnā, like [a snake] which enters its hole. Therefore the Yogin-s should every day and always practise Mūla-bandha.

70. Then the JĀLAṂDHARA-BANDHA [is described]: Contract the throat and hold the chin firmly against the chest [about four inches from the chest]. This is the Bandha called Jālaṃdhara which destroys old age and death.

71. Because it constricts the network (*jāla*) of Nāḍī-s and [arrests] the downward course of the flow of ambrosial water (*jāla*) [from the cavity in the palate], this Bandha is Jālaṃdhara. It destroys all the maladies of the throat.

72. When the Jālaṃdhara-bandha is practised, by contraction of the throat, the nectar does not fall into the [gastric] fire and the Prāṇa is not agitated [i.e. not misdirected].

73. By the [firm] contraction of the throat the two Nāḍī-s [Iḍā and Piṅgalā] are deadened. Here [in the throat] is situated the middle Cakra (Viśuddhi). This binds the sixteen *ādhāra-s* (vital centres).

They are the toes, ankles, knees, thighs, the perineum, the generative organs, the navel, the heart, the neck, the throat, the tongue, the nose, the centre of the eyebrows, the forehead, the head and the Brahmarandhra, i.e. the upper opening of the Suṣumnā Nāḍī in the skull.

74. Contracting the anus, practise the Uḍḍīyāna-bandha. Constrain the Iḍā and the Piṅgalā [by the Jālaṃdhara-bandha], and cause [the breath] to flow through the Suṣumnā.

75. By these means the breath becomes motionless [in the Suṣumnā]; then there is no death, old age, disease, etc.

76. Yogin-s know these three excellent Bandha-s practised by the great Siddha-s, which are the means of success in the various Haṭha-yoga practices.

77. Here VIPARĪTAKARAṆĪ [is described]: Whatever nectar flows from the Moon which is of divine form, all that is swallowed up by the Sun. Hence the body becomes old.

The Moon is situated at the root of the palate and pours down a stream of nectar; the Sun is situated near the navel and its fire consumes the ambrosial flow.

78. There is an excellent process (*karaṇa*) by which the Sun is duped. This should be learnt from the Guru, and not through theoretical study of the Śāstra-s.

79. When the Sun is above and the Moon below [of the practitioner] whose navel is above and palate below, it is the Viparītakaraṇī. It is to be learnt through the instructions of a Guru.

80. In the case of one who practises this daily, the gastric fire is increased, and the practitioner should always have plenty of food.

81. If he stints his diet, the fire quickly consumes [the body]. On the first day he should stand for a moment upon his head, with his feet above.

The process is this. The body should be raised in the air by resting the back of the head and neck and shoulders upon the ground, supporting the hips with the hands, the elbows resting on the ground if required.

82. Practise this by increasing the duration gradually every day. After six months wrinkles and grey hair disappear. He who practises this for a *yāma* (i.e. three hours) daily, conquers death.

83. Then VAJROLĪ [is described]: Even someone living an unrestricted life, without the disciplines prescribed by Yoga, if he knows well [by practice] the Vajrolī, becomes the repository of the *siddhi-s*.

84. Here I mention two things that are difficult for anyone to obtain: the one is milk [at the proper time] and the other, a woman who acts according to one's wishes.

Attention is drawn to the previous note (III. 43) pointing out that such statements should not be taken literally.

85. At the time of [the emission of the seminal fluid during] sexual intercourse, practise slowly and well to draw [it] up. Thus a man or a woman will obtain success in Vajrolī.

86. Blow with effort into the hole of the penis through a prescribed tube very slowly so as to allow the passage of air.

The process as described by the commentator is as follows: Obtain a very fine lead tube, fourteen *aṅgula-s* (finger-breadths) long, and practise inserting it into the urethra, at the rate of one *aṅgula* a day, until twelve *aṅgula-s* are introduced within leaving two *aṅgula-s* outside, bent to face upwards. Then get another fine tube and insert it into the above-mentioned tube, and blow through it softly. This will clear all impurities in the passage. Then practise drawing up water through the tube, and later on, draw up the semen. This succeeds only in the case of those whose breath is brought under control. When the Khecarī-mudrā and breath-control have been thoroughly mastered, then this will succeed, not otherwise.

87. The semen that is about to fall into the genital organ of a woman should be drawn up by practice [of the Vajrolī-mudrā]. If already fallen he should draw up his own semen [and the woman's seminal fluid] and [thus] preserve it.

88. Thus the knower of Yoga should preserve his semen. He [thereby] conquers death. When the semen is expended, death ensues [in due course]; but there is [prolonged] life for him who preserves it.

89. By preserving the semen [by the Vajrolī-mudrā], a pleasant smell arises in the body of the Yogin. As long as the semen is well retained in the body, whence is the fear of death?

90. The semen of men is subject to control by the mind and life depends upon the semen. Therefore both semen and mind should be carefully preserved and controlled.

91. A person perfect in this practice should, by drawing up well [the fluids] through the penis, preserve

his own semen and that of the woman with whom he has intercourse.

The commentator states that this verse is an interpolation.

92. Then SAHAJOLĪ [is described]: Sahajolī and Amarolī are varieties of Vajrolī, being one [in respect of the result attained]. Mix the ashes obtained by burning cow-dung [cakes] with water.

93. After intercourse in the Vajrolī, the man and woman, their activity being ended, should, while sitting in a happy frame of mind, besmear the excellent parts of the body [with this mixture].

The parts are mainly the head, forehead, eyes, heart, shoulders and arms.

94. This is called Sahajolī in regard to which Yogin-s should always have confidence. It is a beneficial process and bestows liberation though connected with sensual experience.

95. This process in Yoga succeeds only in the case of the virtuous, who are brave, who perceive the truth and are free from envy; and not in the case of envious persons.

96. Then AMAROLĪ [is described]: Discarding the first part of the flow of water as it increases bile, and the last flow as being without essence, when the cool middle part of the stream [of Amarī] is absorbed, that is Amarolī according to the Kāpālika sect.

The commentator explains that the stream refers to Śivāmbu, which literally means 'water of Śiva'. It is called Amarī.

97. He, who drinks daily the Amarī and inhales it day by day, should practise well Vajrolī. This is called Amarolī.

98. He should mix ashes with the nectar flowing from the Moon by the practice [of Amarolī] and smear it on the principal limbs [of the body]. Then divine sight is obtained.

Divine sight means ability to see the past, the present and the future, as also hidden things.

99. If a woman, making herself expert through sufficient practice, draws up the semen of man, and preserves her own through [the practice of] Vajrolī, she also becomes a Yoginī.

100. Without any doubt, even the least part of her seminal fluid is not lost. In her body, the Nāda becomes *bindu* itself.

That is, the Nāda that begins at the Mūlādhāra goes to the heart and unites with the *bindu*. The following may perhaps throw some light on these processes. The seminal fluid of man is called *bīja* or *bindu*, and that of the woman, *rajas*. By the external union of these two, a child is produced. But, only when these unite internally, i.e. when the things that are really denoted by these expressions, unite in the inner man, he is called a Yogin. The *bindu* is said to be of the nature of the Moon and *rajas* of the nature of the Sun. From the union of these, is attained the supreme state. The *bindu* is capable of giving *svarga*, meaning temporal pleasures, as also *mokṣa*, i.e. emancipation. It can lead a man into virtue or vice. In other words, understood literally, it leads to the attainment of worldly pleasures, and hence vice; but if understood and practised according to its inner sense, it leads to virtue and emancipation.

101. That *bindu* and that *rajas*, becoming united and remaining in the body by the practice of Vajrolī, confer all *siddhi-s*.

102. She who preserves by upward contraction her *rajas* is a Yoginī. She knows the past and the future and certainly attains perfection in Khecarī.

103. By the Yoga consisting of the practice of Vajrolī, bodily perfection is obtained [beauty, grace, and great strength]. This Yoga confers merit (*puṇya*), and though there is sensual experience, it leads to emancipation.

104. Now the ŚAKTICĀLANA [is described] : Kuṭilāṅgī, Kuṇḍalinī, Bhujaṅgī, Śakti, Īśvarī, Kuṇḍalī and Arundhatī are all synonymous words.

105. As one can fling open a door with a key, so the Yogin should through Haṭha-yoga open the door of liberation [i.e. the Suṣumnā] by [the power of] Kuṇḍalinī.

106. The great goddess (Kuṇḍalinī) sleeps closing with her mouth the entrance to the way by which the seat of Brahman (Brahmarandhra), where there is no pain, is to be reached.

107. The Kuṇḍalinī-śakti, who sleeps above the *kanda*, gives liberation to Yogin-s and bondage to the ignorant. He who knows her knows Yoga.

The *kanda* is the place between the navel and the scrotum from where spring the 72,000 Nāḍī-s. See verse 113 below.

108. The Kuṇḍalinī is described as being coiled like a serpent. He who causes that Śakti to move

[from the Mūlādhāra upwards] becomes free, without doubt.

109. Between the Gaṅgā and the Yamunā, there sits the Bālaraṇḍā [i.e. Kuṇḍalinī, literally, a young widow], practising austerity. She should be seized by force. That [leads to] the supreme seat of Viṣṇu.

110. Iḍā is the holy Gaṅgā and Piṅgalā is the river Yamunā. Between Iḍā and Piṅgalā, the young widow is Kuṇḍalinī.

111. By seizing the tail that sleeping serpent (Kuṇḍalinī) should be awakened. Then, that Śakti, throwing off her sleep, rises up with force.

The commentator says that the secret of this process must be learnt from a Guru.

112. Having inhaled through the right nostril (piṅgalā), the recumbent serpent should be taken hold of by the process of *paridhāna*, and made to move daily for about an hour and a half, both morning and evening.

The commentator adds that the process of *paridhāna* should be learnt from a Guru. The process described is the movement of the abdominal muscle from left to right and right to left in a spiral (see *The Serpent Power*, 1964, p. 207).

113. [The *kanda*] is twelve finger breadths (*aṅgula-s*) above [the anus] and four *aṅgula-s* in breadth, soft and white, and appearing as if it were a rolled cloth.

Two *aṅgula-s* above the anus and two below the penis is the middle of the body. The *kanda* is nine *aṅgula-s* from the middle of the body. It is like an egg and is covered by membranous coverings. In the case of beast and birds it is in the middle of the abdomen.

114. Seated in the Vajrāsana posture hold firmly with the hands the feet near the ankles, and thereby put pressure on the *kanda*.

115. Seated in the Vajrāsana posture, the Yogin having caused the Kuṇḍalinī to move, should then perform the Bhastrikā Kumbhaka. Thus he will soon awaken the Kuṇḍalinī.

116. He should then contract the Sun [which is near the navel] and then cause the Kuṇḍalinī to move. Even though fallen into the mouth of death, he need not fear death.

Contraction of the Sun is effected by contraction of the navel.

117. By moving [the Kuṇḍalinī] fearlessly for about an hour and a half, she is drawn into the Suṣumnā and upwards a little.

118. By this [process] Kuṇḍalinī certainly leaves [open] the mouth of the Suṣumnā, and therefore Prāṇa goes naturally through the Suṣumnā.

119. So one should move daily the Arundhatī (Kuṇḍalinī) that is calmly sleeping. By merely moving her the Yogin is freed from diseases.

120. The Yogin who moves the Śakti becomes the possessor of the *siddhi-s*. What further needs be said? He conquers Time (Death) as if it were mere play.

121. Only one who delights in the life of a celibate (*brahmacārin*), and always conforms to a moderate and

salutary diet, and who practises Yoga in the form of stimulating Kuṇḍalinī approaches *siddhi* within forty days.

122. Having set the Kuṇḍalinī in motion, the Bhastrikā Kumbhaka should be particularly practised. Whence is the fear of Death for the self-restrained [Yogin] who practises thus every day?

123. Except the practice of [causing to move] Kuṇḍalinī [through Śakticālana], what other means is there for clearing away the impurities of the seventy-two thousand Nāḍī-s?

124. This middle Nāḍī (Suṣumnā) becomes straight [for the easy passage of Prāṇa] by persevering practice by Yogin-s, by Āsana-s, Prāṇāyāma and Mudrā-s.

125. To those who are alert [and free from indolence] in practice, and whose minds are steadily held in a state of concentration (*samādhi*), the Rudrāṇī (Śāṃbhavī) or other Mudrā confers a beneficial fulfilment (*siddhi*).

126. There is no earth (*pṛthvī*) without Rāja-yoga, there is no night without Rāja-yoga, and even a variety of Mudrā-s become useless without Rāja-yoga.

Here *pṛthvī* stands for the firmness of the Āsana-s. Night stands for Kumbhaka, in which state everything is quiet. There is a pun on the words *rāja-yoga*. The earth does not flourish without the sovereign's rule (*rāja-yoga*), the night does not shine in the absence of the moon (*rājā*) and the seal (*mudrā*) is of no use without being associated with the king (*rājā*).

127. All the breathing processes should be practised with a mind concentrated [on them]. The

wise man should not allow his mind to wander elsewhere.

128. Thus have the ten Mudrā-s been described by the primeval Lord, Śaṃbhu (Śiva). Each one of them confers on the self-restrained (Yamin-s) the great *siddhi.*

129. One who imparts teaching regarding the Mudrā-s as handed down by a succession of Guru-s, he is the real teacher. He is the master, the Lord (Īśvara) in visible form.

130. Carefully following his teaching, he who concentrates on the practice of the Mudrā-s, obtains the capacity to overcome death, along with the *siddhi-s* such as *aṇiman.*

FOURTH CHAPTER

1. Salutations to Śiva, the Guru, who is of the form of *nāda*, *bindu* and *kalā*; the person ever devoted to these obtains the stainless state [free from *māyā*].

This chapter is wholly devoted to Rāja-yoga. The *nāda* is a mystical sound similar to the prolongation of the sound of a bell and represented by a semicircle in *Oṃ*. *Bindu* is the *ṃ* sound of the *anusvāra* in the Praṇava. *Kalā* is a speciality of *nāda*.

2. Now I shall expound the excellent process of Samādhi, that destroys death, leads to [eternal] happiness and confers the supreme bliss of [absorption in] Brahman.

'Destroying death' means enabling the Yogin to shed his body at will. This is explained later on.

The happiness of a Jīvanmukta is brought about when the mind is stilled and the *vāsanā-s* (acquired tendencies) are destroyed.

Bliss is that of Videhamukti, when the Prārabdha-karman is exhausted and a permanent union takes place between the Jīva and Parabrahman.

3, 4. Rāja-yoga, Samādhi, Unmanī, Manonmanī, Amaratva (immortality), Laya (absorption), Tattva (Truth), Śūnyāśūnya (void and yet not-void), Parama-pada (the supreme state), Amanaska (transcending the mind), Advaita (non-duality), Nirālamba (without support), Nirañjana (pure), Jīvanmukti (liberation while in the body), Sahaja (natural state) and Turya, all of these are synonymous.

5. [SAMĀDHI is explained]: As salt in water unites and dissolves into it, a likewise merging of mind and self (*ātman*) is Samādhi.

6. When the Prāṇa is without any movement [in Kumbhaka] and the mind is absorbed in the Self, that state of harmony is called Samādhi.

This is the state of Saṃprajñāta Samādhi described by Patañjali.

7. That state of equilibrium which is the union of the Jīvātman and Paramātman, in which there is the end of all desire-ideation, that is called Samādhi.

This is Asaṃprajñāta Samādhi in which there is no distinction of knower, known or knowing.

8. Who really knows the greatness of Rāja-yoga? Spiritual knowledge (*jñāna*), freedom (*mukti*), stability (*sthiti*) and perfection (*siddhi*) are obtained through the teaching of the Guru.

9. Without the compassion of the true Guru, the renunciation of sensual pleasures, the perception of Truth and the natural state of Being (*sahajāvasthā*, which is the supreme state), are most difficult to attain.

10. When the great Power (Kuṇḍalinī) has been awakened by the various Āsana-s, the different Kumbhaka-s and Mudrā-s, the Prāṇa is quiescent in the void (Brahmarandhra).

11. In the Yogin in whom the [Kuṇḍalinī] Śakti is awakened and who is free of all *karman-s*, the truly natural State comes into being on its own.

In the practice of the Āsana-s, all corporeal activity comes to an end, and actions are confined to Prāṇa and the organs of sense. By Kumbhaka, the movement of Prāṇa and the sense-organs is arrested, and there remains the mental activity. By Pratyāhāra, Dhāraṇā, Dhyāna and Saṃprajñāta Samādhi, mental activity ceases and actions are confined to the *buddhi*. By complete absence of attachment and long practice of Saṃprajñāta Samādhi, the activities of the *buddhi* cease and the Yogin attains his original unchangeable state, which is the final beatitude.

12. When the Prāṇa flows in the Suṣumnā and the mind is absorbed in the void the knower of Yoga [he who can end the modifications of the mind] uproots all *karman-s*.

'Void' means Brahman unaffected by Time, Space or Matter.

13. Salutations to you, O Immortal, who have conquered even that Time, into whose jaws falls this universe, with all the mobile and immobile things.

Here the perfected Yogin-s are meant by the term 'immortal'.

14. When the mind has reached a state of equanimity and Prāṇa moves through the Suṣumnā, then there is Amarolī, Vajrolī and Sahajolī.

This stanza shows that Vajrolī and the other like processes are not physical, but have a symbolical significance.

15. How can spiritual knowledge arise in the mind, as long as the Prāṇa lives [is active] and the mind

is not dead [in abeyance]? He who causes both Prāṇa and mind to become quiescent obtains liberation. No other person can do so.

The Prāṇa lives so long as it flows through Iḍā and Piṅgalā; the sense-organs live so long as they seek objects; the mind lives so long as it is shaped by the various objects of perception. Prāṇa dies when it remains without movement in Brahmarandhra. The mind dies when it is not modified by objects. In this stanza Yoga is said to be essential to Jñāna. In the *Yogavijaya*, Pārvatī asks: 'Some say that liberation is obtained through knowledge only; then what is the use of Yoga?' Śiva replies: 'A battle is won by a sword; but what is the use of a sword without a war and valour? So both are absolutely necessary.' If it is argued that King Janaka and other great men did not practise Yoga at all, the answer is: Kings like Janaka, Vaiśya-s like Tulādhāra, Śūdra-s like Pailavaka, women like Maitreyī, Śārṅgī, Śāṇḍilī, Cūḍālā, have obtained knowledge without practising Yoga, because they had perfected Yoga in their previous incarnations. We also hear that by the force of Yoga practised in previous lives many attained the state of Brahmā, sons of Brahmā, *devarṣi*, *brahmarṣi*, *muni* and *bhakta*. They attained complete knowledge without being initiated by a Guru. Hiraṇyagarbha (Brahmā), Vasiṣṭha, Nārada, Śuka, Vāmadeva and Sanatkumāra are said to have been born Siddha-s.

16. Remaining always in a suitable place, having learnt well to open the Suṣumnā and make Prāṇa flow through the centre [i.e. Suṣumnā], it should be restrained in the Brahmarandhra.

The place should be pleasant, etc. as described in I. 12.

17. The Sun and the Moon create [the division of] Time in the form of day and night. Suṣumnā consumes Time. This is a secret.

The Prāṇa moves in the Iḍā (Moon) for about an hour and then in the Piṅgalā (Sun). So two hours form a day and night for the Yogin. The ordinary day consists of twelve such days. When the Prāṇa leaves Iḍā and Piṅgalā and remains in the Suṣumnā, then there is no Time. So Suṣumnā is said to consume Time. The Yogin knowing beforehand the time of his death takes his Prāṇa to Brahmarandhra and defies Time and discards his body at will.

18. There are 72,000 Nāḍī passages in this cage [the body]. [Of these] Suṣumnā is the Power that appertains to Śaṃbhu (Śāṃbhavī Śakti). The others [Iḍā, Piṅgalā, etc.] are not of great use.

19. When breath has been controlled, then it should be made to awaken the Kuṇḍalinī along with the gastric fire, and enter the Suṣumnā without any restriction.

20. When the Prāṇa flows through Suṣumnā, the Manonmanī state is attained. If not, the other practices are a mere exertion for the Yogin.

21. He who suspends (restrains) the breath, restrains also the mind. He who controls the mind, also controls the breath.

22. The [activity of the] mind has two causes: the Prāṇa and the *vāsanā-s* (acquired tendencies and impressions). When one of these becomes inactive, the other too also come to an end.

23. Where the mind is stilled there the Prāṇa is suspended; and where the Prāṇa is completely in abeyance, there the mind is quiescent.

24. Mind and Prāṇa are mingled like milk and water, and their activities concur. Where there is

[activity of] Prāṇa there is [that of the] mind, where there is [activity of] the mind, there is [that of] Prāṇa.

25. If one is suspended, the other is set at rest. If one acts, the other [too] acts. If they are not quietened, all the senses are active; if they are controlled the state of liberation is attained.

26. Mercury and mind are unsteady by nature. If mercury and mind are bound [i.e. stabilized], what is impossible of attainment on this earth?

27. O Pārvati! Mercury, as also Prāṇa, when immobilized, destroy diseases; when [themselves] dead [i.e. inactive], they give life; when bound, they enable [persons] to rise in the air.

Mercury is made solid and inactive by the use of herbs; and the Prāṇa is made immobile when absorbed in the Brahmarandhra by means of Kumbhaka.

When mercury is bound (by a certain process) and reduced to the form of a pill, it is called *gahanaguṭikā*, and by putting it in the mouth, one can rise in the air. In the same manner, Prāṇa, when held in the centre between the two eyebrows, enables one to rise in the air. The *Gorakṣaśataka* says: 'Between the eye-brows there appears a round spot, black as a ball of collyrium. It is of the essence of Vāyu, and its presiding deity is Īśvara. Restraining the Prāṇa in this Cakra along with the mind for two hours gives the power of rising in the air to a Yogin.'

28. When the mind is steady, the Prāṇa is stable, and hence there is stability of semen. There is always strength when the semen is stable, and it gives the body stability.

29. The mind is the lord of the organs of sense; the Prāṇa is the lord of the mind; absorption (*laya*)

is the lord of the Prāṇa and that absorption has Nāda (the inner sound) for its basis.

30. This itself [the quiescence of the mind] may be called liberation; others may say that it is not. [However] when the Prāṇa and mind are in a state of absorption, an indefinable bliss ensues.

31. When inhalation and exhalation are suspended, when all grasping of objects [by the senses] has completely ceased, when there is no movement of the body, and no modification of the mind, there is success in absorption (*laya*) for Yogin-s.

32. When all mental transformations (*saṃkalpa*) have entirely ceased and when there is no physical movement, an indescribable state of absorption ensues, which is known by the self, but is beyond the reach of words.

33. Where vision is [directed], there [in Brahman] is absorption. That [Avidyā] in which eternally exist the elements [such as earth] and the senses [hearing, etc.] and that Force (*śakti*) which is in all living things, both are dissolved in the characteristicless [Brahman].

34. People say '*laya*, *laya*', but what is the nature of *laya*? *Laya* is the non-recollection of the objects of sense due to the non-recurrence of previously acquired impressions and tendencies (*vāsanā-s*).

35. The Veda-s, Śāstra-s and Purāṇa-s are like common courtesans [as they are available to all men]. But the Śāṃbhavī-mudrā is guarded like a well-born woman.

36. [The ŚĀṂBHAVĪ-MUDRĀ is described]: Concentration on the internal object [in any Cakra from the Mūlādhāra to the Brahmarandhra], while the external sight is devoid of winking, this is that Śāṃbhavī-mudrā preserved in the Veda-s and Śāstra-s.

37. When the Yogin remains with mind and breath absorbed in the internal object, when his pupils are motionless, when, though his eyes perceive without, he sees not [i.e. does not grasp the objects], it is indeed the Śāṃbhavī-mudrā. When it is obtained by the favour of the Guru, that state which is of Śaṃbhu, which is other than the void and the not-void, that Reality manifests itself [to the Yogin].

The attention should be directed to the Anāhata-cakra and the object of internal contemplation is Īśvara with attributes, or Brahman, which is the real object of the two sentences, 'That Thou art' and 'I am Brahman'. It is not the void, because in the contemplation of the internal object, there is the nature of *sat* (being). It is other than the not-void, because even this object ceases to be afterwards.

38. The Śāṃbhavī and the Khecarī Mudrā-s, though differing in the position [of the eyes] and place [to which the attention of the mind is directed, both] bring about the bliss of absorption of the mind in the void, which is [the Ātman] of the nature of Bliss-consciousness.

It is called void, because it is not affected by Time, Place or Matter. It is void of things like itself and also of things different from itself. The positions of the two Mudrā-s are said to be different, because in the Śāṃbhavī-mudrā the eyes are directed outwards and in the Khecarī, to the centre of the eyebrows. The places are different, because in the Śāṃbhavī-mudrā, the attention is fixed on the Anāhata-cakra, and in the Khecarī-mudrā on the Ājñā-cakra.

39. Direct the pupils [of the eyes] towards the light [which is seen when concentrating on the tip of the nose] and raise the eyebrows a little. Concentrate the mind according to the previous practice, and shortly the Unmanī state is reached.

The previous practice refers to the concentration on the internal object, etc. of the Śāṃbhavī-mudrā (IV. 36).

40. Some are confused by the snares of the Āgama-s, some by the Vedic perplexities, and others by dialectic; they do not know of that which enables one to cross [the ocean of existence, namely the Unmanī-avasthā].

The Āgama-s referred to are the Śāstraic and Tāntric texts.

41. With half closed eyes and steady mind, with the vision directed to the tip of the nose, the one in whom the Sun (Piṅgalā) and the Moon (Iḍā) also are reduced to a state of suspension, who is in a fluxless condition [of body, sense and mind], he attains that abode which is of the form of light which is the source of all, is [itself] All, refulgent, the supreme Reality. What more can be said of this?

Vasiṣṭha says: 'When the eyes are directed to the tip of the nose or about twelve *aṅgula-s* from it, to the cloudless firmament (*ākāśa*), the fluctuations of the Prāṇa and of consciousness cease.'

42. Do not worship the Liṅga by day, nor worship it at night. Stopping the night and the day, the Liṅga should always be worshipped.

Liṅga here means the Self (Ātman), the originator of all creation. It is day when the Prāṇa flows through the Sun or Piṅgalā; and it is night when it flows through the Moon or Iḍā. One should not contemplate the Ātman when the Prāṇa is flowing through either of them. One should stop the course of Prāṇa through the Iḍā and Piṅgalā and make it flow through the Suṣumnā when contemplating the Self.

43. Then KHECARĪ-MUDRĀ [is described]: When the Prāṇa, which is in the left and the right Nāḍī-s, flows through the middle [Suṣumnā], in that state the Khecarī-mudrā becomes perfect. There is no doubt about this.

44. If the void (*śūnya*) between the Iḍā and Piṅgalā swallows up the Prāṇa, the Khecarī-mudrā is there perfect. This is undoubtedly the fact.

'Swallowing' the Prāṇa means that the Prāṇa should be made to remain steady in the Suṣumnā.

45. Between the Iḍā and Piṅgalā in the unsupported (*nirālamba*) space, where there is the Vyoma-cakra, the Mudrā which is practised is Khecarī by name.

46. [The Khecarī-mudrā] in which the stream [of nectar] flows from the Moon, is the beloved of Śiva in visible form. The mouth of the unequalled, divine Suṣumnā must be filled at the rear end [by the tongue turned upward into the roof of the palate].

47. The Suṣumnā should be filled at the near end also [by the suspension of Prāṇa]. It is [then]

the real Khecarī. By the practice of Khecarī-mudrā, the Unmanī-avasthā follows.

If the Suṣumnā is not filled by the Prāṇa at the near end, but only by the Khecarī-mudrā, i.e. by the position of the tongue at the rear end, it leads to a state of stupor. This is not the real Khecarī-mudrā.

48. Between the eyebrows is the seat of Śiva, wherein the mind is quiescent. This state is known as the Turya [fourth state of consciousness, beyond the states of waking, dream, and dreamless sleep]. There, Time (Death) is not.

49. One should practise the Khecarī, until he experiences the Yoga-sleep. For one who is in this Yoga-sleep, Time (Death) does not exist.

50. After making the mind supportless [freeing it of every object and concept], one should not think of anything. He is then indeed like a pot filled inside and outside with *ākāśa*.

51. When the external breath is stopped [by the practice of Khecarī], likewise the middle one [the breath within the body is also suspended]. There is no doubt about it. Then the Prāṇa, along with the mind, becomes still in its own place (Brahmarandhra).

52. [In the practitioner] who thus practises the course of Prāṇa [i.e. through Suṣumnā] night and day, where the Prāṇa through practice is absorbed, there the mind also is absorbed.

53. One should inundate the body from head to foot with the nectar [flowing from the Moon]. He

then becomes endowed with a superior body, great strength and valour. Thus the Khecarī [has been described].

54. Centering the mind in the Śakti (Kuṇḍalinī), and holding the Śakti in the centre of the mind, observe the mind with the mind and make the supreme state the object of meditation.

The meaning seems to be this: By taking the Prāṇa and the mind to the Brahmarandhra and contemplating Kuṇḍalinī Śakti, the mind and the Kuṇḍalinī are united in one.

55. Place the self (Ātman) in the midst of the *ākāśa* and the *ākāśa* in the midst of the self; and on reducing everything to the nature of *ākāśa*, think of nothing else.

Here *ākāśa* means Brahman into which one must make the self dissolve, through meditation of the form 'Brahman is I' and 'I am Brahman'. Then even such meditation, where there is cognizance of subject and object, has to end.

56. Void within, void without, void like a pot in space (*ākāśa*). Full within, full without, full like the pot in the ocean. [Such is the state of the Yogin in meditation.]

Void within and without, because the consciousness has become insensible of itself and of what is without; and full, because is has become Brahman itself, within and without.

57. There should be no thought of the external, nor any thought within. Excluding all thought [subjective and objective] he should think of nothing.

58. The entire universe is the fabrication of thought only. The play of the mind is created only by thought. Transcending the mind which is composed of thought [transformations], find rest in the changeless. Then surely, O Rāma, thou shalt find Peace.

This is taken from the *Yoga-vāsiṣṭha.* In the ultimate state, there is no actor, enjoyer, experiencer. It is without a second. Nothing exists without it, and nothing proceeds from it. It is not affected by Time, Space and Matter. It is therefore free from any change.

59. Like camphor in fire, like salt in water, thus the mind dissolves in contact with Reality.

60. All that can be known, [and all that] is known, and knowledge [itself] is said to be the mind. When knowledge and the knowable are lost together [with the mind], there is no second way [i.e. no duality].

61. Whatever is in this world, both mobile and immobile, all this is the appearance of the mind. When the mind reaches the transcendent state (Unmanībhāva), verily duality is not experienced.

62. As all objects of knowledge are abandoned, the mind is absorbed [into absolute Being, Consciousness, Bliss]. When the mind is thus dissolved, then the state of absoluteness (*kaivalya*) [alone] remains.

63. Thus are the ways to Samādhi, consisting of different means, described by the great ancient teachers, fully based on their own experience.

64. Salutations to the Suṣumnā, to Kuṇḍalinī, to the nectar flowing from the Moon, to the Manonmanī

[state] and to the great Power in the form of pure Consciousness.

65. Now, I begin to describe the practice of devotion to Nāda (*anāhata* or unstruck sound) that has been taught by Gorakṣanātha, which is suitable even to the unlearned, who are unable [directly] to comprehend the Truth.

66. The primeval Lord (Śiva) has expounded one crore and a quarter of effective ways for the attainment of *laya*; but we think that the one thing, devotion to Nāda alone, is the most important of the [ways to] *laya*.

67. The Yogin sitting in the Muktāsana posture and assuming the Śāṃbhavī-mudrā, should listen with concentrated mind to the sound within, heard in the right ear.

These sounds proceed from the Suṣumnā. The *Tripurāsāra-samuccaya* says that they are in all of ten sorts: buzzing sound like that of a swarm of bees, sound like that of a flute, of bells, of ocean waves, of thunder, etc.

68. Close the ears, both the eyes, the nose and the mouth; then a clear and distinct sound is heard in the pure Suṣumnā passage.

The ears are to be closed with the thumbs of both the hands, the eyes with the forefingers, the nose with the middle and ring fingers, and the mouth with the rest. This is called the Parāṅ-mukhī-mudrā.

69. In all the Yogic practices there are four stages: Ārambha, Ghaṭa, Paricaya and Niṣpatti.

70. Then the ĀRAMBHĀVASTHĀ [is described]: When the knot of Brahmā (Brahmagranthi, which is in the Anāhata-cakra) is pierced [by Prāṇāyāma], there is the bliss arising from the void [*śūnya* or *ākāśa* of the heart]. Various tinkling sounds [as of ornaments] and the unstruck sound (*anāhata-dhvani*) are heard [in the middle of] the body.

71. When there is the beginning [of the sound] in the void, the Yogin is possessed of a lustrous body, he is radiant, with an exquisite fragrance, free of diseases and has a full heart [i.e. filled by Prāṇa and Bliss].

The *ākāśa* of the Anāhata-cakra (heart) is called Śūnya, that of the Viśuddhi-cakra (throat), Atiśūnya, and that of the Ājñā-cakra (forehead), Mahāśūnya.

72. Then the GHAṬĀVASTHĀ [is described]: In the second [stage], the Prāṇa unites [with Apāna, Nāda and Bindu] and enters the middle Cakra. The Yogin then becomes firm in posture (*āsana*), wise, and comparable to the Gods.

In this stage, the Prāṇa and the Apāna, the Nāda and Bindu, the Jīvātman and the Paramātman are united. The middle Cakra is the Viśuddhi-cakra in the throat.

73. When the knot of Viṣṇu [Viṣṇu-granthi, which is in the throat] is then pierced [by the Prāṇa in Kumbhaka] there is the promise of supreme bliss. In the Atiśūnya, then, there arises a rumbling sound as of a kettledrum.

74. Then the PARICAYĀVASTHĀ [is described]: In the third stage, a sound like that of a drum (*mardala*)

is heard in the *ākāśa* [between the eyebrows]. Then [the Prāṇa] reaches the Mahāśūnya which is the seat of all *siddhi-s*.

75. Having gone beyond the blissful state of the mind [arising from the hearing of the sounds] there is the experience of the natural state of bliss [of the Ātman]. Then he becomes free from disorders [of the humours], pain, old age, disease, hunger and somnolence.

76. Then the NIṢPATTYAVASTHĀ [is described]: Having broken the knot of Rudra [Rudra-granthi, in the Ājñā-cakra] the Prāṇa reaches the seat of Īśvara [which is in the *ākāśa* between the eyebrows]. Then in Niṣpatti there is heard a sound as of the flute which assumes the resonance of a *vīṇā* (string instrument).

The Niṣpatti stage is reached when the Prāṇa reaches the Brahmarandhra.

77. The integration of the mind [in a state where the subject-object duality does not exist] is called Rāja-yoga. Such a Yogin, being the master of creation and destruction, becomes the equal of Īśvara.

This means that he is the master of the disintegration and reintegration of matter, and hence can evolve forms and destroy them. And thus he possesses, on a smaller scale, the powers of Īśvara.

78. Let there be liberation or not, here is perfect bliss. This bliss arising from absorption (*laya*) is obtained through Rāja-yoga.

79. There are the mere Haṭha-yogin-s without the knowledge of Rāja-yoga. I regard them to be practitioners who do not obtain the fruit of their efforts.

80. Contemplation on [the space between] the eyebrows, in my view, leads to the attainment of the Unmanī-avasthā in a short time. Even for people of modest intellect this is a suitable means for attaining the state of Rāja-yoga. The state of absorption arising from Nāda gives immediate experience.

The results, being soon perceptible, are very convincing.

81. In the hearts of great Yogin-s who remain in a state of Samādhi through concentration on Nāda, there is a plenitude of Bliss, unequalled, surpassing all description, and which the blessed Teacher (Śrī Guru-nātha) alone knows.

82. The contemplative man (*muni*), having closed his ears with the [thumbs of the] hands, should focus his mind on the [mystical] sound [that is heard within] until he attains the immutable (Turya).

83. Through the process of sustained listening, this inner sound drowns the external sounds. The Yogin [who devotes himself to the Nāda] overcomes all instability of mind in fifteen days, and becomes happy.

84. During the initial stages of the practice, various prominent, inner sounds are heard. But, when progress is made, more and more subtle [sounds] are heard.

85, 86. In the beginning, various sounds are heard within the body resembling those of the ocean, the cloud, the kettledrum and the *jarjara* drum. In the middle, [the sounds] resemble those of the drum (*mardala*), the conch, the bell and the horn. Finally, the sounds resemble those of tinkling bells, the flute, the *vīṇā*, and bees. Thus are heard the various sounds from the middle of the body.

87. Even when the loud sounds resembling those of the clouds and the kettledrum are heard, attention should be turned to the subtler and still subtler sounds alone.

88. Even though attention may shift from the gross to the subtle [sounds], or from the subtle to the gross [among the inner sounds], it should not be allowed to wander elsewhere, being [by nature] unsteady.

89. In whatever inner sound the mind first focuses itself, in that it reaches steadiness, and along with it [the sound, the mind] gets dissolved.

Stanzas 87, 88 and 89 describe Pratyāhāra, Dhāraṇā, Dhyāna and Samādhi.

90. As a bee drinking honey cares not for the odour, so the mind absorbed in Nāda, does not crave for the objects [of enjoyment].

91. The sharp iron goad of Nāda effectively curbs the mind which is like an elephant in rut [difficult to control] wandering in the garden of sense-objects.

Here is taught Pratyāhāra, consisting of drawing the mind away from the objects of the senses.

92. When the mind, having discarded its restlessness [caused by its constant identification with sense-objects], is held [steadfast] by Nāda, it becomes totally immobile, like a bird that has lost its wings.

Having controlled Prāṇa by Prāṇāyāma, and the senses by Pratyāhāra, the mind should be concentrated on the abode of all good, God. This is Dhāraṇā.

93. One who is desirous of obtaining sovereignty in Yoga should put away all mental activity, and, with a fully concentrated mind, should meditate on Nāda only.

That is, his mind becomes one with the Nāda, which represents the stage of Dhyāna.

94. Nāda is like the net which ensnares the deer within [i.e. the mind] and it is also the hunter who slays the deer within [the mind].

Like the hunter, Nāda first attracts the mind and binds it, and then kills it, i.e. it puts an end to the natural unsteadiness of the mind and then absorbs it into itself.

95. It [Nāda] is like the bolt which locks the horse within [i.e. the mind] of a self-controlled [Yogin]. A Yogin should therefore daily practise meditation upon Nāda.

96. The mind is like quicksilver which, by the action of Nāda which is like sulphur, is bound [solidified] and freed of its restlessness, and is able [enables one] to move in the supportless sky [which is Brahman].

See stanza IV. 27 and commentary.

97. The mind is like a serpent within, which on hearing the Nāda, becomes oblivious of all else and, absorbed in the one thing, does not move away elsewhere.

When there is no ideation, it is called Samādhi. Saṃprajñāta Samādhi is described here as defined by Patañjali.

98. The fire burning in a piece of wood, subsides along with the [burnt out] wood. So also, the mind directed to Nāda is absorbed along with it.

The Rājasa and Tāmasa qualities being destroyed, the Sattva quality alone remains. The *Maitrāyaṇī-upaniṣad* says: Just as the fire, when the fuel is burnt out, is absorbed into its source, so also the mind, when the modifications are ended, is absorbed into its source.

99 The mind is like a deer, drawn by the sound of bells, etc. and held still, and [hence] slain with ease [i.e. totally silenced] by one who is expert in controlling Prāṇa [archery].

The mind, absorbed in Nāda, is free of all modifications. Then the Yogin, like an archer, might kill it by directing his breath to the Brahmarandhra through the Suṣumnā: As said in the *Muṇḍaka-upaniṣad*, Praṇava is the bow, Ātman the arrow and Brahman the mark. If one carefully shoots at the mark, he becomes one with it.

100. There is the sound of the mystical resonance which is heard. The quintessence of that sound is the [supreme] object of knowledge [i.e. the self-illumined, absolute Consciousness]. The mind becomes one with that object of knowledge. The mind dissolves therein.

That is the supreme state of Viṣṇu [the all-pervading Self].

101. The conception of Ākāśa [the substratum of sound] exists as long as sound is heard. The Soundless which is the supreme Reality (Brahman) is called the supreme Self (Ātman).

The original, natural state in which the mind, being free from all modifications, exists is called Parabrahman and Paramātman.

102. Whatever is heard of the nature of the mystical Nāda is indeed Śakti. That in which all the elements (*tattva-s*) find dissolution, the formless [Being], that is the supreme Lord (Parameśvara).

Thus ends the inquiry into Nāda.

From stanza 98 to this the Asaṃprajñāta Samādhi is described. The *tattva-s* are categories of manifestation according to Sāṃkhya.

103. All the processes of Haṭha- and Laya-yoga are but means for the attainment of Rāja-yoga. The man who has attained Rāja-yoga triumphs over Time (Death).

104. Mind (*tattva*) is the seed, Haṭha-yoga is the soil and complete desirelessness is the water. With these three, the Kalpa-vṛkṣa, which is the Unmanī-avasthā springs up immediately.

The Kalpa-vṛkṣa is a mythical tree which fulfils all desires. In the Unmanī-avasthā, which is the transcendent state of mind, all fulfilment is found.

105. By constant meditation upon Nāda, all undesirable accumulated proclivities (*pāpa-s*) are

eliminated. The mind and the Prāṇa are [thus] absorbed definitively in the stainless [Consciousness, which is devoid of *guṇa-s* or attributes].

106. During the Unmanī-avasthā, the body becomes absolutely like a log of wood and the Yogin hears not even the [loud] sounds of a conch or *dundubhi* (a large drum).

107. The Yogin who has passed beyond all the states and is freed from all thoughts [and memories] and who appears as if dead [i.e. impervious to external stimuli] is liberated without doubt.

There are five states (*avasthā-s*): waking (*jāgrat*), dream (*svapna*), deep sleep (*suṣupti*), trance (*mūrchā*) and death (*maraṇa*), and these admit of recurrence.

108. A Yogin in Samādhi is not swallowed up by the Time process [death]; he is not affected by [the fruit of] action (*karman*); he cannot fall under any influence [from persons, incantations, etc.].

109. A Yogin in Samādhi apprehends neither smell, taste, form or colour, touch, or sound; he does not cognize himself or others.

110. One in whom the mind is neither asleep nor awake, [whose mind] is free of memories and of forgetfulness, which neither goes into oblivion nor into activity—such a one is indeed liberated.

The mind is said to sleep when it loses its faculty of discerning objects because Tamas overshadows all the organs and overcomes both the Rajas and the Sattva qualities. It is not awake, because in the state of Samādhi there is no experience of sense-objects.

It is free from memory (*smṛti*) because there are no similar modifications of the mind, and because it does not awaken from that state. It is free from forgetfulness (*vismṛti*) because there are no thought impressions conducive to memory. It does not go into oblivion because residual impressions exist. It is not aroused into activity, because there are no modifications of the mind to set it in action.

111. A Yogin in Samādhi is not affected by heat or cold, pain or pleasure, honour or dishonour.

112. Verily, he is a liberated one, who is hale [i.e. whose senses and mind are clear and unclouded], who is in the waking state, yet appears to be in sleep, devoid of outbreathing and inbreathing [due to Kumbhaka].

Being hale excludes the conditions of torpor and trance. The waking state (*jāgrad-avasthā*) implies the exclusion of dream (*svapna*) and deep sleep (*suṣupti*). The Yogin appears to be asleep as he is completely motionless.

113. A Yogin in Samādhi is not vulnerable to any weapons, not assailable by any persons, not subject to control by the use of *mantra-s* and *yantra-s* (incantations and magical diagrams).

Some of the things that hinder the Yogin in his course are described: Sloth, loose company, the practice of *mantra-s* [for temporal power], alchemy, etc. Those who practise Yoga have to encounter these dangers. Meditating on Viṣṇu or Śiva, the Yogin surmounts all these difficulties.

114. As long as the Prāṇa does not flow in the central way (Suṣumnā) and enter the Brahmarandhra, as long as the semen does not become steady through the restraint of breath, as long as the mind does not,

in meditation, reflect the natural state [of the object contemplated upon, i.e. Brahman] so long, those who talk of spiritual knowledge indulge only in boastful and false prattle.

The Lord Kṛṣṇa says in the *Bhāgavata-purāṇa*: There are only three ways to liberation laid down by me; they are: *jñāna*, *karman* and *bhakti*. Then why is Yoga said to be the chief means of attaining liberation? The answer is that all the three are contained in the eightfold Yoga.

The *śruti* says: The Self alone is to be seen, heard, contemplated upon and realized. That Self can be attained by *śravaṇa* (listening), *manana* (reflection) and *nididhyāsana* (realization). The first two are included in *svādhyāya*, which is one of the subdivisions of Niyama, the second stage of Yoga. *Svādhyāya* is the thorough study of the teachings on liberation, with a complete knowledge of their inner meanings and symbolism. *Nididhyāsana* is the restraining of the idea that there is aught other than Brahman and the fostering of the realization that everything is Brahman. This is contained in Dhyāna, the seventh stage of Yoga.

Karma-yoga which is performing all acts as an offering to Īśvara is contained in the Kṛiyā-yoga described by Patañjali. Patañjali says: Kriyā-yoga is *tapas*, *svādhyāya* and *īśvara-praṇidhāna*. *Tapas* means the purification of the body by the observance of various penances. *Svādhyāya* consists of those studies that bring about a predominance of the Sattva Guṇa. *Īśvarapraṇidhāna* is praising Īśvara, remembering and worshipping him by word, thought and action and an unswerving devotion to him.

Bhakti really means the constant perception of the form of the Lord by the inner organ. There are nine kinds of *bhakti* enumerated: Hearing the lore concerning the Lord, singing it, remembering Him, worshipping His feet, offering flowers to Him, bowing to Him (in spirit), regarding oneself as his servant, becoming his companion and wholly offering oneself to Him. These are all included in *īśvarapraṇidhāna*. *Bhakti* has been described by Nārāyaṇa Tīrtha as an unbroken stream of love towards the feet of the Lord, a love that is the be all and end all of a person's existence and during which he is, as it were, absorbed in the object of his devotion. Madhusūdana Sarasvatī has also described it as a state of the mind, when previous to its being utterly annihilated and absorbed, it becomes of the nature of the Lord. Thus *bhakti*, in its most transcendental aspect, is included in Saṃprajñāta Samādhi.

So the three ways laid down by Kṛṣṇa in the *Bhāgavata* have been shown to be included in the stages of Yoga. Thus Yogà practised in its entirety and in the order laid down is enough for the attainment of liberation. In this sense alone are to be understood the words in the Purāṇa-s saying that Brahman is to be attained by Yoga.

INDEX

INDEX OF HALF-VERSES